D1178106

Traite et esclavage des Noirs
au nom du christianisme

© L'Harmattan, 2008
5-7, rue de l'Ecole polytechnique ; 75005 Paris

http://www.librairieharmattan.com
diffusion.harmattan@wanadoo.fr
harmattan1@wanadoo.fr

ISBN : 978-2-296-05997-9
EAN : 9782296059979

Jean MPISI

Traite et esclavage des Noirs au nom du christianisme

L'HARMATTAN

La traite et l'esclavage des Noirs sont aujourd'hui reconnus par la communauté internationale comme un **crime contre l'humanité**. Un crime que commettaient, du XVᵉ au XIXᵉ siècles, en toute impunité, des chrétiens d'Europe, laïcs et ecclésiastiques, individus et Etats.

Pendant longtemps, la traite négrière a constitué une branche normale du commerce européen, faisant vivre les Etats. Des marchands négriers étaient des gens normaux, respectés, qui bâtissaient des fortunes, contribuant à l'essor des villes et des populations. Ils venaient en Afrique se ravitailler en Noirs, qu'ils capturaient au cours des razzias, ou qu'ils acquerraient auprès des potentats locaux sensibilisés à la nouvelle opération commerciale. Ils allaient les vendre en Amérique aux colons, qui les utilisaient dans leurs plantations...

Pendant longtemps également, l'esclavage, conséquent à la traite, est demeuré un fait de la société occidentale, banal, institutionnalisé, réglementé, codifié, justifié. Des juristes auprès des rois et enseignant à l'université parvenaient à donner un statut à l'esclave : pour l'essentiel, celui-ci était un sous-homme, situé entre un objet et un être humain ; mieux, il était un « bien meuble », qu'on peut obtenir lors d'une « guerre juste » ou lors d'une vente publique « légale », qu'on peut vendre à qui l'on veut, ou qu'on peut léguer à sa progéniture ou à une association publique ou privée, caritative ou autre.

Toute cette entreprise était menée au nom du christianisme : les gens prétendaient que traite et esclavage étaient conformes aux enseignements de Jésus-Christ. En les réduisant en esclavage, les Blancs pensaient que les Noirs, « descendants de Cham » (Cham, fils maudit de Noé), allaient retrouver la lumière du Sauveur !

C'est ainsi que l'Eglise elle-même était une puissance négrière : elle s'accommodait de l'esclavage, et le soutenait même, le considérant comme une institution de droit divin et relevant d'un ordre naturel.

Collection « **Dossiers, études et documents** »,
fondée et dirigée par **Jean MPISI**

Disons-nous et disons à nos enfants que tant qu'il restera un esclave sur la surface de la Terre, l'asservissement de cet homme est une injure permanente faite à la race humaine tout entière.

Victor SCHOELCHER.

ESCLAVAGE DES NOIRS, CRIME CONTRE L'HUMANITE

L'Eglise catholique, qui justifiait la réduction en esclavage, avoue son tort et demande pardon aux Noirs

La traite et l'esclavage des Noirs sont aujourd'hui reconnus par la communauté internationale comme un crime contre l'humanité. Un crime que commettaient, du XVe au XIXe siècles, en toute impunité, des chrétiens d'Europe, laïcs et ecclésiastiques, individus et Etats.

A l'époque, et pendant longtemps encore après, ce trafic d'êtres humains n'était pas ainsi considéré comme un péché. En effet, si certains esprits admettaient parfois qu'il était un acte mauvais, personne n'envisageait de s'excuser auprès des descendants d'esclaves.

Ce serait le pape Jean-Paul II qui, le premier, demande courageusement – au nom de l'Eglise catholique qui donnait une justification divine de l'esclavage – "pardon à nos frères africains qui ont tant souffert de la traite des Noirs". Ce fut le 13 août 1985 à Yaoundé, au Cameroun. Quatre ans plus tard, c'est encore le gouvernement central de l'Eglise, à travers la Commission pontificale « Justice et Paix », qui dit une vérité souvent étouffée ou qui faisait mal à entendre : "On réduisit en esclavage pour profiter du travail des « Indiens » puis des Noirs, et l'on se mit à élaborer une théorie raciste pour se justifier".

Depuis lors, l'Eglise ne va plus arrêter de reconnaître l'immense tort que ses fidèles, au nom du Christ qu'ils professent, faisait aux Noirs. Le pape polonais en sera le porte-parole attitré. Le 26 janvier 1990, il déclare à Praia, au Cap Vert : "Votre terre fut malheureusement connue pour l'abominable commerce de personnes humaines, aux temps de l'esclavage". Le 22 février 1992 à l'île de Gorée : "Dans ce sanctuaire africain de la douleur noire, nous implorons le pardon du ciel [en pensant aux populations déportées du continent africain]." Le 4 mars suivant à Rome : "Nous voulons reconnaître les torts qui, au cours d'une longue période, ont été causés aux Africains par le honteux commerce des esclaves". Le 21 octobre de la même année, toujours dans la Ville éternelle : "Pardon *aux premiers habitants des terres nouvelles*, aux « Indios », et aussi à ceux qui, depuis *l'Afrique*, y furent déportés comme *esclaves*". Le 1er avril 1995, Jean-Paul II, à Rome : "En ce qui concerne l'esclavage africain, j'ai déjà eu l'occasion d'implorer le pardon du ciel pour le honteux commerce d'esclaves auquel participèrent de nombreux chrétiens et qui, partant du continent africain, fournit en main-d'œuvre les terres nouvellement découvertes. En ces tristes époques, les interdictions de mes vénérables prédécesseurs Pie II en 1462 et Urbain VIII en 1693 ne furent pas suffisantes, pas plus que les invectives de Benoît XIV."

Voilà pour l'Eglise romaine, la directrice de conscience des esclavagistes.

Le curieux « pardon de l'Afrique à l'Afrique » des évêques africains

Les évêques africains, qui auraient dû être les premiers à se prononcer sur l'esclavage, ne le feront qu'en octobre 2000. En effet, lors de leur XIIe Assemblée plénière, à Rocca di papa, près de Rome, ils déclarent : "La traite négrière [est] *cet holocauste méconnu* qui a imprimé une tâche indélébile sur l'âme de l'Africain".

En novembre 2001, à Port-Louis, les mêmes évêques africains affirment : "L'esclavagisme, commerce inique et horrible dont les Africains ont été victimes, opéré avec cynisme, visait à l'abâtardissement de l'homme noir".

Le 5 octobre 2003, les évêques africains, réunis à l'île de Gorée, croient nécessaire de demander le « pardon de l'Afrique à l'Afrique », estimant que les Africains avaient également participé à la traite atlantique !

Furieux, les historiens africains dénoncent un « révisionnisme » de l'histoire, soutenant que les Africains étaient des victimes et non des bourreaux ; leurs frères étaient capturés et non « cédés » ! En prétendant le contraire, les évêques fournissent, inconsciemment ou non, des arguments à certains auteurs occidentaux qui minimalisent l'action néfaste de leurs ancêtres négriers, en prétendant qu'après tout, ces derniers n'achetaient que la « marchandise » que leur vendaient les Africains eux-mêmes !

Les nations imaginent la *route de l'esclave* et font de la *réduction en esclavage* un crime contre l'humanité

Alors que l'Eglise romaine confesse son péché et demande pardon aux Noirs, les nations chrétiennes, elles, qui pratiquaient l'esclavage, ne vont pas se bousculer pour reconnaître leurs torts.

Ce sont les pays noirs qui vont les sortir de leur torpeur. En effet, en 1993, sur proposition de Haïti et des pays africains, la Conférence générale de l'UNESCO approuve lors de sa vingt-septième session, la mise en œuvre du projet « *La route de l'esclave* ». Si le concept de « route » exprime la dynamique du mouvement des peuples, des civilisations et des cultures, celui « d'esclave » s'adresse non pas au phénomène universel de l'esclavage mais, de manière précise et explicite, à la traite négrière transatlantique, dans l'océan Indien et en Méditerranée.

Ce projet a un double objectif : d'une part, mettre fin au silence en faisant connaître universellement la question de la traite négrière transatlantique et de l'esclavage, dans l'océan Indien et en Méditerranée, ses causes profondes, ses modalités d'exécution par des travaux scientifiques et, d'autre part mettre en lumière, de manière objective ses conséquences et, notamment les interactions entre tous les peuples concernés d'Europe, d'Afrique, des Amériques et des Caraïbes.

C'est en septembre 1994 qu'est lancé le programme de l'UNESCO « *La route de l'esclave* » à Ouidah (Bénin), une des anciennes plaques tournantes de la traite négrière dans le golfe de Guinée. Les Actes de Ouidah seront publiés par les Editions UNESCO en 1998 sous le titre « *La chaîne et le lien : une vision de la traite négrière* ».

En juillet 1998, la Cour pénale internationale définit, par le statut de Rome, les actes qualifiés de crimes contre l'humanité, au nombre desquels figure la « *réduction en esclavage* ».

Christiane Taubira obtient une loi reconnaissant la traite et l'esclavage comme crimes contre l'humanité

Certains descendants tirent la conséquence de la déclaration de la Cour pénale internationale : chaque nation qui avait participé à la traite négrière doit reconnaître publiquement son erreur. C'est ainsi que, le 22 décembre 1998, lors de la célébration du 150e anniversaire de l'abolition de l'esclavage par le député français Victor Schœlcher, Christiane Taubira-Delannon, députée de Guyane, dépose, à l'Assemblée nationale française, une proposition de loi tendant à la reconnaissance de la traite et de l'esclavage en tant que crimes contre l'humanité.

C'est le 10 mai 2001 que la proposition de loi de Taubira est votée comme loi, moyennant quelques amendements. Promulguée le 21 mai, la « loi Taubira » déclare que *la traite et l'esclavage dont étaient victimes les Noirs constituent un « crime contre l'humanité »*.

A Durban, en Afrique du Sud, la 3e *Conférence mondiale des Nations Unies contre le racisme*, qui se déroule du 27 septembre au 8 août 2001, déclare à son tour « l'esclavage et la traite négrière transatlantique comme crimes contre l'humanité ». A l'occasion de cette rencontre, les Etats africains reprennent à leur compte une partie de la proposition Taubira que le parlement français n'avait pas gardée en raison de sa complexité, à savoir la réparation due au titre du crime commis. Pour les chefs d'Etats africains, cette réparation pouvait trouver un mode d'expression adéquat dans l'aide au développement. Sans doute y a-t-il là quelque chose à recevoir et de manière toute particulière pour Haïti en cette année du Bicentenaire. Le rapport de R. Debray fait en ce sens un certain nombre de propositions concrètes de développement tant au point de vue humain, des infrastructures que de l'économie.

Combat pour la mémoire

Après l'adoption de la loi Taubira, le combat pour la mémoire. A vrai dire, il commence quelques années auparavant. Par exemple, en 1992, est organisée une exposition à Nantes, un des principaux ports négriers français (d'où partirent 3 829 expéditions négrières), sur la traite des Noirs : « les Anneaux de la Mémoire ». C'est la première grande exposition sur le sujet. Succès fulgurant : 400 000 visiteurs en dix-huit mois.

Le 5 janvier 2004, en application de la loi du 10 mai 2001, qualifiant l'esclavage et la traite négrière de crime contre l'humanité, le gouvernement français émet un décret, qui institue pour cinq ans le « Comité pour la Mémoire de l'Esclavage » (CPME), qui se propose de :

1° fixer la date de la commémoration annuelle, en France métropolitaine, de l'abolition de l'esclavage ;

2° identifier les lieux de célébration et de mémoire sur l'ensemble du territoire national, et mener les actions de sensibilisation du public ;

3° suggérer des mesures d'adaptation des programmes d'enseignement scolaire, des actions de sensibilisation dans les établissements scolaires et des programmes de recherche en histoire et dans les autres sciences humaines dans le domaine de la traite ou de l'esclavage.

L'esclavage est donc reconnu par une nation esclavagiste, la France, comme crime contre l'humanité. Et les nations africaines, dont d'aucuns prétendent qu'elles étaient « pourvoyeuses » en esclaves ? Le 4 août 2004, à Cotonou, l'auteur de la loi du 10 mai 2001, Christiane Taubira-Delanon, fustige, lors d'une session ordinaire de l'Assemblée nationale béninoise, le "mutisme coupable" des parlementaires et gouvernants africains face à la traite et l'esclavage des Noirs. Elle rappelle qu'elle est à l'origine d'une loi votée par l'Assemblée nationale française reconnaissant l'esclavage comme un crime contre l'Humanité. "Je m'étonne du silence coupable et de la torpeur dans laquelle se trouve les parlements africains. Vous avez l'obligation de prendre position et de nommer ce crime contre l'humanité", déclare-t-elle. "Les parlementaires africains ne sont pas seulement coupables mais ignorants", réplique Mme Rosine Soglo, présidente du groupe parlementaire de la Renaissance du Bénin (RB, opposition). Celle-ci estime qu'il faudrait procéder à des "séances d'informations" pour inciter à une prise de position exemplaire des Africains qui "ont pris une part active à cette honteuse traite" (encore du « révisionnisme », diraient les historiens africains).

A vrai dire, dans cette « affaire », l'Afrique, mal à l'aise, ne veut pas prendre des initiatives, qui pourraient être mal comprises. Elle veut seulement se reconnaître dans toute la démarche de la communauté internationale. C'est ainsi qu'elle approuve la déclaration du 23 août 2004, par l'Assemblée générale des Nations Unies, qui fait de 2004 « Année internationale de commémoration de la lutte contre l'esclavage et de son abolition » (2004 marque à la fois le bicentenaire de la proclamation du premier Etat noir, Haïti ; le symbole du combat et de la résistance des esclaves ; le triomphe des principes de liberté, d'égalité, de dignité, des droits de la personne et l'occasion des retrouvailles fraternelles entre l'Afrique, l'Europe, les Caraïbes et les Amériques).

D'autres actes nourrissant le combat pour la mémoire vont être commis. Ainsi, le 25 février 2005, voit le jour un projet visant à améliorer la conservation et l'accès aux archives de la traite négrière, initié par l'UNESCO en 1999 et financé par l'Agence norvégienne pour la coopération et le développement (NORAD).

Fin de l'année 2006, les organisateurs de l'exposition « les Anneaux de la Mémoire » à Nantes prévoient l'inauguration d'un *mémorial de l'abolition de l'esclavage* sur le quai de la Fosse, là où les navires caboteurs nantais déchargeaient leur cargaison. En face du quai, dans la Maison de l'outre-mer qu'il préside, Octave Cestor, maire adjoint d'origine martiniquaise, insiste sur l'importance symbolique du projet : « Ce sera le premier mémorial du genre en Europe. »

Savoir pourquoi traite et esclavage ont constitué un « crime contre l'humanité »

Officiellement, traite et esclavage des Noirs sont donc aujourd'hui enregistrés comme des crimes odieux contre l'humanité.

Pour savoir pourquoi ils sont considérés ainsi, il faut raconter leur histoire. Une histoire complexe, que nous allons le plus possible simplifier. Nous la présenterons de la manière suivante.

Pendant longtemps, la traite négrière a constitué une branche normale du commerce européen, faisant vivre les Etats. Des marchands négriers étaient des gens normaux, respectés, qui bâtissaient des fortunes, contribuant à l'essor des villes et des populations. Ils venaient en Afrique se ravitailler en Noirs, qu'ils capturaient au cours des razzias, ou qu'ils achetaient auprès des potentats locaux sensibilisés à la nouvelle opération commerciale. Ils allaient les vendre en Amérique aux colons, qui les utilisaient dans leurs plantations...

C'est le royaume du Portugal, une nation catholique jouissant du *padroado* – droit pontifical accordé pour évangéliser les peuples des terres conquises ou à conquérir – qui donne le coup d'envoi du commerce juteux. Pour que celui-ci profite à tout le monde, le royaume d'Espagne des « Rois Très Catholiques » le réglemente, en vendant des contrats aux individus, aux sociétés et même à des Etats. Par la suite, l'Angleterre protestante et la France catholique ont cherché et réussi à briser le monopole ibérique, devenant à leur tour les plus grandes puissances négrières, et le resteront pendant longtemps. Des petites puissances, elles aussi, y trouvent leur compte : Danemark, Pays-Bas, Suède...

Pendant longtemps également, l'esclavage, conséquent à la traite, est demeuré un fait de la société, banal, institutionnalisé, réglementé, codifié, justifié. Des juristes auprès des rois et enseignant à l'université parviennent à donner un statut à l'esclave : pour l'essentiel, celui-ci est un sous-homme, situé entre un objet et un être humain ; mieux, il est un « bien meuble », qu'on peut obtenir lors d'une « guerre juste » ou lors d'une vente publique « légale », qu'on peut vendre à qui l'on veut, ou qu'on peut léguer à sa progéniture ou à une association publique ou privée, caritative ou autre.

L'Eglise s'est accommodée de l'esclavage, et l'a même soutenu, le considérant comme une institution de droit divin et relevant d'un ordre naturel. Par des arguments prétendument bibliques, doctrinaux et philosophiques, des théologiens lui ont trouvé une justification chrétienne. L'un de ces arguments consistait à affirmer que les Noirs étaient les descendants de Cham, ce garçon qui avait raillé la nudité de son père Noé en état d'ébriété, et sur qui était invoquée la malédiction divine. Une malédiction perpétuelle qui ne pouvait être lavée que par la servitude : esclaves, les captifs africains, qui étaient des « païens » notoires, n'auraient leur salut que dans le Christ, dans la lumière de son Evangile.

L'Eglise elle-même était une puissance négrière : des prélats procédaient au trafic, à l'achat, à la vente et à l'emploi des Noirs. Des couvents étaient une version « sainte » des entreprises coloniales : ils tiraient une bonne partie de leur profit financier dans d'exploitations agricoles employant les esclaves.

Toute cette entreprise était menée au nom du christianisme : les gens prétendaient que traite et esclavage étaient conformes aux enseignements de Jésus-Christ. En les réduisant en esclavage, les chrétiens pensaient que les Noirs, « descendants de Cham » (Cham, fils maudit de Noé), allaient retrouver la lumière du Sauveur !

Chapitre 1

TRAITE NEGRIERE OU TRAITES NEGRIERES ?

Généralement, quand l'on parle de la *traite négrière*, l'on entend celle qui fut entreprise du XVe au XIXe siècles par les Européens, lesquels déportèrent des millions d'Africains en servitude en Amérique. C'est elle, souvent qualifiée de *traite atlantique* et reconnue aujourd'hui comme un *crime contre l'humanité*, qui fait l'objet de notre ouvrage.

Pour tenter d'atténuer la portée de cette énorme tragédie, de relativiser ou de minimiser la responsabilité de leurs nations dans sa réalisation, certains auteurs européens, qui veulent se donner une conscience tranquille, essaient d'argumenter que les Africains ont également joué un rôle non négligeable dans la traite atlantique, et qu'il n'y a pas eu *une*, mais *plusieurs* traites négrières, les unes plus dramatiques que les autres.

Il n'y a pas eu une, mais plusieurs traites négrières. Les auteurs qui soutiennent cette thèse (dont en France Olivier Pétré-Grenouilleau, qui a publié un ouvrage au titre révélateur : *Les traites négrières*[1]) dénombrent trois traites, qui se seraient étalées sur treize siècles ! La traite *atlantique* est naturellement la plus connue de ces traites et celle dont on parle quasi exclusivement, parce qu'elle est la plus systématique et la plus codifiée. Les auteurs dont nous parlons insistent sur le fait que ce commerce était précédé et alimenté par deux autres traites intérieures à l'Afrique, l'une *africaine* et l'autre *arabe*, visant toutes les peuples africains.

A vrai dire, la traite et l'esclavage constituent un phénomène universel, pratiqués aussi bien en Afrique, en Asie, en Europe qu'en Amérique. En Europe, au Xe siècle par exemple, les corsaires barbaresques, faisant des prisonniers, n'hésitaient pas à les vendre s'ils ne pouvaient

---

[1] O. Pétré-Grenouilleau, *Les Traites négrières. Essai d'histoire globale*, Gallimard, 2004.

en obtenir de fortes rançons... Certains des captifs, abjurant leur foi, s'engageaient aux côtés de leurs ravisseurs ; on les qualifiait de « renégats ». Les Européens touchant des côtes africaines ne sont donc pas étonnés de découvrir qu'une partie de leur population est asservie.

Ceci dit, on peut aborder les trois types de traites qui se sont déroulées en Afrique les siècles passés.

La traite intérieure africaine

Le continent noir n'échappe pas à l'esclavagisme.

Les premières mentions d'une situation d'esclavage en Afrique remontent aux plus lointaines origines, à l'Egypte pharaonique. Ce ne sont pas, semble-t-il, les autochtones qui étaient réduits en esclavage, mais les étrangers, lesquels étaient capturés lors des guerres ou livrés en tribut par des régions soumises. Ces étrangers, qui provenaient essentiellement de la Nubie voisine (actuel Soudan), taillaient le plus souvent les pierres des temples ou des pyramides ; parfois, les hommes étaient affectés à la guerre, et les femmes... à faire l'amour ! A vrai dire, le travail servile, au sens strict du terme, ne constituait pas un trait dominant de l'économie égyptienne ; il avait néanmoins sa place.

Dans le reste du continent, le trafic interne est alimenté par les razzias qu'opèrent les Etats les uns sur les autres, par la vente de prisonniers, ou ceux qui sont gagés pour dettes. La sanction d'une guerre perdue est la fourniture d'une certaine quantité d'esclaves ; on voit ainsi le royaume de Nubie dispensé de la guerre sainte par la fourniture annuelle de 360 esclaves, à l'Egypte musulmane.

Les coupables de certains crimes peuvent être réduits en esclavage, mais, dans ce cas, on préfère les éloigner de leur région d'origine ; on voit même des individus se vendre à un maître pour éteindre une dette qu'ils ne peuvent rembourser.

Deux catégories peuvent se rencontrer : les esclaves de case et ceux des champs, le travail de ces derniers étant beaucoup plus rude et leur sort beaucoup moins enviable que ceux des premiers.

Il ne s'agirait pas véritablement d'une traite, entendue comme un système pérenne, organisé et structuré de commerce. Ce serait plutôt, en général, une sorte de servitude assimilable à l'esclavage.

Cette traite est, avec l'amende, une des formes de condamnation appliquée aux crimes non passibles de la peine de mort. Le condamné, ou le débiteur insolvable, en accord avec la justice, ou le créancier, a la possibilité de purger sa peine par un travail rémunérateur rendu. Le travail peut s'effectuer dans la maison ou les champs de la partie civile, ou autrement, mais au profit de celle-ci. Par le travail, le captif retrouve ainsi sa liberté, ou voit sa dette effacée.

Une autre source principale des esclaves est *la guerre*. Celle-ci est faite souvent par des chefs qui veulent asseoir ou étendre leur pouvoir ou leur empire, ou se déroule entre des peuples d'ethnies différentes au sujet d'un litige. Au Congo, c'était la principale source. Les prisonniers de guerre sont vendus comme esclaves.

Dans tous les cas mentionnés – ceux d'un condamné, d'un débiteur ou d'un prisonnier de guerre –, le captif peut librement se marier, posséder des biens et même des gens à son service. Le maître, quant à lui, a l'obligation de le loger, de le nourrir et de le vêtir. Parfois même, il le considère comme un membre de sa famille ! Le captif est libre, après avoir purgé sa peine, de demeurer dans le nouvel environnement social, ou au contraire de regagner sa terre d'origine.

Ainsi donc, comme dans toutes les sociétés, y compris occidentales, la traite africaine a existé, on ne peut le nier, mais l'importance qu'on lui a donnée par la suite serait excessive.

Les traites arabe et européenne, par la capture d'Africains et l'exacerbation de la traite intérieure

La traite intérieure, venons-nous de dire, est un « phénomène de société » endogène, qui constitue une sorte de punition infligée à une personne ayant commis une grande faute, ou ayant été faite prisonnière. Le fautif n'est pas tellement « vendu », mais « cédé » ou envoyé en captivité, afin qu'il purge sa peine. L'opération se déroule en principe entre des sociétés voisines, mais jamais avec des sociétés étrangères.

Ce phénomène va s'amplifier et avoir une autre dimension avec la traite extérieure. Les étrangers sont de deux sortes, Européens et Arabes.

Dès les premiers siècles de l'ère chrétienne, on rencontre les esclaves africains en Crète, en Grèce, à Rome, à Carthage, où ils sont très appréciés. Dès le VIe siècle, les colonies arabes de la côte orientale exportent les habitants de la côte de l'est, vers Bagdad, la Perse et la région comprise entre les fleuves Tigre et Euphrate où ils cultivent la canne à sucre. A partir du Xe siècle, on signale des Noirs vendus en Chine et surtout aux Indes.

Mais ce sont surtout les Arabes, avant les Européens, qui exploitent avec intensité la traite négrière : elle commence dès le Moyen-Age. Le plus souvent effectuée par razzia, elle puise les esclaves en plein cœur de l'Afrique noire : au Sahara (entre le fleuve Sénégal en amont de Saint-Louis, région de Tombouctou, territoire entre Kano et le Lac Tchad), dans le bassin ou les sources du fleuve Nil et aux Grands Lacs (partie orientale de l'Afrique centrale). Les esclaves provenant de l'Afrique occidentale sont acheminés à Marrakech, Alger, Tunis ou Tripoli ; ceux de l'Afrique du réseau nilotique sont regroupés dans les anciens sultanats de Ouadaï et du Darfour, ou destinés à l'Egypte et à l'Arabie ; les esclaves des Grands Lacs sont stockés aux ports de Mombasa, Kilwa et Ibo, avant d'être expédiés en Arabie, ou même aux Comores, aux Mascareignes (île Maurice et La Réunion), au Brésil et aux îles de Zanzibar et Pemba pour le compte du sultan de Mascate (golfe d'Oman).

Atsutsé Kokouvi Agbobli affirme que c'est la traite arabe, et non africaine comme l'ajoutent certains auteurs, qui prolonge la traite atlantique[1] :

"L'esclavage et la traite des Noirs pratiqués par les Etats arabo-musulmans furent suivis, en 1437, près de huit siècles plus tard et plus de soixante années avant la découverte du Nouveau-Monde par les Européens ; des marins et forbans portugais conduits par Antão Gonçalves par le chasse au filet s'emparèrent de quelques pauvres Noirs en ballade sur les plages des côtes de l'actuelle Mauritanie : c'est le début d'un si fructueux commerce d'esclaves noirs entre la péninsule ibérique et certains ports des côtes atlantiques d'Europe occidentale que la domesticité noire était devenue la mode dans les grandes familles européennes. Pour bien des gens, c'était évidemment le sort des « païens infidèles » et pour les bonnes âmes, c'était « sauver des âmes perdues »."

Donc, les Européens, qui sont au courant de ce qui se passe en Afrique, viennent pour proposer aux négriers arabes et à certains roitelets ou chefs de guerre africains de leur livrer des esclaves, en mettant le prix, plus ou moins élevé. Attirés par le prix ou l'appât du gain, ces marchands arabes vont accélérer leur trafic d'êtres humains ; de même, les potentats africains vont être poussés à utiliser n'importe quel prétexte pour réduire en servitude leurs sujets, afin de les vendre aux étrangers, ou à susciter des guerres qu'ils n'auraient pu faire si les esclavagistes extérieurs n'existaient pas.

Mais les Européens ne se contentent pas d'acheter les esclaves aux trafiquants arabes ou aux chefs africains. Ils vont surtout monter leurs propres réseaux et leurs propres moyens de fourniture, en général par l'organisation d'expéditions armées. Les Arabes et les Africains seront impliqués, de gré ou de force, dans le nouveau système. Ils deviennent des auxiliaires, volontaires ou non, des marchands européens. Les auxiliaires africains, appelés « gourmettes » (de l'espagnol *grumetes*), négocient avec les

---

[1] Atsutsé Kokouvi Agbobli, "Une cérémonie de repentance bien bizarre", *Afrique-Education*, du 16 au 30 novembre 2003.

chefs locaux, s'occupent de l'organisation des convois, surveillent les captifs et assurent la protection des maîtres européens. Ceux-ci conduisent les gourmettes, parfois font eux-mêmes leur travail ; d'autres, par contre, sont basés sur la côte, attendant tranquillement la « marchandise ».

Les auteurs qui veulent égaliser les trois traites au plan des dégâts, ou qui veulent trouver des circonstances atténuantes à la traite atlantique, expliquent que les Arabes ont été les premiers à inventer le commerce d'Africains, et que ce trafic est aussi celui qui a été sans doute le plus barbare, certainement celui qui a duré le plus longtemps (treize siècles, soit du VIIe au XXe siècle) et qui a probablement fait le même nombre de victimes que la traite occidentale, sinon plus.

Quant à la traite africaine, les auteurs disent que, comme au Moyen-Orient, en Egypte ou en Grèce, elle existait depuis la nuit des temps ; elle s'est amplifiée à la suite de la « demande » des traites orientale et atlantique et s'est elle-même mué en un commerce : certains royaumes africains se seraient considérablement enrichis et développés en vendant des esclaves capturés dans d'autres tribus. Sans l'existence de cette traite « interne » fournisseuse en captifs, prétendent les auteurs, les traites orientale et occidentale n'auraient pas pu se développer.

Ces élucubrations sont balayées par les historiens africains et afro-américains, qui accusent leurs homologues occidentaux de vouloir à tout prix imposer l'idée que c'est la faute des Africains s'ils ont été victimes de la traite atlantique et de l'esclavage subi en Amérique ! La traite atlantique et l'esclavage qui s'en est suivi constituent une entreprise des Blancs, pensée et exécutée par eux ; pour que leur affaire donne des meilleurs résultats, les négriers européens ont engagé quelques Africains à leur service et incité les potentats locaux à leur fournir de la « marchandise ».

C'est ce que nous allons tenter de montrer dans cet ouvrage…

Chapitre 2

JUSTIFICATIONS « CHRETIENNE » ET ECONOMIQUE DE LA TRAITE

Amener au Christ les Noirs, « fils de Cham », maudits par Dieu !

Le *salut par le christianisme* est souvent présenté comme la principale motivation qui conduit les nations européennes à capturer les Africains qui vivraient dans l'ombre du·paganisme et à les déporter en Amérique afin de les réduire en servitude.

Les chrétiens blancs qui, à partir du XVe siècle, entreprennent traite et réduction en esclavage de l'Africain, poursuivraient ainsi un mobile « noble » : sortir le Noir de la « malédiction » divine qui le poursuivrait depuis la nuit des temps et le conduire à la lumière du Christ. Le théologien Jean Bellong de Saint-Quentin exprime clairement l'idéologie de l'époque[1] :

"Le plus grand malheur qui puisse arriver à ces pauvres Africains, serait la cessation de ce trafic. Ils n'auraient alors aucune ressource pour parvenir à la connaissance de la vraie religion, dont on les instruit à l'Amérique, où plusieurs se font chrétiens... Eh ! plût à Dieu que l'on achetât tous ces misérables Nègres, et qu'on en dépeuplât l'Afrique..."

D'où vient cette étrange légende – car il en est bien une –, qui accrédite la thèse de la prétendue déchéance des Noirs comme conséquence d'une malédiction séculaire frappant tous les « fils de Cham » ? Elle est très vieille : elle a été fabriquée et imposée, depuis l'Antiquité. Ce serait d'abord l'islam qui aurait considéré les Noirs d'Afrique comme les descendants de Cham et à faire de leur mise en esclavage une punition divine. Mais c'est le christianisme, beaucoup plus que l'islam ou le judaïsme, qui aurait

---

[1] Cité par A. Gisler, *L'esclavage aux Antilles françaises (XVIIe - XIXe siècle)*, Karthala, 1981, p. 170.

théorisé et imposé l'imagerie négative du Noir. Celle-ci, en effet, comme l'écrit Jean Devisse[1], prend

> "sa source dans le christianisme, (qui) dans sa pointe extrême d'analyse malveillante, a donné, par l'intermédiaire de certaines exégèses, une justification théologique à cette inégalité (entre Blancs et Noirs) par le recours à un texte biblique, celui de la malédiction de Cham."

Dès l'époque patristique (IVe-VIe s.), l'Eglise décrète que la couleur noire sera assimilée au péché, à la tentation, au démon, tandis que la blanche symbolisera Dieu, ses saints et tout ce qui est pur.

Il semble que ce soit Luther qui ait imposé au monde occidental cette idée de malédiction divine des Noirs. En effet, dans son *Commentaire sur la Genèse*, le réformateur écrit que Cham est dépeint avec les couleurs laides (ou noires). Mais il ne spécifie pas que la punition de Cham soit transmise aux seuls Négro-africains. Pourtant, plusieurs savants, historiens, anthropologues ou théologiens, vont se servir du *Commentaire* de Luther sur la Genèse, pour essayer d'expliquer les vices des Noirs et justifier la traite.

L'on sait ce que dit le premier livre de la Bible. Son chapitre 9 raconte l'histoire extraordinaire de Noé qui, après le Déluge, s'enivre, heureux d'avoir échappé à la colère divine. C'est dans cet état d'ébriété que le rescapé s'assoupit, découvrant son anatomie. Cham, son fils, qui le découvre nu, se moque de lui ; au contraire, ses deux frères, Sem et Japhet, prévenus par lui, vont respectueusement recouvrir leur père. Ce dernier, à son réveil, est mis au courant par les bons enfants. Furieux, il s'insurge alors sur le mauvais, dont il maudit le fils, Canaan ; la prospérité de celui-ci est destinée à être tenue en esclavage par celle de Sem et Japhet (*Gn* 9, 20-27).

---

[1] J. Devisse, "La représentation du Noir au Moyen-Age", dans *Images du Noir dans la littérature occidentale - Du moyen-Age à la conquête coloniale*, Notre Librairie, N° 90, oct.-déc. 1987, p. 10.

C'est la première fois que le mot « esclave » apparaît dans la Bible. Le chapitre 10 de la Genèse affirme que les descendants de Canaan, que l'on appellera les Chamites (du nom du fils maudit Cham), vont s'éparpiller à travers la Terre promise, couvrant à l'époque la Phénicie, des parties de Palestine et de Syrie, jusqu'à la vallée du Jourdain. Les Hébreux, qui tiennent à la « pureté » de la Terre de Dieu, vont asservir puis chasser les Cananéens jusqu'en Egypte.

Ce récit biblique, certainement écrit par un ou des Hébreux, « pèche » par son imprécision. Notamment, elle ne nous dit pas pourquoi le père Noé maudit-il Canaan et non Cham qui a péché, ni pourquoi Canaan et non un autre enfant de Cham. Le mystère du Livre saint s'amplifie lorsqu'on lit (*Gn* 10, 14) que parmi la descendance de Cham, une branche forme les « gens du pays du sud » (allusion à l'Egypte, qui signifie « pays des Noirs »), sans préciser laquelle (les Cananéens ou les autres descendants des fils de Cham ?)[1].

C'est une vieille tradition rabbinique, très tôt reprise par les exégètes chrétiens, qui risque cette géographie post-diluvienne de l'éparpillement des hommes sur terre en partant des trois enfants de Noé : aux descendants de Sem (les Sémites), les rives orientales et méridionales de la Méditerranée ; à ceux de Japhet (les Japhétites), les rives septentrionales et occidentales de cette mer ; à ceux de Cham (les Chamites), les terres inconnues et étendues de l'Afrique.

Evidemment, des exégètes juifs et chrétiens ont vite fait de conclure que les « gens du sud », en particulier les « Ethiopiens » (que la Bible assimilerait aux Noirs africains), ne pouvaient être que des Cananéens, ne se demandant même pas pourquoi, par exemple, les Phéniciens, qui sont

---

[1] L'on peut rapprocher, comme le font certaines traditions juives, la malédiction de la Genèse de la prophétie d'Isaïe décrivant les prisonniers égyptiens et nubiens déportés en Assyrie, "nus déchaussés" (*Is.* 20, 4). Voir à ce sujet Raschi, *Commentaire sur Gen. 9, 23* (éd. et trad. Silbermann, Jérusalem, 1929, p. 40).

une lignée de ces Cananéens (*Gn* 10, 15), aient échappé à la malédiction du père Noé[1].

Pendant plusieurs siècles, des historiens et des théologiens vont s'emparer de cette relation biblique et l'amplifier même. Le P. Pierre Charles, jésuite belge, et son homologue français, Georges Guyau, essaient de remonter aux origines de cette fiction et de sa pénétration dans le monde catholique[2]. Ils établissent que, dès 1580, la *Chronographie* de Dom Gilbert Génébrand avance que la malédiction de Cham est à l'origine de l'esclavage des Noirs. Les *Annales* du barnabite Augustin Tornelli reprennent cette légende en 1610. Pour le professeur protestant Jean-Louis Hannemann en 1677, la malédiction de Cham explique l'esclavage et la couleur noire des « Ethiopiens », nom générique pour désigner les populations d'Afrique au-delà de l'Equateur, et en particulier ceux habitant la région du Congo. Le *Dictionnaire de la Bible* de Dom Augustin Calmet, en sa première édition de 1722, ne dit pas autre chose...

Résumons-nous : dans la tradition « blanco-biblique », comme le dit Louis Sala-Molins, l'esclavage des Noirs trouve parfaitement sa légitimation et la traite apparaît dès lors comme un moyen providentiel de christianisation. Capturer ou acheter des esclaves noirs, c'est les sauver d'un sort pire, la malédiction divine, c'est leur donner la possibilité d'accéder à la « civilisation » qu'enseigne le Christ, envoyé par Dieu pour sauver ceux qui sont nés ou vivent dans le

---

[1] L'ouvrage *Recueil Edouard Dhorme. Etudes bibliques et orientales*, Paris, 1951, pp. 167-189, décrit la répartition géographique des fils de Noé selon le chap. 10 de la Genèse. Actuellement, tous les exégètes considèrent que la malédiction de Canaan est le prélude à la défaite des Cananéens, qui habitaient la Palestine actuelle, et que les Hébreux, à leur retour d'Egypte, écraseront.

[2] P. Charles, "Les Noirs, fils de Cham le maudit", dans *Nouvelle Revue théologique*, LV, Louvain, décembre 1928, pp. 721-739 (Voir aussi, du même auteur, *Les dossiers de l'action missionnaire*, 2e éd., 1939, vol. I, fasc. 1, pp. 73-76 : Dossier 16, « Peuples maudits » ; « Races maudites ? », dans *L'âme des peuples à évangéliser*, Louvain, 1928, pp. 9-17). G. Guyau, *L'Eglise en marche*, 3e série, Paris, 1931.

péché. Dans le chapitre 5, nous reviendrons en détail sur les références bibliques qui justifient l'esclavage des Noirs.

Hors d'Eglise, point de salut !

Nous savons qu'en réduisant les « païens » africains en esclavage, les négriers entendent « sauver » leur âme, les sortir des ténèbres et les conduire à la lumière du Christ. Voilà pourquoi l'Eglise sera partie prenante dans l'entreprise esclavagiste : le rôle qu'elle jouera sera capital, puisqu'il justifiera cette entreprise. Elle veillera à la « sanctification » de l'esclave...

L'on n'est sauvé que lorsqu'on embrasse le christianisme, que lorsqu'on reçoit le baptême du Christ. L'on ne peut y arriver qu'en devenant membre de l'Eglise, l'Eglise en dehors de laquelle le salut ne peut être envisagé.

Enoncée au premier millénaire de l'existence de l'Eglise, cette « vérité » demeurera immuable, éternelle, inattaquable ; elle ne sera remise en cause qu'au moins en 1854 !

C'est le pape Innocent III qui, en 1208, prescrit cette « profession de foi » : "Nous croyons que, en dehors de l'Eglise une, sainte, Romaine et catholique, nul ne peut être sauvé." (*Enchiridon Symbolorum*). Le décret pontifical est entériné en 1215, par le Quatrième Concile de Latran : "Il n'existe qu'une seule Eglise, l'Eglise universelle des fidèles en dehors de laquelle nul ne peut être sauvé".

En 1302, Boniface VIII, dans sa bulle *Unam Sanctam*, formule solennellement ce principe : "Nous déclarons, nous proclamons, nous définissons qu'il est absolument nécessaire pour le salut de chaque créature humaine d'être sous la dépendance du Pontife Romain".

En 1442, sous le pape Eugène IV, le Concile de Florence déclare :

"(La Sainte Eglise Romaine)... croit fermement, professe et prêche que personne en dehors de l'Eglise catholique, non seulement les païens, mais aussi ni les juifs, les hérétiques ou les schismatiques, ne peuvent participer de la vie éternelle ; mais ils iront dans "le feu éternel préparé pour le diable et pour ses anges" (Mt 45, 23), à moins que, avant la fin de leur vie, ils ne soient reçus dans l'Eglise. Car l'union au corps de l'Eglise est si cruciale que les sacrements de l'Eglise ne sont efficaces que pour ceux qui demeurent en son sein ; et jeûnes, aumône et autres œuvres de piété et exercices d'une vie chrétienne militante accordent l'éternelle récompense à eux seuls. Et personne ne peut être sauvé, même s'il verse son sang au nom du Christ, à moins qu'il ne demeure dans le sein de l'Eglise catholique et uni à elle."

Ce décret d'Eugène IV tombe au moment où les Portugais viennent de capturer les premiers Africains, inaugurant la traite négrière atlantique. Il sera comme une bénédiction à cette entreprise. Il est confirmé par la bulle du même pape, publiée la même année 1442, qui accorde le pardon et l'absolution de tous leurs péchés "aux chrétiens qui, sous la bannière du Christ", s'engageraient à ramener, de gré ou de force, les « infidèles » à la foi chrétienne. D'où, les Noirs, qui sont des « païens », doivent être razziés et réduits en esclavage, afin d'être évangélisés et christianisés.

Les différents édits pontificaux et conciliaires sur le salut obligatoirement chrétien des « païens » et sur leur réduction en esclavage se fondent sur ce que l'Eglise appelle la Tradition, la privilégiant à l'Ecriture (Ecritures Saintes ou Bible) dont elle est pourtant l'interprétation. Ce sont les Pères de l'Eglise, les théologiens et les papes « fondateurs de l'Eglise » qui mettent au point la Tradition, la reposant essentiellement sur les textes de l'Ecriture suivants :

- "Je te donnerai les clefs du Royaume des cieux ; tout ce que tu lieras sur la terre sera lié aux cieux ; et tout ce que tu délieras sur la terre sera délié aux cieux" (Matthieu 16, 19 ; voir aussi 18, 18).

- "Celui qui croira et sera baptisé sera sauvé, celui qui ne croira pas sera condamné" (Marc 16, 16).

Les « traditionalistes » pensent que, à partir de ces versets, qui şeraient des textes définitifs et inaliénables, Jésus institue l'Eglise catholique, donne au pape tous les pouvoirs sur terre et fait du baptême l'unique moyen de salut.

Les « traditionalistes » se trompent : ils ignorent que le langage utilisé dans les Evangiles est en fait une forme littéraire, l'*hyperbole*, caractéristique de la manière de s'exprimer des Juifs (Jésus et les évangélistes étaient nés juifs). L'on peut s'en rendre compte en lisant d'autres versets, dont l'interprétation à la manière « traditionaliste » serait ridicule, parce que ces versets prétendant exprimer la même chose peuvent sembler se contredire (ainsi Matthieu 7, 4 ; 23, 24 ; 5, 29 ; 5, 34-35 ; 24, 36 ; 12, 30 contraste avec Marc 9, 40 !). Si l'on tient compte du recours à cette forme littéraire, l'on comprend ce que voulait dire Jésus. Celui-ci, en outre, n'a pas traité la question plus vaste de savoir comment, dans le cadre de leur propre religion, les gens vertueux sont sauvés.

Décréter que l'Eglise constitue un cadre en dehors duquel aucun salut n'est possible est une interprétation littérale qui dépasse la portée que le Christ a voulu donner à ses déclarations. Les éminences grises de l'Eglise commenceront à s'en rendre compte au XIXe siècle et à modifier l'enseignement antérieur des théologiens et des papes ; ils déclareront que l'appartenance à l'Eglise peut aussi se faire « par désir » et que cela suffit pour être sauvé.

Le deuxième concile de Vatican (1962-1965) couronnera cette évolution en établissant clairement que le salut concerne également ceux qui sont en dehors de l'Eglise, "ceux qui cherchent Dieu d'un cœur sincère" (*Lumen Gentium* 15-17) et les différentes religions auxquelles ils appartiennent sont aussi, dans une certaine mesure, des moyens de salut (*Nostra Aetate*, Déclaration sur les religions non chrétiennes).

Ainsi, si Vatican II avait tenu ses assises au début de la traite négrière, peut-être que celle-ci n'aurait-elle pas eu lieu ! Elle n'aurait pas eu lieu ? Peut-être pas : il se trouvait des gens en Europe qui avaient tellement besoin d'une main-d'œuvre en Amérique que le « salut dans le Christ » des Noirs n'était sûrement pas leur motivation première.

Les Noirs comme main-d'œuvre dans les plantations d'Amérique

Les premiers esclaves capturés par les Portugais leur servent directement en Afrique ou au Portugal.

Mais quand en 1492 Christophe Colomb « découvre » l'Amérique, les Européens (Portugais, Espagnols, Français, Britanniques...) ont besoin de la main-d'œuvre pour planter canne sucre, café, coton... dans leurs nouvelles colonies. Les « Indiens » – *Karib*, autochtones du « Nouveau-Monde » – sont massacrés ; ceux qui survivent au génocide seraient faibles physiquement pour effectuer les durs labeurs des plantations. D'où les colons font appel aux Noirs.

Mais pourquoi les Noirs, et non une autre race ? Certains historiens – du monde occidental – voient l'une des explications dans la prise de Constantinople par les Turcs en 1453, laquelle coupe l'Europe des pourtours de la mer Noire où elle s'approvisionnait jusqu'alors. En effet, les Noirs n'apparaissent sur le marché des esclaves dans la région de Gênes qu'après cet événement. Jusqu'alors, l'essentiel de la main-d'œuvre était constitué de prisonniers de guerre, de Slaves, de Mongols ou de Russes.

La révolution sucrière et l'économie de plantation, découvertes par les Occidentaux au moment des croisades, se développèrent dans l'Europe du Sud à la fin du Moyen Age. C'est ce modèle économique qui sera transporté aux Amériques après les grandes découvertes. Le choix se portera sur les esclaves africains pour diverses raisons, dont la force et la résistance physiques (notamment aux travaux harassants et au milieu épidémiologique américain où sévissent la rougeole et la variole). Le choix des Africains s'explique aussi par les habitudes déjà contractées, pendant deux siècles, dans les plantations des îles de l'Atlantique et du golfe de Guinée, où des esclaves noirs travaillaient.

Ces raisons, aussi injustifiables soient-elles, n'impliquent pas un racisme préalable. Le racisme intervient non pas avant la traite négrière mais après, pour la légitimer. Le Noir devient alors l'esclave type, l'homme ou la femme asservis.

L'utilisation de la main-d'œuvre servile noire, qu'il faut aller chercher en Afrique, constituerait ainsi la première étape de la naissance d'une économie mondiale, qui crée une demande à destination exclusive des Amériques. L'esclave noir devient un facteur de production dans des proportions jusqu'alors inconnues, pendant près de quatre siècles.

Formalisée en 1944 par Eric Williams[1] et adoptée par la plupart d'auteurs qui l'ont imposée dans l'histoire habituelle de la traite négrière, cette thèse, dite *thèse économique*, affirme donc que la traite atlantique fut organisée pour des motifs économiques, ou que les trois traites négrières reposent toutes sur des calculs économiques. Pour décrire le trafic d'esclaves qui s'organise dans les pays arabes dès le VIIe siècle de notre ère, certains historiens anglo-saxons parlent ainsi d'une *Muslim connection,* une « filière musulmane », dont l'apparition coïncide avec l'expansion politique des conquérants arabes et la diffusion de l'islam, et les nourrit... Dans ce cadre, les esclaves noirs fournissent une main-d'œuvre abondante. Mais ce sont les femmes noires qui ont le plus de valeur : elles servent le plus souvent à l'esclavage sexuel.

Dans le cas de la traite africaine, il faut distinguer les esclaves exploités par les Africains eux-mêmes. Sur ce marché « traditionnel », les femmes étaient les plus prisées, non seulement comme mères, mais aussi pour leurs aptitudes à la vie domestique et aux travaux traditionnels.

Perçue ainsi, *la traite ne peut être envisagée comme la conséquence d'un racisme à l'encontre des Noirs,* comme on le pensait en Occident et comme le pensent encore certains historiens africains, afro-américains ou « négrophiles ». Le racisme ne serait donc pas à l'origine de l'esclavage, mais il serait né à la suite de l'esclavage, et particulièrement de la traite atlantique, qui l'ont nourri et ont fait qu'il serve de légitimation a posteriori au commerce des négriers.

---

[1] E. Williams, *Capitalisme et esclavage*, Présence africaine, Paris, 1998.

Faux, rétorquent les historiens du monde noir. *Le racisme a bien été à l'origine de la traite négrière* et n'a fait que se développer avec ampleur pendant la servitude. Ainsi, le professeur Molefi Kete Asante, de Temple University (Etats-Unis), écrit[1] :

"La capture des Africains était un acte raciste. L'argument selon lequel l'ouverture des terres d'Amérique et des Caraïbes aux intérêts européens nécessitait de la main-d'œuvre et que le besoin de main-d'œuvre était la cause de l'esclavage n'est qu'à moitié vrai. Il est exact que le besoin de main-d'œuvre existait, mais il n'était pas nécessaire d'instaurer le travail servile ou le travail forcé. La main-d'œuvre n'est pas par définition servile. En outre, elle n'avait pas besoin d'être africaine. Dans les colonies espagnoles, le système de caste a constamment et invariablement placé les Africains au plus bas de l'échelle des droits et des privilèges. Au Portugal, on capturait les Africains et on les amenait à Lisbonne avant le voyage de Christophe Colomb.

Enfin, l'idée communément admise selon laquelle les Amérindiens ont succombé au travail forcé, victimes du soleil, de la sous-alimentation, des maladies des Blancs et d'une incapacité à s'adapter au régime alimentaire européen, est une promotion excessive, caricaturale et inexcusable du racisme à l'égard des peuples amérindien et africain. En premier lieu, cette conception part de l'hypothèse que ni l'Indien ni l'Africain ne sont humains. L'Indien est plus faible, en quelque sorte, que les autres humains, et l'Africain est plus robuste, en quelque sorte, que les autres humains. Ces autres humains qui jugent les Africains et les Indiens sont blancs. Le soleil dans certaines parties de l'Amérique du Nord pouvait être plus violent que dans de nombreuses régions d'Afrique, et conclure que les Indiens d'Amérique du nord ou des Caraïbes ne pouvaient pas s'adapter à la chaleur revient à courir après une chimère, un mythe. En outre, le régime alimentaire des Amérindiens était solidement établi avant l'arrivée des Européens et ce n'est pas

---

[1] Molefi Kete Asante, "L'idéologie de la supériorité raciale comme fondement de la déportation d'Africains par les Européens", dans *Déraison, esclavage et droit. Les fondements idéologiques et juridiques de la traite négrière et de l'esclavage*, UNESCO, Paris, 2002, pp. 161-177, citation pp. 173-174.

comme si ces gens devaient dépendre de la nourriture préparée par les Blancs. Il n'y a, dans aucun des ouvrages que j'ai lus, de preuves suffisantes pour étayer cet argument légendaire. La notion de la robustesse des Africains a servi à justifier l'importation massive d'Africains dans les colonies des Amériques et des Caraïbes."

Outre la thèse économique, il existe en une autre, dite thèse *socio-économique*, avancée par certains auteurs occidentaux, pour expliquer la déportation d'Africains en Amérique. Notamment défendue en 1968 par Winthrop Jordan[1], elle prétend qu'une théorie économique sous-tendait l'idéologie esclavagiste mais que les sociétés qui ont donné l'impulsion à l'esclavage des Africains étaient imprégnées d'idées racistes ; autrement dit, il s'agit d'affirmer que *racisme et esclavage se sont mutuellement engendré ou inventé*. Cette thèse, qui s'appliquerait mieux aux Anglais qui ont commencé la traite en 1550 après les Latins (Portugais, Espagnols et Français) et qui étaient moins racistes et moins portés au christianisme (comme solution au « salut » d'Africains) qu'eux.

Là aussi, Molefi Kete Asante n'est pas d'accord, pour qui le racisme précédait traite et esclavage des Noirs. Ce qui le conduit à conclure avec autorité[2] :

"Pendant près de cinq cents ans, les penseurs européens ont élaboré en Europe même, puis propagé dans le reste du monde, la notion de race et de hiérarchie raciale naturelle qui a abouti à l'esclavage de millions d'Africains. Le « commerce des esclaves » n'a jamais été un commerce ou une activité commencé par les victimes. Ce n'était pas simplement un mécanisme visant à répondre aux besoins de main-d'œuvre dans les Amériques et dans les Caraïbes, c'est la preuve d'une profonde faillite morale et éthique reposant sur la croyance en la supériorité de la race blanche. [...].
Fondé sur une idéologie de la supériorité raciale selon laquelle l'Africain était considéré comme inférieur au Blanc,

---

[1] W. Jordan, *White over black : American attitudes toward the Negro*, Chapel Hill, University of North Calrolina Press, 1968.

[2] Molefi Kete Asante, *ibid.*, p. 176.

l'esclavage des Africains a été alimenté par l'économie et le racisme. En quelque sorte, j'adhère davantage à la thèse de Jordan qu'à celle de Williams. Toutefois, l'idéologie de la supériorité raciale et de la suprématie raciale blanche, contaminée ou influencée par l'idée chrétienne de lutte contre le paganisme, impliquait que les Africains étaient une proie qu'il était facile de faire travailler jusqu'à la mort."

Nous verrons que tel est le point de vue des historiens africains, qui réagissent négativement à la demande du « pardon de l'Afrique à l'Afrique » (pardon des Africains pour le rôle supposé des leurs dans la traite négrière) formulée en octobre 2003 par les évêques africains.

La traite négrière, une « guerre raciale » ?

Certains auteurs, dont beaucoup dans le monde noir, voient ainsi dans la traite atlantique une volonté délibérée des Européens d'avoir voulu violenter et humilier la race noire. C'est le cas du professeur Molefi Kete Asante[1], qui soulève le problème de la violence sociale et psychologique et de la déshumanisation exercée à l'encontre des Africains :

"Ce que certains ont appelé commerce, *trafico negreiro*, *comércio negreiro* ou traite négrière et ce que Walter Rodney a appelé violence sociale, je l'appelle guerre raciale menée contre des êtres prétendument inférieurs pour établir l'idée de la suprématie blanche sur le plan de l'économie, de la culture, de la religion, de l'éducation, de l'industrie, de la politique et du pouvoir culturel. L'esclavage des Africains doit donc être envisagé dans le contexte plus large de la domination européenne : rien ne devait empêcher l'usage de la violence collective, de l'esclavage, contre les Africains afin que l'Europe puisse atteindre ses objectifs. Cependant, en définitive, nous devons proclamer la victoire sur le racisme, sur la hiérarchie raciale et sur les histoires racistes qui cherchent à protéger même aujourd'hui le projet raciste en niant qu'il ait été à l'origine de l'esclavage des Africains. Puissent les ancêtres

---

[1] Molefi Kete Asante, "L'idéologie de la supériorité raciale comme fondement de la déportation d'Africains par les Européens", *op. cit.*, p. 177.

africains vivre éternellement et l'essence historique de ceux qui ont péri et qui gisent sous l'Atlantique se joindre à nous dans notre détermination à faire que leur histoire et la nôtre ne soient jamais oubliées."

C'est en effet l'histoire de ces hommes morts avant, pendant et après la captivité qu'ils n'ont pas souhaitée, que cet ouvrage essaie de raconter. Une histoire pathétique, mais que nous essayons de rendre le plus possible avec moins de passion, et en laissant la parole aux historiens de deux bords, ceux qui parlent de la servitude des Noirs comme d'une nécessité politico-économico-religieuse et ceux qui au contraire parlent d'une « guerre raciale » des Blancs contre les Noirs.

Chapitre 3
« MINES », CAPTURES ET TRAFIC D'ESCLAVES

Les principales « mines » africaines d'esclaves

Au XVIIᵉ siècle, les nations européennes s'entendent tacitement pour partager l'Afrique en zones-sources d'esclaves, que le père Rinchon, citant Cardonega, un Portugais du XVIᵉ siècle, appelle « mines d'esclaves » : la traite devient en effet une mine, "la plus réelle et la plus riche des mines". Il y aura ainsi des zones portugaises, espagnoles, françaises, néerlandaises, anglaises, etc.

Lorsque les Européens prennent possession d'une zone, ils y construisent des *forts* et des *comptoirs*, où sont regroupés les esclaves avant de les embarquer pour l'Amérique. Ils peuvent y demeurer longtemps, pendant plusieurs jours ou plusieurs mois, comme en prison, attendant la « sentence ».

L'on distingue quatre très grands *centres de traite*. Le premier comprend la zone couvrant les pays suivants de l'Afrique occidentale : Sénégal, Mauritanie, Sierra Leone et Côte-d'Ivoire ; les trois premiers pays constituent le monopole de la France, tandis que le quatrième est dominé par la Hollande. Sur cette côte s'alignent vingt-trois forts : treize hollandais, neuf anglais et un danois.

Le deuxième centre important de traite porte un nom spécial et générique : la *Côte des Esclaves*. Il correspond au Ghana, au Togo et au Dahomey (actuel Bénin).

Le troisième très grand centre de traite, disputé entre Français et Anglais, comprend l'actuel Nigeria, entre l'embouchure d'Ossé et le Cameroun ; c'est la région la plus peuplée de l'Afrique noire, et c'est aussi elle qui donnera le plus grand nombre d'esclaves.

Enfin, le dernier grand centre de traite, qui prend toute son importance vers le milieu du XVIIIᵉ siècle, est formé par les royaumes du Loango, du Kongo et d'Angola.

Au XVIIIᵉ siècle, les négriers n'hésitent pas à aller exploiter les « mines » plus lointaines du sud, et même du Mozambique, sur la côte orientale.

L'économie liée à la traite et à l'esclavage va profondément perturber les sociétés africaines, minées désormais par les razzias et les enlèvements qui se multiplient pour répondre à la demande des négriers. L'historien Hugh Thomas estime à 1,25 million le nombre d'Africains qui ont été vendus en esclavage par la France, pays qui détient un quart du trafic négrier atlantique vers 1750.

Lors des rafles, les enfants sont massacrés et les adultes menés à la côte

Les expéditions armées ont pour but de capturer les esclaves. La rafle a lieu par surprise, ou à l'encerclement des villages, suivi ou non d'incendies. Mieux équipés en fusils ou en canons de guerre, ils parviennent facilement à faire des Africains, moins ou mal armés, des proies faciles. Au cours du kidnapping, beaucoup de villageois perdent évidemment la vie.

Ceux qui survivent à l'attaque reçoivent différents traitements. Les enfants de moins de six ans ne trouvent pas grâce auprès des bourreaux : ils sont simplement massacrés sur place ! Les vieillards et les infirmes, quant à eux, sont abandonnés et mourront de faim. Seuls les personnes âgées entre six et quarante ans intéressent les négriers.

Les captifs sont enchaînés, attachés par le cou à l'aide des jougs et des fourches de bois. Ils se laissent conduire par un courtier noir ou un marchand arabe. Ce dernier marche en tête, le manche de fourche du premier captif sur son épaule. Chaque captif porte de même sur son épaule le manche de la fourche de son suiveur. En longs convois pitoyables, tous sont acheminés vers la côte.

En général, cent à deux cents kilomètres séparent le lieu de la rafle à la côte. C'est une marche très éprouvante, un véritable chemin de calvaire qu'empruntent les esclaves. Aucun ralentissement n'est permis. Le fouet s'abat impitoyablement sur les plus faibles, tandis que des liens dissuadent les plus forts de prendre la clé des champs ; certains doivent même traîner un billot de bois. Dans de telles conditions, les pistes conduisant à la côte sont jalonnées de morts...

Le « commerce triangulaire » au départ de l'Europe : "Au nom de Dieu et de Marie soit commencée la traite" !

La traite négrière entreprise par les Européens, qui s'effectue par mer (l'océan Atlantique), reçoit le nom de « commerce triangulaire ». Le premier côté du « triangle » relie l'Europe à l'Afrique ; dans ce dernier continent, les négriers viennent capturer les esclaves, ou les acheter contre les objets de traite. Le second côté part de l'Afrique et se termine en Amérique, récemment « découverte » et où sont établies des plantations de sucre ou de café à développer ; dans le « Nouveau Monde », les négriers viennent vendre les esclaves contre l'argent comptant, ou contre des lettres de change ou surtout contre des produits tropicaux. Le troisième côté va de l'Amérique et aboutit en Europe, où sont vendus les produits tropicaux.

En général, le circuit est parcouru en dix-huit mois. Les négriers partent de l'Europe avec cette étonnante phrase dans la bouche : "Au nom de Dieu et de la Sainte Vierge soit commencé le présent journal de navigation" !

Toutes les grandes nattions esclavagistes adoptent le trafic triangulaire Europe-Afrique-Amérique-Europe. Seul le Portugal assure une traite directe, en « droiture », Europe-Afrique-Europe ou Amérique-Afrique-Amérique : les navires partent du Portugal ou du Brésil vers Luanda (Angola), Porto Novo ou Ouidah (Bénin), où ils puisent les esclaves pour le Portugal ou les contrées américaines.

Outre la « *traite triangulaire* » (nord-atlantique) et la « *traite directe* » (sud-atlantique), il existe également une « *traite intra-africaine* », qui se déroule dans l'océan Indien : les transactions se font des côtes de Madagascar et d'Afrique orientale vers les îles, sans revenir aux ports d'Europe.

C'est le trafic triangulaire qui focalise notre attention. En résumé, il est un moyen qui, apparu dans le dernier tiers du XVIIᵉ siècle, est mis au point pour rentabiliser au mieux la traite. Les Etats mettent sur pied des compagnies qui bénéficient de monopoles. Les bateaux partent d'Anvers, de Bordeaux ou de Londres, les cales bourrées de fusils pour attaquer les villageois et de marchandises (tissus, eaux-de-vie, tabac, sel...) qui seront échangées contre des esclaves, si ceux-ci ne sont pas directement capturés sans l'intervention d'Africains. Puis, avec leur cargaison humaine, ils font ensuite voile vers leurs colonies respectives d'Amérique, où ils la vendront aux planteurs et d'où ils reviendront chargés de produits tropicaux (épices, sucre...).

Pendant des siècles, le quotidien des négriers et des esclaves ne change guère, pas plus que les principales routes de la traite. Deux itinéraires joignaient l'Afrique occidentale au Maghreb, deux autres vers les Amériques. Les modes de production, de transport, d'achat et de vente des captifs, elles aussi, n'évoluèrent pratiquement pas. En revanche, les rythmes de la traite changent sans cesse, le système négrier s'adaptant à la demande du marché.

Chapitre 4

LE PORTUGAL DONNE LE COUP D'ENVOI DE LA TRAITE

Henri le Navigateur, un prince respectueux de la religion, inaugure le trafic des esclaves africains

Ce sont les Portugais qui, prolongeant la croisade entreprise en Europe, inaugurent, en débarquant en Afrique, la traite et l'esclavage des Noirs. En 1415, ils prennent la ville de Ceuta (sur la côte marocaine, en face de Gibraltar)[1]. Ils y capturent quelques habitants, des « Maures », c'est-à-dire des musulmans blancs ou des Noirs islamisés, qu'ils vont réduire en esclavage dans leur pays.

Jusque-là, les marins portugais s'arrêtaient au Maroc et n'osaient aller au sud du cap Bojador (« Cap de la Peur »). C'est un fils du roi João I, que l'Histoire connaît sous le nom d'Henri le Navigateur (1394-1460), qui va avoir l'idée de franchir cette ligne et d'organiser à grande échelle le trafic négrier. Un chroniqueur de l'époque, Duarte Pacheco Pereira, le décrit comme un homme pieux, chaste et respectueux de la religion et de ses préceptes. Un homme d'une foi austère qui va pourtant, pour accroître sa fortune, s'intéresser au trafic d'êtres humains. Pour Pereira, Henri est un don du ciel, puisqu'il va mener la guerre aux infidèles pour les amener au Christ, mais aussi pour trouver matières premières et marchandises dont le Portugal a besoin pour

---

[1] Le christianisme est la première des grandes religions monothéistes à s'implanter en Afrique. C'est au IVe siècle en effet que les Romains christianisent la Nubie (qui, à cette époque, fait partie de l'Ethiopie, nom par lequel les Grecs désignaient tous les pays noirs) et tentent de percer au Maghreb (Afrique du Nord). Ce christianisme introduit en Afrique constitue l'Eglise copte, existant encore aujourd'hui en Ethiopie et en Egypte. L'Islam naissant va essayer de contrecarrer l'avancée chrétienne. Ainsi, après la mort de Mahomet, les Arabes, qui viennent de s'emparer de la Syrie, envahissent, en 640, l'Egypte, puis la Cyrénaïque (Libye). En 710, ils soumettent tout le Maghreb. C'est pour essayer de récupérer le terrain perdu que les chrétiens, par les Portugais, prennent Ceuta.

son développement! L'or tant prisé en Europe – qui sert notamment à frapper la monnaie – provenait du Soudan, le pays des Noirs, situé précisément au sud du cap Bojador. Les hommes d'Henri atteignent celui-ci en 1434, puis l'embouchure du Sénégal en 1443, le Sierra Leone en 1462, Elmina au Ghana en 1471, le fond du golfe de Guinée, la côte du Cameroun et l'île de São Tomé en 1475, le cap de Bonne Espérance en 1488...

Dans leur passage, les aventuriers kidnappent des Noirs qu'ils vendront à Lisbonne comme esclaves ou qu'ils convertiront de force au catholicisme. Ce sont les Arabes de Ceuta, déjà en relations commerciales avec les Noirs vivant au delà du Sahara, qui auraient révélé aux Portugais l'existence de ces peuples.

C'est le père Bontinck[1] qui le pense, voulant sans doute souligner les intentions esclavagistes des musulmans avant celles des catholiques. Le missionnaire belge ajoute que les Portugais, dans leur détermination de connaître le Sud profond, auraient bénéficié le concours de ces musulmans, du moins comme interprètes :

> "On peut supposer que lors de leurs expéditions maritimes, ils avaient à bord l'un ou l'autre Arabe ou « arabisé » ou Maure connaissant la langue de certains peuples sud-Sahariens."

En effet, avant même que ne débute la fameuse grande traite négrière atlantique, une traite négrière pratiquée par les Européens se déroule en Afrique même, ainsi que le signale George Scelle[2] : "Quand Diego Gel fut envoyé par le prince Henri pour chercher des esclaves au Maroc, dans la province de Fez, il y rencontra un traitant castillan nommé Cesfontes qui y était déjà établi et y échangeait des Maures contre des Nègres de Guinée".

---

[1] F. Bontinck, *L'Evangélisation du Zaïre*, Saint-Paul Afrique, Kinshasa, 1980, p. 11.

[2] G. Scelle, *Traite négrière aux Indes de Castille*, tome I, p. 97.

Bulles pontificales de soutien au trafic négrier

C'est en 1441 que l'Infant Henri reçoit son premier lot d'esclaves : dix prisonniers, dont un Maure et une Noire. Ses dix marins' les avaient capturés après en avoir tué quatre autres.

Henri veut en avoir plus : il charge Nuno Tristao, son jeune chevalier, de lui apporter des captifs. L'homme attaque de nuit un campement maure, tue trois hommes et fait dix prisonniers. Le « chroniqueur du royaume », Gomes Eanes de Zurara, décrit, dans sa *Chronique de Guinée* (1453), "joie et bonheur" du prince et exalte sa "sainte intention de salut des âmes perdues" !

Aussitôt après la conquête du littoral africain et la possession de leurs esclaves, Henri et la cour royale, en « bons catholiques », sollicitent du Saint-Siège, à Rome, la légitimation de leurs expéditions, de l'appropriation des terres prises aux « infidèles » et de la réduction des populations en esclavage. La papauté, qui se dit garante d'un droit international à l'intérieur de la Chrétienté, réserve une attention toute « paternelle » à cette question. Des bulles de croisade papales leur sont gracieusement accordées. Vis-à-vis des négriers portugais (et plus tard espagnols et français), les papes adopteront trois principales attitudes : soutien, indifférence ou rejet. Les premiers papes (notamment Martin V, Eugène IV, Nicolas V et Alexandre VI), d'une manière consciente ou non, renforcent les Etats négriers dans leur commerce d'êtres humains, en leur accordant des bulles de soutien et de démarcation.

Ces bulles vont encourager davantage les Portugais, puis les autres nationalités européennes, à conquérir de nouvelles terres et à chasser le « gibier » africain. L'un des premiers bénéficiaires de ces bénédictions pontificales est évidemment Henri le Navigateur. En 1444, deux de ses hommes, dont Gil Eanes, l'écuyer du prince et principal meneur de marins, capturent "150 Maures, hommes, femmes et enfants" et tuent d'innombrables d'autres. Zurara, qui le rapporte, pense que cet "exploit... repose sur

41

un de ces nobles sentiments qui animent les hommes d'honneur et peut être appelé vertu" !

Les rapts continuent donc tout au long de la côte ouest-africaine, qui apportent "honneur et profit". Convaincu que Dieu est avec lui et son prince Henri, Eanes n'hésite pas à l'invoquer, dit Zurara : "Il pourra se faire que Jésus-Christ, Notre Seigneur, qui aide tous ceux qui travaillent bien, veuille que nous nous emparions de quelques truchements". Les Portugais, poursuit le chroniqueur, ramènent 40 captifs et, sitôt débarqués, offrent le meilleur des hommes à l'église du lieu. Puis, le 8 août 1444, c'est la vente publique sur le marché de Lagos. Après s'être servi du cinquième de la « marchandise », Henri, à cheval, préside la vente des autres captifs, "songeant avec une grande satisfaction au salut de ces âmes" ! Au moment du partage, les Africains pleurent, ou crient, ou encore entonnent des chants tristes ; le partage ne tient pas compte du lien familial pouvant exister entre les esclaves, ainsi que le décrit Zurara : "On se mit à les séparer les uns des autres afin que les parts fussent égales... Aucun compte n'était tenu de l'amitié ou de la parenté, mais chacun allait tomber là où le sort l'emportait."

La traite s'installe, par la capture des Africains

En 1445, Henri, toujours plus gourmand, pousse ses hommes à plus de conquêtes. Six caravelles atteignent ainsi l'embouchure du Sénégal, puis l'île de Gorée. Mais les marins ne parviennent à capturer que deux enfants. Car, prévenus, les habitants résistent par tous les moyens aux kidnappeurs : leurs flèches empoisonnées tuent Nuno Tristao et ses compagnons.

Zurara, qui termine sa chronique en 1448, affirme qu'à cette date, les négriers portugais étaient rapidement devenus riches, et se vantaient qu'on pouvait tirer profit de ce trafic des bénéfices faramineux de 500 à 700 % pour un esclave mâle en bonne santé. Au total, 927 « âmes » avaient été amenées au Portugal et « au vrai chemin du salut ». C'est très peu, estime Henri le Navigateur, qui veut que le rapt d'êtres humains ne soit plus le fait d'opérations ponctuelles, mais devienne une entreprise organisée susceptible de rapporter gros au Royaume du Portugal. Désormais, pour avoir plus de Noirs, il ne suffira plus de faire la guerre aux indigènes, mais de commercer avec eux. Les Noirs seront obtenus par échange contre des produits européens (chevaux, blé, sel, tissus, fusils...), à fournir à certains potentats ou bandits africains.

Ces relations commerciales voulues par le Portugal marquent l'installation officielle de la traite, suggérée en 1445 par un certain Joao Fernandez. Un fort est construit dans l'île d'Arguin, au Maroc, comme le centre des échanges avec les Maures.

Dans sa nouvelle entreprise, Henri est aidé des Italiens, de « fervents » catholiques comme le seraient les Portugais. L'un d'eux, Alvise de Ca'da Mosto, est un Vénitien qui va fréquenter le Sénégal et la Gambie, afin de pousser les chefs locaux à lui fournir plus d'esclaves.

Le roi Jean II, qui profitait plus qu'aucun autre des expéditions de l'Infant Henri, le remplace par Fernao Gomes. Celui-ci s'acquitte fort bien de sa tâche : en 1471, il conquiert la Côte de l'Or (actuel Ghana), où il construit un fort appelé Saint-Georges-de-la-Mine (Mina, ou Elmina), lequel reçoit des esclaves du Sénégal et du Bénin ; puis il s'enfonce dans le fond du golfe de Guinée, atteint la côte du Cameroun et descend jusqu'au cap Sainte-Catherine (dans le Sud du Gabon) et à São Tomé en 1475. Dans cette dernière île, ainsi que dans les îles du cap Vert, les Portugais s'installent massivement et avec eux, des Juifs exilés et des esclaves noirs. Les Capverdiens métis – issus des viols des Noires par les Portugais – sont autorisés à pratiquer la traite sur le continent, de la Gambie au Liberia, zone appelée alors « la Guinée du cap Vert » ; de même, les Portugais et les métis de Sao Tomé, île qui va devenir le centre d'importation d'esclaves, vont s'occuper de la traite des Noirs sur la côte voisine (Congo et Angola).

Avec Gomes, à la fin de son contrat en 1475, le Portugal est donc maître de toutes les côtes du golfe de Guinée. La même année, il est annexé par sa voisine de la péninsule ibérique, l'Espagne, qui veut, elle aussi, conquérir l'Afrique et pratiquer la traite.

Les Portugais réussissent à monopoliser, malgré quelques accrocs, le commerce du littoral africain (or, épices, captifs) jusqu'en 1510-1513. Ce monopole souffrira par la suite de la concurrence des Français puis des Anglais et plus tard des Hollandais. Mais, sa grande colonie qu'est le Brésil deviendra la première nation marchande d'esclaves au début du XIXᵉ siècle.

Chapitre 5
L'ESPAGNE EN COMPETITION AVEC LE PORTUGAL

Guerre entre les deux nations, au sujet du commerce avec l'Afrique

Jalouse de l'expansionnisme portugais en Afrique, la Castille pousse également ses marins vers ce continent noir. En 1454, elle destine une expédition à but commercial vers la Guinée. Mais l'expédition est attaquée sur le chemin du retour par des vaisseaux portugais. Furieux, le roi Jean II de la Castille menace d'attaquer le Portugal ; au roi Alphonse V, il rappelle que la bulle du pape Martin V (1431) confiait à la seule Castille le droit de navigation le long des côtes de Guinée.

La guerre entre le Portugal et l'Espagne (royaume récemment formé par l'alliance de la Castille et de l'Aragon), éclate en mai 1476. Le conflit porte évidemment sur le commerce avec l'Afrique (or, épices et ivoire ; les esclaves ne constituent pas un objet de litige, puisque chaque nation, depuis quelques années, en capture à sa guise).

L'année même de la guerre, trois caravelles castillanes jettent l'ancre dans l'embouchure de la Gambie. Les marins raflent le chef local et 140 de ses congénères, les enchaînent dans la cale. La grande traite atlantique venait de commencer pour les catholiques espagnols.

C'est Diogo Cao qui prend la relève de Gomes ; en 1482, il parvient à l'embouchure du Congo. Son compatriote Bartolemeu Dias arrive au cap de Bonne Espérance en 1488. Toute la côte occidentale de l'Afrique, du Nord au Sud, est ainsi aux mains des Portugais.

C. Colomb « découvre » l'Amérique, "pour honorer Jésus-Christ, Notre-Seigneur, et le christianisme"

Le 12 octobre 1492, l'Amérique (connue alors sous l'appellation des « Indes occidentales » ou du « Nouveau

Monde ») est « découverte » par Cristoforo Colombo (en français Christophe Colomb, 1451-1506)[1], un « fervent » catholique génois passionné pour les embardées maritimes qui constituent, pense-t-il, le seul moyen de "connaître les secrets du monde". Vers 1476, il quitte ainsi sa patrie, échoue au Portugal et s'y installe pendant neuf ans. Mais le goût de l'aventure l'emporte sur la sédentarisation : il s'embarque pour des terres inconnues, et se retrouve le long du littoral africain (il va jusqu'à la Côte de l'Or – l'actuel Ghana – où il assiste, intéressé, au trafic des esclaves noirs).

Joaõ II du Portugal ne pouvant satisfaire toutes ses envies dans les mers, Colomb abandonne sa terre d'adoption en 1485, et trouve refuge en Castille. Dans ce royaume ibérique, les Rois Très Catholiques Ferdinand et Isabelle, qui ont le mérite devant Rome et l'Occident d'avoir rejeté les Arabes hors d'Europe et d'avoir converti au catholicisme, de gré ou de force, les Juifs, l'accueillent à bras ouverts, contents d'avoir un homme qui leur propose de conquérir des terres à leur profit et au profit de la chrétienté romaine. Et pour faire preuve de ses bonnes intentions chrétiennes, Colomb séjourne à deux reprises dans un monastère près du port andalou de Palos ; ce qui impressionne la reine, qui décide de lui allouer une pension pour mettre en œuvre son rêve missionnaire.

Le but défini est d'explorer la Chine, d'y apporter la « bonne nouvelle » et de prendre l'Islam à revers. Le 3 août 1492, Colomb quitte Palos et arrive trente-cinq jours plus tard, soit le 12 octobre 1492, non pas en Chine, mais à la côte américaine de Guanahani, qu'il baptise San Salvador. Là, lui et ses hommes rencontrent pour la première fois de leur vie les « Indiens »[2] qui y habitent.

---

[1] M. Mahn-Lot, "C. Colomb (1451-1506)", *Encyclopædia Universalis*, corpus 5, 1985, pp. 85-87.

[2] Ceux que Colomb nomme les « Indiens » sont en réalité des « peaux-rouges » (Incas, Aztèques, etc.), qui n'ont rien à voir évidemment avec les habitants de l'Inde actuelle. L'explorateur les appelle ainsi parce qu'il croit se trouver aux « Indes » (nom vague désignant la Chine et l'Inde). Le terme d'Indiens, malgré son incorrection, subsiste encore aujourd'hui.

En mettant pied sur le « Nouveau Monde », Colomb, en s'adressant aux autochtones, prend soin de planter un grand crucifix, "pour signe que Votre Majesté [espagnole] possède cette terre, et principalement pour honorer Jésus-Christ, Notre-Seigneur et le christianisme". Chaque fois qu'il « découvrira » un territoire, il répétera le même geste...

Charles Quint initie l'*asiento*, ou l'organisation du commerce des Noirs

Maîtres des factoreries africaines, les Portugais se présentent, aux XVe et XVIe siècles, comme les seuls véritables fournisseurs et vendeurs d'esclaves noirs en Amérique. Mais quand l'Espagne soumet le Portugal en 1475, c'est elle qui s'adjuge désormais le monopole du juteux commerce de la « marchandise ». En effet, en 1518, le gouvernement espagnol, sous la conduite du roi Charles Quint (1500-1558), initie les opérations de déportation ; n'effectuant pas les opérations de transport, il affecte le monopole de la traite à des compagnies qui s'engagent à fournir à tel ou tel territoire un nombre donné d'esclaves en bonne santé et en état de travailler. En 1525, la traite est ainsi réglementée, par l'institution de l'*asiento*, une licence accordée par le roi pour l'importation et la livraison d'un nombre précis d'esclaves africains. Expression privilégiée du capitalisme commercial des premiers temps modernes, l'*asiento* est donc un contrat de droit public entre le roi et un contractant (particulier, compagnie) initialement engagé ou voulant s'engager dans le trafic d'êtres humains. En d'autres termes, l'Espagne s'assure l'exclusivité de la fourniture d'esclaves noirs pour ses colonies d'Amérique. Monopole d'Etat, le commerce des Noirs n'est plus libre ; il est contrôlé par la *Casa de Contratacion* à Séville. Quiconque veut l'entreprendre doit solliciter une autorisation auprès de l'Etat ; en contrepartie, le contractant lui verse de l'argent : l'Etat en a autant besoin que les colons d'esclaves.

Au départ réservé aux Castillans, l'asiento s'ouvre ensuite à tous les sujets espagnols. Théoriquement, les autres Européens résidant en Espagne n'y ont pas droit. Aussi, Portugais, Italiens, Français, Anglais, Allemands installés à Séville vont user de prête-noms espagnols pour profiter de l'*asiento*. Ce sont les Portugais qui, dotés d'une « expérience » éprouvée dans le domaine, restent le plus gros fournisseurs d'esclaves. Les Flamands, compatriotes de Charles Quint, eux, injectent d'énormes capitaux dans la traite : Anvers, après Lisbonne, devient vite la ville la plus riche en Noirs.

Charles Quint accorde son premier *asiento* de Noirs en 1528, à deux Allemands, qui sont gens de sa maison. Ils sont censés livrer 4000 Noirs en 4 ans, à 40 ducats par tête, moyennant 200 000 ducats à payer au Trésor espagnol. Ensuite, les licences sont accordées à n'importe quelle nationalité européenne.

Le contrat de monopole qu'est l'asiento stipule que les Noirs doivent être pris "aux îles de Guinée et en tout endroit". Chaque navire négrier est tenu à charger 10 à 20 % en plus pour compenser les morts survenus lors du transport (mais le plus souvent on en charge bien au-delà, et les contrebandiers pullulent).

Ainsi réglementée, la traite prend des proportions considérables. Le commerce des Noirs enrichit tellement l'Espagne que d'autres nations européennes l'envient. Aussi demandent-elles officiellement et obtiennent-elles l'*asiento* (« privilège » de la vente « légale » et organisée des Noirs) : Hollande et France au XVIIe siècle, Angleterre en 1713 et jusqu'en 1759, Pays basque de 1765 à 1779...

Les côtes africaines sont envahies, devenant un terrain de chasse à l'homme. Les rapts des Noirs côtiers sont effectués directement, tandis ceux de l'intérieur sont vendus par des chefs locaux, qui sont contactés pour servir d'hommes à main. En dix ans (1520-1530), 9000 esclaves sont transportés par l'Espagne. Parmi les sociétés françaises qui obtiennent le marché de la traite, citons : la *Compagnie des Indes Occidentales* (1664) ; la *Compagnie du Sénégal*, qui lui succède en 1673 ; la *Compagnie de Guinée* (1684), etc.

L'*asiento*, après trois siècles, ne prendra fin, seulement en théorie, qu'en 1817, avec un traité abolissant la traite négrière.

Chapitre 6

LES ANGLAIS POUR BRISER LE MONOPOLE IBERIQUE

La guerre des religions – protestantisme et catholicisme – sur fond de la traite négrière

C'est au tout milieu du XVIᵉ siècle que l'Angleterre entre dans le commerce d'esclaves africains. Jalouse du « succès » et du « prestige » acquis par le Portugal et l'Espagne par leurs aventures maritimes esclavagistes en Afrique, elle veut briser leur monopole et les supplanter. Sur fond de cette dispute de leadership, c'est en réalité une guerre des religions qui se profile à l'horizon : l'Angleterre est une nation protestante, tandis que le Portugal et l'Espagne, nous le savons, sont les fers de lance du catholicisme romain.

Ne pas mélanger « esclaves catholiques » (baptisés) et « esclaves des Protestants » (non baptisés)

Au départ, l'Angleterre était catholique, et donc sous la coupe de l'Eglise romaine. Le conflit entre les deux entités naît en 1533, quand Henri VIII, roi d'Angleterre (de 1509 à 1547) se brouilla avec le pape Clément VII, pour le motif que celui-ci refusa d'annuler son mariage avec Catherine d'Aragon. Le monarque quitta le « catholicisme romain ». Par l'acte de Suprématie qu'il édicta en 1534, il institua l'*anglicanisme*, une religion dont le roi (un laïc) serait le « pape », mais dont les tâches essentielles (spirituelles) seraient complètement assumées par un Archevêque (un religieux), ayant son siège à Cantorbury (la « Rome anglicane »).

A vrai dire, bien que proche du catholicisme, l'anglicanisme n'est qu'une famille du protestantisme, la troisième, née après le luthéranisme et le calvinisme. Or, à l'époque, certains en Angleterre n'acceptent pas de devenir protestants, par le seul fait d'être Anglais. Parmi eux, Marie

Tudor, fille et successeur d'Henri VIII, qui supprime l'anglicanisme en faveur du catholicisme.

La reine Elisabeth, demi-sœur de Marie Tudor (Henri VIII a eu des enfants avec au moins six femmes) le restaure, fait juger et décapiter ceux qui professent publiquement leur foi catholique. Car, la force et l'honneur de l'anglicanisme, pense-t-elle, ne peuvent se construire que sur le lit du catholicisme. En Europe, elle applique le même principe : combattre les nations catholiques, dont France, Portugal et Espagne.

C'est ainsi que les conseillers d'Elisabeth en commerce maritime, qui sont les financiers du royaume, la persuadent que les voyages qui poursuivent l'objectif de battre en brèche la suprématie hispano-portugaise doivent également être entendus comme une guerre de la religion protestante contre le catholicisme ! La reine elle-même est convaincue que ces expéditions ont bien le visage d'une guerre sainte ! Une guerre sainte contre les catholiques. Ceux-ci également croient en une guerre sainte, mais contre tous ceux qui ne sont pas catholiques : « hérésiaques » protestants aussi bien que musulmans, juifs et « païens » africains.

C'est dans la même logique d'opposition que les catholiques pensent que les « païens » devaient être capturés et convertis de force, tandis que les protestants (anglais, hollandais, danois...), eux, refusent de baptiser au préalable les esclaves avant de les embarquer dans leurs caravelles.

La reine Elisabeth appelle la bénédiction de Dieu sur la tête de Hawkins engagé dans la chasse aux Africains

L'histoire des expéditions maritimes anglaises en Afrique commence avec un certain Williams Hawkins. Celui-ci en effet, entre 1530 et 1533, monte des expéditions en Guinée. Sa destination est le Brésil, dont il sait que les colons ont besoin de travailleurs pour leurs plantations. Cependant, aucun ouvrage ne signale qu'au cours de ces premiers voyages, il ait transporté des Noirs pour l'Amérique. Mais ce que l'on sait avec précision, c'est que, en prévision des futurs autres voyages, il établit un projet précis de traite transatlantique avec son fils John.

John Hawkins entrera en scène après quelques autres marins, qui sont signalés sur la côte de Guinée vers 1554. En Afrique, ces aventuriers pillent de l'or et de l'ivoire, mais également raflent quelques Noirs et les amènent à Londres. Là, les négriers les réduisent évidemment en esclavage, en les utilisant comme des domestiques et pour les exhiber comme symboles vivants de leur fortune ! Cependant, ils choisissent quelques-uns de ces esclaves, à qui ils apprennent leur langue et d'eux ils apprennent la leur et tirent des informations sur leurs coutumes. Aux expéditions ultérieures, ces captifs serviront à leurs maîtres d'interprètes et d'intermédiaires dans la capture de leurs congénères. Ce genre d'enlèvement sera souvent pratiqué par les Anglais et les autres Européens chaque fois qu'ils arrivent dans une nouvelle région africaine dont ils espèrent kidnapper les Noirs. C'est aussi un moyen de briser le monopole lusitanien : les « Noirs de service » renseigneront également sur les méthodes de traite des Portugais.

Ces derniers et les Espagnols étaient déjà au courant des intentions anglaises bien avant – en 1480 déjà – le premier voyage africain organisé par les financiers de Londres. Ils menacèrent de détruire les navires des Anglais, mais ceux-ci se moquèrent des peuples ibériques et s'étaient dits prêts au combat ! Rien n'arrêterait plus désormais les Européens à s'entre-tuer pour se procurer en Afrique gomme, or, ivoire... et êtres humains !

En dépit des protestations et menaces portugaises et espagnoles, les Anglais entreprennent ainsi un second voyage africain en 1555.

Mais l'entreprise anglaise en Afrique va véritablement décoller avec le reine Elisabeth Ière (1533-1603). Quand elle monte au trône en 1558, elle refuse de se marier et se montre soucieuse de faire de son royaume la nation la plus prestigieuse et la plus crainte en Europe. On la connaît d'abord pour avoir rétabli l'anglicanisme, la nouvelle religion dont le Roi ou la Reine était le chef, en face du catholicisme romain dirigé par l'Evêque de Rome.

Un homme, qu'on dit sensible et honnête, mais qui est en réalité un ambitieux fourbe et lâche, va combler la reine : un certain capitaine John Hawkins, fils de William, qui va se révéler être le véritable promoteur de la traite transatlantique anglaise des esclaves africains. Hawkins est l'un de ces fameux *sea dogs* d'Elisabeth, ces loups de mer que la reine tient passionnément attachés à son service. Patiemment, il lui expose son désir d'entreprendre le commerce des produits dont l'Angleterre a besoin : gomme, or, ivoire... et esclaves. Il a en effet appris que "les nègres étaient une marchandise courante à Hispaniola et qu'il y en avait beaucoup sur la côte guinéenne". Il ira donc chercher des esclaves sur la côte de Sierra Leone ; pour les acquérir, il utilisera la force des armes, ou d'autres moyens (incendie des villages, soutien militaire à un chef africain, réduction des prisonniers en esclavage, etc.).

Son idée paraît originale : tandis que Portugais et Espagnols empruntent habituellement le triangle Europe-Afrique-Europe-Amérique-Europe, lui, Hwakins veut gagner du temps, en faisant Europe-Afrique-Amérique-Europe, c'est-à-dire dès qu'il a ce qu'il veut en Afrique, il ne passe plus en Angleterre, mais directement en Amérique pour livrer sa marchandise ; le transfert en Métropole des esclaves à destination du Nouveau Monde opéré par Portugais et Espagnols lui paraissant long et coûteux. Elisabeth est fascinée par cet esprit pratique et ne dissimule pas son intérêt pour le projet de Hawkins. Elle se tourne alors vers Dieu et lui confie ce fils d'Angleterre qui veut mener la plus noble des guerres saintes en Afrique !

En octobre 1562, Hawkins, béni par Sa Majesté, dirige trois vaisseaux et un équipage de 100 marins. Il arrive devant la côte de Sierra Leone, y trouve des vaisseaux portugais et espagnols qu'il attaque et détruit. Par l'épée et d'autres moyens, notamment l'incendie des cases, il rafle 300 Noirs, qu'il va directement vendre pour 20 à 30 livres chacun dans les possessions espagnoles du Nouveau Monde. L'argent qu'il reçoit lui permet d'acheter deux vaisselles supplémentaires qui servent à transporter en Angleterre les produits payés en Amérique (peaux, sucre, gingembre...). Au total, onze mois ont été nécessaires pour l'expédition.

Un an plus tard, Hawkins repart en Afrique à la tête d'une expédition de quatre vaisseaux et 150 marins. En décembre 1563, il est au Cap Vert puis en Sierra Leone. Non sans peine (bataille rangée avec les Noirs qui ne se sont pas laissés faire et qui ont tué 7 marins et blessé 27), il fait 400 captifs, qu'il vend en Amérique. L'expédition se termine en septembre 1564 et rapporte 50 000 ducats d'or, plus la valeur du chargement.

Elisabeth engage dans une expédition de Hawkins deux de ses navires

Après deux expéditions fort réussies, Hawkins devient populaire en Angleterre, et a la grosse tête. La troisième expédition qu'il veut entreprendre en Guinée, dit-il à qui veut l'entendre, sera la plus grande de l'histoire de la traite négrière. Il y met toute sa bourse – 2000 livres – et, avec le soutien de la reine Elisabeth, il parvient à convaincre le gratin de Londres à investir dans son entreprise : le secrétaire et principal conseiller de la monarque, le trésorier de la Marine et des hommes d'affaires fortunés et célèbres. La reine elle-même n'hésite pas à s'impliquer personnellement dans cette entreprise qui, soigneusement préparée par deux renégats portugais, s'annonce juteuse : elle y engage deux de ses propres navires, dont l'un porte un nom curieux : *Jésus* ! Un des quatre navires de Hawkins s'identifie également par un nom pieux : *L'Ange* ! *Jésus* et *L'Ange* sont aux extrêmes quant à leur chargement ; le premier a la plus grande capacité (plus de 700 tonneaux) et le second, la plus petite (33 tonneaux) de tous les six navires.

A Hawkins, à la tête de cette expédition, la reine recommande d'aller charger les esclaves dans des zones non exploitées par des Portugais et d'aller les vendre dans les possessions espagnoles d'Amérique !

Le 2 octobre 1567, le *Jésus* lève l'ancre à Plymouth, suivi de toute la flotte. Deux emblèmes flottent sur le gaillard d'avant, celui des Tudor (la dynastie à laquelle appartient Elisabeth), les dragons ailés, et celui de Hawkins, le Nègre enchaîné ! Au départ, Hawkins et ses 400 hommes de l'équipage sont acclamés par une foule mobilisée par la Couronne. En novembre, ils accostent près du Cap Vert. Hawkins et 200 hommes armés s'enfoncent dans les terres, espérant surprendre les Noirs. Ce sont eux au contraire qui sont surpris : les Africains, qui s'attendaient à une intrusion européenne, assaillent les pillards de leurs flèches empoisonnées et parviennent à tuer huit des envahisseurs. Hawkins et les survivants ne font que neuf prisonniers, qu'ils vont jeter dans les cales du *Jésus*. Ils battent en retraite, et vont pénétrer dans le large estuaire de la Gambie. Là, ils rencontrent un aventurier français, qu'ils incorporent dans le groupe. La caravelle du Français, prise à un Portugais, est rebaptisée... *Grâce de Dieu* ! Car, Hawkins et le Français croient vraiment que c'est Dieu qui les envoient en Afrique pour effectuer le rapt des Noirs. Aidé d'autres Européens, Hawkins parvient, après de rudes combats avec des pertes de part et d'autres, à capturer 400 Noirs, ce qui semble être le chiffre le plus fort jamais atteint jusque-là par une expédition non portugaise. Tous les captifs sont entassés dans les cales du *Jésus* et du *Mignon*, l'autre navire royal.

Mais en Amérique, Hawkins va se heurter à des Espagnols qui ne lui feront pas des cadeaux : à la Nouvelle-Grenade, il est intercepté par leur flotte. Il se sauve à la nage et manque de périr de faim. Une bonne partie de sa cargaison est confisquée, une autre est vendue à perte.

Hawkins, fêté comme le « Père de la traite »

Revenu en Angleterre, John Hawkins est considéré, non pas comme un homme qui a échoué, mais fêté comme... un héros : la reine le fait baronnet ! Sa déroute ne constitue pas un déshonneur ; d'elle, la reine va tirer plusieurs leçons, dont celle-ci : l'Espagne est prête à se battre pour défendre ses intérêts ; et puisque l'Angleterre ne peut pas lui laisser le monopole du commerce maritime et de la traite, elle attaque et défait la Grande Armada espagnole, que l'on disait invincible.

Hawkins, qui a fourni les plans de l'armée navale espagnole, a pris activement part au combat ; pour cela, la couronne le nomme trésorier de la Marine, associé à plusieurs affaires maritimes. C'est, en 1595, dans une lutte contre les Espagnols, qu'il trouve la mort ; son corps est jeté à la mer avec tous les honneurs.

Les honneurs, il en aura surtout après : son nom sera célébré par tout le royaume. Pour les « services rendus à l'Angleterre » (expéditions à la recherche d'esclaves, arraisonnements pirates de navires portugais et espagnols, etc.), Hawkins sera anobli et recevra le droit de s'appeler Sir John Hawkins.

De lui, la postérité retiendra surtout qu'il fut l'homme qui permit à l'Angleterre de briser le monopole ibérique dans le trafic négrier, et de faire ainsi du pays l'un des plus importants en ce commerce. Aussi, le titre qu'on lui donna déjà de son vivant prendra plus d'importance après sa mort : celui de... « Père de la traite » ! Car, c'est cela que fut réellement Hawkins. Comme l'écrit George Kay[1] :

> "Il n'y avait que deux puissances rivales à faire obstacle aux visées de l'Angleterre sur la traite des esclaves : le Portugal ne souffrait pas d'autres implantations en Afrique ; l'Espagne voulait être seule à posséder les terres du Nouveau Monde. Pour un esprit moderne, le titre de « Père de la traite », dont Hawkins fut gratifié, est un opprobre. Pour lui-même et pour ses descendants durant trois siècles, c'était un honneur. Peut-être faut-il dire à sa décharge qu'il n'aurait guère pu être autrement qu'il ne fut. Il vivait à une époque où l'on confondait courage et brutalité ; il parcourait des mers où l'on ne se gênait pas pour couler un navire ennemi avec tout son équipage. Quand on montait à l'abordage, on jetait tout le monde à la mer sans cérémonie [...].
> Il était né dans une Angleterre dont la reine faisait sans sourciller décapiter ses ennemis. Pour punir le traître, on le

---

[1] G. Kay, *Traite des Noirs*, pp. 58-59.

pendait, on le noyait, on l'écartelait, et c'était chose légale ; pour punir les empoisonneurs, on les ébouillantait ; pour punir les petits larcins, on coupait des nez, des oreilles, des mains. C'est dans ce contexte qu'il faut juger le « Père de la traite ». Il était aussi cupide que brave ; mais il serait simpliste de le traiter de brute infâme, bien qu'il ait inauguré ce trafic infâme qui a dégradé tous ceux qui y ont participé."

Hawkins semble avoir ouvert la voie à la traite. Après lui, l'Angleterre continuera son « œuvre », jusqu'à faire d'elle la nation négrière la plus florissante du monde...

Première puissance négrière (XVIIe- XVIIIe siècles)

En Gambie, les Anglais établissent un fort, dès 1618, dans James Island, à l'embouchure et un grand nombre de comptoirs le long de la rivière. Cela signifie qu'ils faisaient désormais du trafic d'esclaves leur principale activité.

Les captifs viennent du Niger (ils seront au total quelque 800 à être exportés) ; de la Sierra Leone, où des comptoirs anglais coexistent avec des comptoirs hollandais ; de la Côte de la Manignette (ou Malaguette, le Liberia actuel) ; de la Côte de l'Or (Ghana) : c'est l'or qui attire les Européens (c'est avec cet or volé que Charles II, roi de 1660 à 1685, fait frapper les premières pièces d'or, dites « guinées » – 1 guinée vaudrait actuellement 21 shillings), mais dès 1685, ils exportent 800 esclaves, surtout d'Accra...

Ce nombre va vite augmenter, jusqu'à faire de la Grande-Bretagne la principale nation négrière du XVIIe (consigné par les historiens comme le « siècle d'or de la traite ») et du XVIIIe siècle. En 1750, la traite est déclarée libre, ce qui accentue ce « commerce » : en 1798, Liverpool arme 185 bâtiments de traite et transporte environ 50 000 esclaves.

Les Hollandais avec les Anglais

Notons que Anglais et Hollandais sont souvent présents ensemble, et leurs comptoirs, concentrés en Afrique occidentale, se côtoient ou s'entremêlent...

Les Hollandais s'implantent en Afrique, en succédant en fait, souvent par la force, aux Portugais, tant sur le plan du commerce des esclaves que des conquêtes coloniales. A la fin du XVIe siècle, la révolution bourgeoise ayant pris fin, les Pays-Bas deviennent très vite une grande puissance commerciale et coloniale.

Malgré l'opposition des Portugais, les Hollandais élèvent deux forts sur la Côte-de-l'Or, non loin de St. George del Mina. Ayant conclu un accord avec le chef local, ils construisent un troisième fort dans la même région, celui de Nassau, en 1611-1612. En 1617, ils « achètent » aux Africains l'Ile de Gorée et y installent plusieurs établissements, petites agglomérations de quelques maisons seulement où vont habiter des marchands européens.

A peine installés en Afrique, les Hollandais se mettent à faire du commerce d'esclaves. Durant toute la période de la traite des Noirs, ils vont surtout être des intermédiaires qui revendent des Africains dans « leurs » îles des Indes occidentales (Curaçao, Aruba...) aux colons d'autres pays.

Ce sont précisément eux qui, en 1619, amènent 19 esclaves dans la ville qu'ils venaient de fonder sur le continent américain, la Nouvelle Amsterdam, future New York. Ce sont là les premiers esclaves africains importés sur le territoire des actuels Etats-Unis.

En Amérique du Sud, les Hollandais se fixent au Brésil et en Guyane (Surinam). De là, ils recevront, dans leurs plantations, des esclaves africains : plus de 15 000 entre 1621 et 1624.

En Afrique, 1637, les Hollandais vont aller de conquête en conquête : St. George del Mina en 1637, le fort portugais de San Antonio (à Axim) en 1641, etc. Désormais, ce seront eux, et non plus les Portugais, à coloniser la Côte-de-l'Or.

Exception faite pour la factorerie de Ouidah (Bénin) qu'ils conserveront en Afrique occidentale, les Portugais ne seront presque plus actifs qu'en Afrique centrale, dans la zone dite Côte des Esclaves (Angola, Congo).

Chapitre 7

LA FRANCE, TROISIEME NATION CATHOLIQUE A ENTRER DANS LA TRAITE

La France interdit l'esclavage... seulement en Europe !

L'on ne sait qui des Anglais ou des Français s'engagent les premiers derrière les Ibériques dans la traite négrière. Tout ce que l'on sait avec précision, c'est que, après le Portugal et l'Espagne, la France est la troisième nation catholique qui entre dans le commerce négrier. Pourtant, tout en contestant les bulles pontificales qui partagent le monde entre Portugais et Espagnols et en voulant briser le monopole maritime de ces deux peuples, François Ier, roi de France (1515-1547), par la paix de Cambrai (1529), promet d'interdire aux Français le voyage de Guinée. Les navires rochelais et bretons ne l'entendent pas, qui vont sillonner cette région, et même les colonies espagnoles d'Amérique ; ils vont même tenter de s'installer dans la baie de Rio.

Ces navires qui se rendent au Brésil suivent, comme ceux qui vont au Pérou, un itinéraire qui les fait passer par Madère, les îles du Cap Vert et la côte d'Afrique. Ils font régulièrement une longue escale au Sierra Leone, au cap des Trois-Pointes, avant d'appareiller pour le Brésil.

Pendant ce détour en Afrique, ils traitent du « bois d'ébène » (esclaves noirs) avant de traiter des bois de teinture au Brésil ! Mécontent, Charles Quint impose le Traité de Crépy (1544), interdisant aux Français d'armer pour les terres confiées par les papes aux Ibériques.

En dépit de ce traité de paix, les corsaires français, dont les marchands de Nantes et de Honfleur, unis dès 1525 pour trafiquer avec le Brésil tous les ans, vont, comme si de rien n'était, continuer à sillonner les mers, pillant à l'occasion les navires espagnols et certains même s'attaquant à Sao Tomé. Mais après la fusion Espagne-Portugal (1580), les Espagnols prennent des mesures très brutales contre les navires français se rendant au Brésil ; ils en brûlent dix-huit en

1582 et sept en 1583, ce qui provoque les plaintes des marchands de Rouen en 1584.

Pourtant, officiellement donc, jusqu'à la fin du XVIe siècle, la France refuse de se présenter comme un Etat esclavagiste. En effet, une déclaration royale de 1571 stipule que "la France, mère de liberté, n'autorise aucun esclave". De même, un adage royal, d'Henri IV, recueilli en 1607 par Loisel, affirme que "toutes personnes sont libres en ce royaume ; aussitôt qu'un esclave atteint ses frontières et a été baptisé, il est libre".

En fait, ces deux belles déclarations royales valent seulement pour l'Europe, mais pas pour les nouvelles terres, les Antilles, que la France vient de conquérir.

Louis XIII et les cardinaux Richelieu et Mazarin favorisent la traite

En 1624, Louis XIII, dit « Le Juste », fils de Henri IV, charge le cardinal Richelieu de présider son Gouvernement. Au pouvoir, ce prélat de choc renforce l'absolutisme royal et mène une guerre sans merci contre les protestants. Surtout, il veut faire de la France un pays qui puisse rayonner dans le monde, comme le Portugal, l'Espagne et l'Angleterre. Rayonner dans le monde signifie à l'époque avoir pied en Afrique et en Amérique. Aussi Richelieu favorise-t-il commerce maritime et colonisation.

La colonisation française commence dans les Petites Antilles (Guadeloupe et Martinique, deux îles « découvertes » en 1493 et en 1503 par Christophe Colomb, confisquées aux autochtones caraïbes en 1635 et abandonnées par les conquistadors espagnols au profit des Grandes Antilles). Les colons s'y établissent pour planter de la canne à sucre et d'autres cultures vivrières et produits d'exportation (dont le tabac). Pour mettre en valeur les nouvelles terres, Richelieu crée la Compagnie des Iles d'Amérique. Celle-ci a besoin de la main-d'œuvre. Où la prendre ? Dans un premier temps, l'on pense aux « engagés », qui sont d'anciens marins et fils de famille ruinés, ou pire, des vagabonds et gens de la pègre dont on se débarrasse, naïfs soûlés et embarqués. Cette traite des Blancs ne sera qu'un « esclavage » provisoire et payant : au bout de trois ans en principe, l'homme recevra une prime et un lot de terre. Cet engagement s'avère vite insuffisant en qualité et en quantité. Il faut trouver mieux : c'est aux esclaves noirs que pense sans hésiter la France du cardinal Richelieu et du roi Louis XIII : en 1642, celui-ci autorise officiellement ses sujets de s'engager dans la traite négrière.

Au départ, le monarque aurait eu quelque scrupule, mais lorsque ses collaborateurs le convainquent que c'est pour le salut de leur âme qu'on doit aller chercher ces « païens » en Afrique, lui qui se dit bon chrétien – on le surnomme alors « Le Juste » – cède aux pressions. D'ailleurs, des Français, en dehors de la loi, fournissaient déjà des esclaves noirs aux colonies espagnoles.

En 1643, Jules Mazarin remplace Richelieu au gouvernement. Fidèle de Richelieu qui l'avait remarqué en 1630 et l'avait fait nommer cardinal en 1641, Mazarin poursuit naturellement la politique esclavagiste de son bienfaiteur. Pendant son ministère, celui qui est connu en France pour avoir fait triompher l'absolutisme en écrasant la Fronde (1648-1653) dirigée contre lui, et en luttant contre les jansénistes, encourage les expéditions françaises en Afrique. C'est ainsi que, dès 1658, les Français s'installent à l'embouchure du fleuve Sénégal, dans l'île de Ndar, qu'ils rebaptisent *Saint-Louis*. Par la suite, ils s'emparent du Cap Vert et de la Petite Côte sénégalaise (Rufisque, Portudal, Joal). Partout, ils construisent des comptoirs. En 1677, ils enlèvent l'île de Gorée aux Hollandais, en dépit de deux forts que ces derniers ont construits. Gorée va être aménagée en « captiverie », en port de relâche et de radoub ; elle va devenir un centre actif de commerce français : cuirs, ivoire, cire et surtout esclaves. Un certain Ducasse impose des traités aux chefs de la Petite Côte, qui seront obligés de lui livrer un nombre déterminé d'esclaves...

Si Louis XIII, Richelieu et Mazarin initient et encouragent la traite, un homme va faciliter sa réalisation dans les colonies françaises : Colbert.

Colbert et Louis XIV facilitent la traite

Jean-Baptiste Colbert (1619-1683) commence par servir Mazarin (remplaçant et continuateur de la politique expansionniste et esclavagiste du cardinal Richelieu), avant d'être remarqué par le roi Louis IV, qui le fait contrôleur général des Finances et secrétaire d'Etat à la Marine.

Celui qui est connu comme le plus grand des « grands commis » de la royauté française et fondateur de l'Académie des sciences (1666) et de l'Observatoire (1667), n'hésite pas à affirmer que les colonies n'ont d'autre signification que de pourvoir aux besoins du commerce de la métropole. Conséquence de cette doctrine extrémiste, Colbert pense que la traite négrière constitue l'une de sources de ces débouchés et de ces marchés juteux et doit donc être encouragée. En 1665, il crée l'ambitieuse *Compagnie des Indes occidentales* – dont le domaine s'étend à la fois de l'Afrique à l'Amérique – pour faciliter précisément la traite des Noirs : les kidnapper chez eux et venir les user dans les colonies des Antilles.

Jusqu'à l'occupation anglaise (1763-1783), c'est cette Compagnie qui a le monopole du commerce. Mais la traite des Noirs devenant assez lucrative, Colbert détache la partie africaine de la Compagnie des Indes et crée les compagnies du Sénégal (1673) et de Guinée (1685), censées garder le monopole de la traite dans les zones d'influence française.

Il faut faire venir d'Afrique beaucoup d'esclaves, insiste Colbert. Des esclaves qui travaillent pour que la France n'importe plus du sucre. Ses colonies doivent devenir productrices de cette denrée alimentaire indispensable. Bien plus, Colbert veut que le royaume ne soit pas producteur pour lui-même, mais aussi pour les autres pays. Un Etat fort, assure-t-il, est celui qui produit et exporte ses marchandises. Il s'enrichira et sera respecté dans le monde. Les Français auront ainsi mission de pousser leurs activités très loin, en Afrique occidentale, en Guinée portugaise, et même sur les côtes de Loango et d'Angola.

Cette politique de Colbert fera que la France deviendra, au XVIIIe siècle, la 2e nation négrière, après l'Angleterre...

Chapitre 8

GRANDES NATIONS ET GRANDS PORTS NEGRIERS

Portugal, Espagne, Angleterre, France... grandes puissances négrières

Ainsi que nous venons de le voir, les nations européennes qui pratiquent la traite sont des puissances maritimes, dont les principales sont le Portugal, l'Espagne, l'Angleterre et la France.

Ces quatre pays assurent, à eux seuls, 90 % de l'ensemble de l'activité négrière atlantique. Si l'on estime, au bas mot, à 12 millions le nombre de captifs africains acheminés en Amérique, le Portugal en a transporté 4,65 millions (donc le tiers de l'ensemble), l'Angleterre 2,60 millions, l'Espagne 1,60 million et la France 1,25 million.

Le **Portugal**, pourtant petite puissance des quatre nations, apparaît donc comme le premier pourvoyeur d'esclaves africains en Amérique. C'est lui, avons-nous vu, qui inaugure la traite négrière dès le XVᵉ siècle : les navigateurs portugais sont les premiers à installer des comptoirs en Afrique et à s'imposer à l'intérieur d'immenses territoires (Angola, Mozambique).

En Amérique, le Portugal va faire du **Brésil**, son unique colonie, une autre puissance qui viendra prendre place dans le concert des nations négrières mondiales, une puissance qui, avec 4 millions d'esclaves (sur les 10 millions reçus en Amérique), deviendra même la première du globe, et Rio de Janeiro, la première ville négrière du monde. Il faut donc mentionner deux traites d'origine lusitanienne : portugaise et brésilienne ; parfois, ces deux traites de la même origine sont réunies en une seule expression : traite luso-brésilienne.

L'**Espagne**, nation plus puissante (possédant toute l'Amérique latine, excepté le Brésil) que le Portugal, qui entre dans la course aux Nègres immédiatement après lui, n'atteindra pas la grande taille de son petit voisin de la péninsule ibérique. La raison en est simple : tandis que le Portugal et d'autres pays entreprennent la traite en tant qu'Etats, l'Espagne n'organise pas elle-même ce commerce, mais recourt systématiquement à la traite étrangère (Portugal, Angleterre, Hollande) via l'*asiento*. L'essentiel de la traite espagnole sera en fait assuré plus tard par **Cuba**, sa colonie, au XIXe siècle. Avec 2,5 millions d'esclaves, l'empire espagnol (Cuba compris), en ce siècle, deviendra, après le Brésil, la seconde puissance mondiale de la traite.

L'***Angleterre***, qui entreprend la traite après les deux nations ibériques, en devient rapidement la première puissance aux XVIIe et XVIIIe siècles. Elle se spécialise dans la fourniture d'esclaves aux colonies espagnoles d'Amérique. Au total, elle assumera, à elle seule, près de 10.000 (exactement 9.662) expéditions négrières. Marcel Dorigny et Bernard Gaignot[1] expliquent pourquoi l'Angleterre est la première puissance esclavagiste du monde :

> "La prépondérance anglaise en ce domaine est à la mesure de sa domination maritime, beaucoup plus que de sa puissance coloniale proprement dite.
>
> L'Angleterre joua le rôle de courtier pour la plupart des puissances esclavagistes qui eurent recours à elle pour ravitailler leurs plantations. L'exemple du flux négrier vers la Jamaïque est révélateur de ce rôle redistributeur joué par la traite anglaise : jamais la Jamaïque n'eut plus de 230.000 esclaves sur ses plantations au plus fort de son activité sucrière, alors que Saint-Domingue [colonie française] en avait plus de 550.000 en 1789. Pourtant, il apparaît clairement que ce fut la grande île anglaise qui reçut le plus grand nombre de captifs, mais ils étaient en grande partie revendus aux planteurs en déficit chronique de main-d'œuvre : Etats-Unis, Louisiane, Cuba, mais également Saint-Domingue, insatiable dévoreuse d'esclaves."

---

[1] M. Dorigny et B. Gaignot, *Atlas des esclavages. Traites, sociétés coloniales, abolitions de l'Antiquité à nos jours*, Autrement, Paris, 2006, p. 23.

La *France*, elle, qui entre dans le commerce négrier au même moment que l'Angleterre ou peu après elle, cherchera à l'égaler ou à la dépasser, mais sans jamais y parvenir : elle restera pendant longtemps la deuxième puissance négrière. L'affrontement entre les deux nations, qui luttaient pour la suprématie européenne, se manifeste surtout pendant la « seconde guerre de Cent ans » (allant des dernières années du règne de Louis XIV jusqu'à Waterloo). Décisif sur mer, il se solde par la victoire de l'Angleterre, qui balaie la flotte navale française après Trafalgar. Dorigny et Gainot[1] écrivent :

> "Dans cet affrontement, l'enjeu central était la maîtrise politique et commerciale des colonies dans l'espace américain et dans l'océan Indien, mais aussi le contrôle de la traite négrière, moteur du complexe colonial, source de richesse et de puissance. L'Atlantique nord fut sillonné au XVIIIe siècle par les navires négriers anglais et français, ces « bières flottantes » dénoncées par Mirabeau en 1790."

La France ne parvient pas à supplanter l'Angleterre pour des raisons que Dorigny et Gainot ont donné, en ce qui concernent l'Angleterre. Ces raisons expliquent évidemment, à l'inverse, la faiblesse de la France :

> "Alors que la traite anglaise était déjà très puissante au XVIIe siècle, assurant notamment une bonne partie du ravitaillement en esclaves des colonies espagnoles, la traite française ne prit son essor qu'au fil du XVIIIe siècle, à mesure que croissait le domaine colonial et sa production sucrière, pour faire presque jeu égal avec sa puissante concurrente après le choc violent que fut pour l'Angleterre la perte de ses treize colonies d'Amérique du Nord.
>
> La Révolution française, en plongeant une nouvelle fois la France dans une guerre navale, aux Antilles et dans l'océan Indien tout autant que sur les routes de l'Atlantique nord et en Méditerranée, fit reculer l'activité des négriers français. Surtout, les « troubles » coloniaux perturbèrent l'économie des îles à sucre, avant même l'abolition de l'esclavage en 1794, la

---

[1]M. Dorigny et B. Gaignot, *Atlas des esclavages...* , pp. 22-23.

traite n'ayant jamais été formellement abolie par la législation révolutionnaire. Ainsi, à partir de 1793 et jusqu'en 1810, la traite anglaise bénéficia-t-elle d'un monopole de fait sur l'Atlantique nord. La décision anglaise d'abolir la traite en 1807 fit rapidement disparaître les négriers anglais des océans. La traite française, de son côté, avait timidement relancé son activité au moment du rétablissement de l'esclavage, mais la reprise de la guerre l'interrompit aussitôt, pour ne reprendre qu'après 1815, cette fois dans le cadre d'une activité illégale. [...].

A l'opposé [de la traite anglaise], la traite française, même à son apogée dans les années 1780, ne fut jamais capable d'assurer seule l'approvisionnement en esclaves des colonies antillaises de la France, malgré les primes versées aux armateurs par tête d'esclave importé. Le primat sucrier de Saint-Domingue exigeait une ouverture, légale ou par l'interlope, aux traites étrangères : elle fut principalement anglaise, au-delà de la rivalité entre les puissances."

Sans doute pour espérer battre l'Angleterre sur l'avance prise sur la traite négrière, la France élabore en 1763 un projet colonial ambitieux, fondé sur le développement des « îles à sucre ». Dorigny et Gainot[1] en donnent le sens :

"En 1763, une réorientation fut imposée à la colonisation française par sa défaite dans la guerre de Sept Ans : l'abandon de la Nouvelle France, au profit d'un repli colonial sur le seul domaine tropical – la partie française de Saint-Domingue, la Martinique, la Guadeloupe, la Guyane et les Mascareignes. Cette opération, assurée par Choiseul, revenait à faire entrer la France de plain-pied dans l'économie de plantation esclavagiste, alors la vraie source de la richesse coloniale.

Ainsi, l'orientation purement esclavagiste de la colonisation française après le traité de Paris de 1763, fut-elle le résultat d'un choix cohérent et ambitieux : faire de la France le pourvoyeur de l'Europe en denrées coloniales, sucre et café avant tout, ce qui supposait une traite négrière intensive : l'apogée de la traite française, entre 1783 et 1793, fut ainsi l'accomplissement parfait du choix de 1763."

---

[1] M. Dorigny et B. Gaignot, *Atlas des esclavages...*, p. 23.

C'est en partie grâce à cette judicieuse politique coloniale basée sur la plantation esclavagiste, que certaines villes françaises doivent leur prospérité et leur essor : Nantes, Bordeaux...

Les grands pôles de la traite : Liverpool, Londres, Nantes, Amsterdam...

Le commerce triangulaire, nous le savons, part de l'Europe, plus précisément de ses ports. L'on s'attendrait à ce que Lisbonne, capitale d'un pays qui initie la traite, soit le premier port négrier. Il n'en est rien : la place de Lisbonne est faible, puisque la traite vers le Brésil se fait en « ligne droite », de l'Afrique directement vers l'Amérique. En « triangle », la péninsule ibérique a été un pôle insignifiant du commerce humain : selon les chiffres donnés entre 1500 et 1815[1], Lisbonne a organisé 92 expéditions ; Cadix, 39 ; Barcelone, 11...

En fait, selon les mêmes chiffres d'entre 1500 et 1815, le trafic négrier européen se concentre dans un triangle délimité par la ville française de Bordeaux, la ville anglaise de Liverpool et la côte néerlandaise.

Ce sont trois ports britanniques, Liverpool, Londres et Bristol, qui occupent la première place, avec 9.662 expéditions. Liverpool, qui totalise 4.894 expéditions, soit autant que les ports français réunis, se présente comme le premier port négrier européen. Il est suivi par Londres, avec 2.704 expéditions, et Bristol, 2.064 expéditions. Les ports anglais qui suivent sont de loin des lilliputiens : Lancaster, 122 ; Whitehaven, 66 ; Plymouth, 20...

Les ports français occupent, en Europe, le second rang d'expéditions : Nantes, 1.714 ; La Rochelle, 448 ; Le Havre, 451 ; Bordeaux, 419 ; Saint-Malo, 218 ; Lorient, 137 ; Honfleur, 134 ; Marseille, 88 ; Dunkerque, 41 ; Rochefort, 20 ; Bayonne, 15 ; Vannes, 13...

---

[1] D. Eltis, S.D. Behrendt et H.S. Klein, *The Trans-Atlantic Slave*, Cambridge, 1998.

Ainsi, Nantes est la capitale incontestée de la traite française. Sur au moins 4 220 expéditions négrières parties de la France métropolitaine du milieu du XVIIe au milieu du XIXe siècle qui abordent aux rivages d'Afrique et d'Amérique, presque 41 % partent de la ville bretonne. Premier port négriers français, elle transporte pas moins de 450.000 Africains vers l'Amérique centrale, soit 45 % de ce trafic maritime. Les autres villes négrières viennent loin derrière elle : on en relève dix-huit – neuf sur l'Atlantique, sept sur la Manche, deux sur la Méditerranée – qui s'impliquent dans la traite en fonction de leurs moyens ou de leurs ambitions. Bordeaux, La Rochelle et Le Havre totalisent 33,5 % des armements négriers et peuvent se prévaloir de quelques références. A La Rochelle, la primauté chronologique : en 1643, le voyage de l'*Espérance* est la première expédition négrière officiellement reconnue. Au Havre, la longévité : en 1840, le *Philanthrope* est le dernier navire français formellement identifié avec des captifs à bord. A Bordeaux, l'opiniâtreté : ses bâtiments négriers se comptent sur les doigts d'une main avant 1730 quand Nantes compte les siens par centaines, mais en 1802-1803, ils sont plus nombreux à descendre la Gironde que leurs rivaux bretons la Loire. A Bordeaux, pourtant seulement quatrième ville négrière, est ainsi demeurée attachée l'image d'une ville négrière idéale : c'est le port atlantique par excellence, bien placé pour rejoindre les Antilles, mais également proche du Portugal et de l'Espagne, les deux premières puissances initiatrices de la traite et colonisatrices du Nouveau Monde. En outre, Bordeaux entretient depuis toujours de bonnes relations commerciales avec l'Angleterre, devenue la première puissance négrière du monde ; c'est en fréquentant avec assiduité les armateurs anglais, hautement spécialisés pour la traite négrière, que la ville s'oriente avec détermination vers ce négoce somme toute « normal ».

Les quinze autres ports négriers français se répartissent en deux sous-ensembles : Saint-Malo domine nettement un premier groupe qui frôle les 15 % et comprend par ordre d'importance décroissante, Lorient,

Honfleur et Marseille ; les onze ports du second groupe sont des « gagne-petit » qui, à l'exception de Dunkerque, ne franchissent pas la barre des vingt expéditions chacun, comme Bayonne ou Vannes, ou même des dix expéditions, comme Brest, Morlaix, Dieppe, Cherbourg, Saint-Brieuc, Marans et Sète.

Les Provinces-Unies (Pays-Bas) constituent la quatrième puissance négrière du monde et le troisième pôle européen de la traite négrière. Amsterdam, la capitale, a armé 210 expéditions et Rotterdam 126. Ce sont les ports de la côte de Zélande qui ont assumé le plus d'expéditions : 688, faisant d'eux le cinquième complexe négrier européen (après Liverpool, Londres, Bristol et Nantes).

Les pays nordiques forment un groupe de loin mineur, avec seulement 13 expéditions pour le Danemark.

La traite profita-t-elle à l'économie européenne ?

Cette question fut pendant longtemps – et est parfois encore – posée. Elle fait l'objet d'un débat quasi houleux et permanent, qui peut s'exprimer comme suit : « l'économie de la traite négrière et de plantation généra-t-elle les capitaux ayant financé le décollage industriel de l'Europe occidentale ? ».

Deux camps d'auteurs émergent, l'un répondant par la négative et l'autre par l'affirmative. Ceux qui minimisent la portée de la traite négrière dans l'expansion industrielle européenne se fondent sur les recherches récentes qui prétendent que le profit lié à l'économie négrière donnait des taux de rendement modestes. Ces taux étaient de 5 à 10 % pour les Hollandais, de 10 % pour les Anglais, de 6 % pour les Nantais.

Les défenseurs d'une traite négrière bénéfique au développement industriel européen rétorquent que, comme l'écrivent Marcel Dorigny et Bernard Gainot[1],

---

[1] M. Dorigny et B. Gaignot, *Atlas des esclavages. Traites, sociétés coloniales, abolitions de l'Antiquité à nos jours*, p. 25.

"ces moyennes cachent une réalité de base de la traite : son côté aléatoire, qui faisait son principal attrait. Une expédition « heureusement menée » pouvait procurer un profit de 100 à 150 %, une autre lourdement déficitaire. Ce « jeu » explique l'engouement des capitalistes d'alors à acquérir des parts de sociétés esclavagistes.

Surtout, pour saisir l'enjeu de la traite, il faut élargir le regard à toutes les activités liées au complexe colonial, centre vital de l'économie des pays de l'Europe atlantique : fabrication et vente des marchandises de traite, ensemble des métiers liés à la construction navale et à l'armement des navires, activités manufacturières et commerciales induites par l'arrivée des denrées coloniales, circulation des capitaux à travers le réseau des banques, des assurances maritimes et des bourses. La traite était le cœur de ce vaste complexe économique fortement intégré. Sa rentabilité et sa place dans l'essor de l'Europe se jaugent à cette aune et non à la seule balance des comptes, qui du reste fut loin d'être négative."

Si le commerce négrier était partout déficitaire, il n'allait pas, par exemple être rétabli en 1802 par Bonaparte, après avoir été aboli en 1794 par la Convention (assemblée constituante qui gouverne du 21 septembre 1792 au 26 octobre 1795) : le Premier consul estimera qu'il est suicidaire pour la France de renoncer à la traite négrière. C'est sous la pression de certains milieux qu'elle sera finalement abolie définitivement, mais cette abolition n'empêchera pas le trafic de se poursuivre de manière illégale. De même, quand la traite sera interdite par le Congrès de Vienne en février 1815, interdiction confirmée par une loi du 15 avril 1818 en France, elle sera poursuivie partout en Europe, jusqu'à l'aube du XXe siècle. Ainsi, en France, la traite, reprise sous le Consulat (83 expéditions recensées), accélérera son rythme jusqu'aux années 1850 : pas moins de 674 expéditions négrières seront entreprises. Théoriquement illicite, cette traite post-abolition sera parfois « tolérée » par les pouvoirs publics, du fait qu'ils se montreront las à arrêter le mouvement des navires négriers ou à sanctionner les marchands, les marchands qui payaient les impôts à l'Etat ! C'est pourquoi d'ailleurs l'Etat français rechignera pendant longtemps à appliquer le traité de

Vienne, en refusant d'autoriser les « visites » des navires suspects. Il faudra attendre que l'Angleterre se décide à partir de 1830 à faire la police des mers, en arraisonnant les cargaisons humaines pour décourager les trafiquants. Mais cette précaution sera d'ailleurs illusoire, les navires négriers la contournant plus ou moins aisément : ainsi, la *Royal Navy* ne réussira à capturer que 4 % des cargaisons humaines ! Résultat très insignifiant pour une entreprise annoncée de grande envergure ! L'accord franco-britannique de novembre 1831, reconnaissant le droit de visite pour la répression de la traite illégale, fera certes reculer la traite française, mais ne l'interrompra point !

Il faut souligner aussi que la traite négrière, si bénéfique, implique une « européanisation » de l'échange des marchandises : chaque ville d'un pays ou chaque pays apportera sa part dans la fourniture nécessaire à la bonne marche du juteux « commerce ». Comme l'écrivent encore Dorigny et Gainot[1] :

> "La traite des esclaves se faisait le plus souvent par l'intermédiaire de marchandises et non de monnaie. La carte de la répartition des origines de ces marchandises de traite met en lumière l'extraordinaire éparpillement géographique des lieux de leur production. Les tissus venaient aussi bien de Hambourg que de Rouen, d'Amsterdam ou du pays nantais, les armes de Londres ou de La Rochelle, les métaux bruts de Hollande, alors que vins et eaux-de-vie étaient trouvés à proximité. Une « Europe négrière » se dessine ainsi à travers l'inventaire d'une cargaison de traite, montrant les solidarités profondes qui unissent de nombreux secteurs d'activité, en apparence fort éloignés de l'« odieux trafic »."

Le profit est tel que certaines villes européennes vont connaître un essor qui garde encore actuellement les stigmates. Cas de Nantes, où, à l'île Feydeau, non loin du quai de la Fosse, sur les bords de la Loire, où partaient de 1703 à 1831 des navires négriers vers les côtes ouest de l'Afrique, l'on contemple encore les somptueux hôtels particuliers des armateurs. Parmi ceux-ci, les Grou, les

---

[1] *Ibid.*, p. 27.

Montaudouin, les Bouteiller, les Mosneron-Dupin ont bâti des fortunes colossales sur la traite des esclaves et le commerce des denrées coloniales. C'est dire qu'une véritable bourgeoisie locale s'est faite grâce au trafic d'êtres humains. A Bordeaux, un des piliers du trafic négrier français, où la traite des Noirs était l'une des activités lucratives honorables, au même titre que l'exportation des blés ou l'importation du sucre, l'on pouvait encore admirer il n' y a pas longtemps les beaux édifices des armateurs portant fièrement des « têtes des Nègres » en mascarons, et aujourd'hui encore, l'on peut voir la fresque du plafond de l'opéra qui montre une scène de la traite, gloire de la ville et de son port au siècle des Lumières. Pour bâtir leur fortune « sur la tête du Nègre », les trafiquants de cette agglomération girondine avaient exigé et obtenu du Roi qu'il reconnaisse l'utilité de leur entreprise, une entreprise « dangereuse » mais bénéfique pour la Nation[1] :

"De tous les commerces maritimes, il n'en est pas de plus hasardeux que le trafic des Noirs. [...] Et cependant, il n'en est pas qui mérite plus de faveur et de protection [...].

Sa Majesté, par les faveurs qu'elle lui a accordées, a reconnu combien ce commerce était utile à l'Etat et à cette province."

Inikori[2] ne se trompe sûrement pas ainsi, lorsqu'il écrit :

"En tout état de cause, l'économie de traite a enrichi la population des ports et les métiers qui travaillaient pour eux, en France, en Grande Bretagne et en Hollande. Elle a fourni certains éléments d'accumulation du capital dans ces pays."

---

[1] Chambre de commerce de Bordeaux, *Mémoire au Roi*, 1778.

[2] J. Inikori, « La traite négrière du XVe au XIXe siècle", dans *Histoire générale de l'Afrique*, Unesco, 1979, p. 230.

Chapitre 9

EMBARQUEMENT ET DEPORTATION

Portugais et Espagnols baptisent leurs captifs à l'embarquement, les Français au débarquement...

Avant leur embarquement, les esclaves « païens », soidisant pour les humaniser (les rendre moins révoltants), les protéger d'une mort qui peut arriver au cours de la traversée ou surtout afin qu'ils ne souillent pas les terres chrétiennes d'Europe, reçoivent le baptême des mains des prêtres ou des négriers eux-mêmes. Les esclaves déjà christianisés (car même les chrétiens, notamment ceux du Congo et d'Angola, sont faits esclaves) échappent évidemment à cette formalité.

Le baptême est donné à l'embarquement à la plage, aux esclaves qui étaient concentrés aux îles du Cap-Vert. L'instruction religieuse ne précède pas le baptême. Elle suivra, pendant leur captivité. Comment se déroule le baptême administré aux esclaves ? Simplement, d'après une lettre d'Espinosa : le « baptiseur » jette un peu d'eau salée sur la langue de chaque captif et asperge d'eau bénite tous les esclaves. Avant de les admonester[1] :

> "Vous êtes chrétiens maintenant ; vous partez vers les terres des Espagnols où vous apprendrez les choses de la foi. Ne pensez plus à la terre que vous quittez et ne mangez plus ni chiens ni rats ni chevaux. Allez en paix et faites preuve de bonne volonté."

Ce sont les Portugais, puis les Espagnols, qui s'en tiennent à ce principe : il n'est pas question d'introduire chez eux et en Amérique des esclaves qui ne soient pas chrétiens, ou des captifs musulmans ou judaïsants, jugés inconvertibles. L'ordre vient des Rois, qui considèrent qu'il est de leur devoir de répandre la foi catholique et de lui

---

[1] Texte cité par Bowser (*The African Slave*) et traduit dans M. Venard (dir.), *Histoire du Christianisme, des origines à nos jours, t. IX : L'âge de la raison 1620-1750*, Desclée, 1977, p. 710.

conserver sa pureté dans leurs possessions d'Afrique et d'Amérique. Les monarques croient aussi qu'ils obéissent au pape, qui les a investis dans le « droit de patronage ».

Le vicaire général, le seul prêtre à avoir juridiction à Luanda, en Angola, reçoit mandat du Roi de conférer le baptême à tous les esclaves. Pour chaque baptême, il reçoit une certaine redevance, illégale puisque non autorisée au Siège apostolique. La redevance est tolérée, parce qu'elle constitue la principale ou l'unique ressource du curé, si l'on met de côté les ressources que lui procure la vente d'esclaves (car, comme nous le verrons, les prélats s'adonnent aussi au trafic – achat et vente – d'esclaves) !

Les Français, eux, ne baptisent pas leurs esclaves avant l'embarquement, mais seulement au débarquement aux Antilles...

... tandis que Hollandais et Anglais ne les baptisent pas

Quant aux Hollandais et aux Anglais, qui ne sont pas de catholiques romains, ils évitent d'avoir des esclaves chrétiens. Le baptême, affirment-ils, est une affaire sérieuse, qu'il ne faut administrer qu'à l'issue d'une longue instruction religieuse, laquelle ne pourra se faire qu'au lieu de captivité. *On ferait injure au sang et à la foi de Jésus-Christ en tenant en servitude ceux que la grâce a affranchi de la captivité* (le baptême sonne en effet la fin de la servitude, c'est-à-dire du péché originel). Aussi ne peut-on réduire en esclavage que des païens, des Africains non baptisés ! Une fois baptisés après une préparation authentique, les esclaves devraient en principe devenir libres et ne seraient plus *théoriquement* obligés de servir leurs maîtres que comme les autres serviteurs. C'est vrai, il arrivait que Hollandais et Anglais baptisent leurs captifs africains fraîchement cueillis, mais seulement quand ceux-ci se trouvent à l'article de la mort...

Inquiet de cette pratique protestante, le Conseil de l'Inquisition catholique déconseillera vivement aux négriers catholiques ne pas mélanger leurs esclaves avec ceux des nations protestantes !

Bref, trois attitudes sont à signaler : les Ibériques baptisent les esclaves avant de les déporter, les Français les baptisent au lieu de la captivité, tandis que les Anglais et les Hollandais ne les baptisent pas du tout automatiquement, ni au départ, ni à l'arrivée (le baptême conclura une longue instruction religieuse).

Le baptême et le problème de salut jouent donc un rôle de premier plan comme justification de la traite. C'est pour sauver les âmes des gens maudits par Dieu (esclaves du péché ou du démon), que les royaumes catholiques (portugais, espagnol et français) acceptent l'introduction d'esclaves sur leurs colonies d'Amérique. Ils sont convaincus, ou on les a convaincus, qu'on n'y crée pas l'esclavage, mais qu'on ne fait que déplacer des esclaves d'Afrique en Amérique pour leur profit parce qu'ils seront baptisés, et pour celui des colons qui trouveront ainsi de la main-d'œuvre !

L'administration de ces baptêmes sans catéchisation ne permet donc que de sauver les apparences ; il ne s'agit guère d'évangélisation, laquelle, sommaire soit-elle, viendra plus tard.

Ceux qui refusent d'embarquer se suicident ou sont abattus

Les esclaves africains, arrachés de leur terre, doivent se rendre en Amérique, aux Antilles et au Brésil pour travailler dans les maisons et les plantations des Blancs. Mais ils ne le savent sans doute pas. C'est alors que des rumeurs circulent qu'une fois déportés là-bas, les Blancs les mangeraient ou leur soutireraient leur graisse pour servir à la fabrication du savon et du beurre ! D'où de fréquentes révoltes d'esclaves, ceux-ci pensant au supplice corporel qu'ils auront à subir. Il vaut mieux mourir chez soi que partir dans un enfer !

Mgr Cuvelier[1] rapporte les cas poignants d'une femme et d'un homme – du royaume Kongo – qui préfèrent se tuer que de se voir amenés en Amérique :

---

[1] J. Cuvelier, *L'ancien royaume de Congo*, p. 232.

"... l'image de cette mère qui remarque que son maître veut la vendre à un traitant. Prise de désespoir, elle lance avec force son enfant sur un rocher, arrache une lance de la main d'un homme et avec fureur la plante dans sa propre poitrine ; l'image aussi de ce père dont l'enfant, un jeune garçon de dix ans, a été capturé, dont la femme survenue pour délivrer son fils est arrêtée et faite esclave. L'homme en pleurs vient réclamer son fils et sa femme. Pour toute réponse, on le marque au fer rouge du signe des esclaves. Le malheureux prenant un clou, l'enfonce à coups de pierre dans son cœur et s'affaisse."

Ceux qui se donnent la mort constituent des cas exceptionnels. De manière générale, les trafiquants sont bien armés pour réprimer toute révolte. Les plus récalcitrants des esclaves sont tout simplement abattus avant et au cours du voyage. Les autres, majoritaires, arriveront en Amérique dans des conditions effroyables, ne sachant pas ce qui les y attend.

D'où ils ont été pris, les captifs sont « stockés » dans des cales ou le bord des caravelles aux noms curieux comme *L'Ange*, *Jésus*,... ! Ils sont enchaînés au cou, aux mains, aux pieds ; la même chaîne lie souvent un esclave à un ou plusieurs autres. C'est dans cet état qu'ils arrivent à la côte sénégalaise, où ils sont gardés pendant quelque temps à la célèbre île de Gorée. C'est l'ultime lieu africain avant le départ pour un « nouveau monde », un autre monde, un monde inconnu.

Seuls les meilleurs éléments, sains de corps et d'esprit, sont embarqués

Avant de les embarquer dans les navires, les Noirs sont examinés par le chirurgien de bord. Sont éliminés les malades, les handicapés, les vieux ridés, les femmes aux seins flasques, les imbéciles à l'air égaré. La mère est prise avec son bébé, mais parfois sans son mari et ses autres enfants. Les enfants qui sont sur le point d'être embarqués sont ceux qui ont été surpris en train de s'amuser loin de leurs villages, ou capturés lorsqu'une population est en débandade, provoquée par le coup d'envoi d'une rafle.

Ceux qui sont retenus à l'issue d'un examen médical reçoivent une « marque », décrite comme suit par Hubert Deschamps[1] :

> "Une lamelle d'argent, portant en relief les initiales de la compagnie ou de l'acheteur, était chauffée et appliquée rapidement sur la poitrine ou l'épaule à travers un papier huilé. La peau gonflait ; la marque était indélébile."

C'est en effet une « marque » qui leur restera à vie ; ce ne sera pourtant pas cette « marque » physique qu'ils transmettront à leurs descendants, mais une marque d'une autre dimension, plus douloureuse : la « tare » d'appartenir à une race de gens bafoués, avilis, persécutés. Cette marque-là, elle, ne s'efface jamais...

Stockés dans des cales, nus, enchaînés au cou, aux poignets et aux pieds

Sélectionnés et « marqués », les esclaves sont poussés dans l'entrepôt et les « faux ponts » (sortes d'étagères assez robustes pour supporter de nombreux corps) du navire, rejoignant parfois certains autres qui y attendaient depuis des mois (dans le cas de la traite volante). Hubert Deschamps[2] :

> "L'embarquement était un moment dramatique et dangereux. Ces pauvres Noirs, la plupart amenés de l'intérieur, n'ayant jamais vu la mer, ni de Blancs, ni de navires, arrachés brutalement à leurs villages et à leur famille, liés pendant la caravane, emprisonnés ensuite, palpés et marqués comme des animaux, atteignaient le dernier degré du désespoir et de l'épouvante, croyant au surplus que les Blancs les achetaient pour les manger. Il fallait les lier et les surveiller de près pour les conduire en canot au navire, puis les y faire entrer. Beaucoup tentaient de se jeter à la mer, préférant la noyade et la dent des requins. Nombre d'embarcations chavirèrent ainsi dans la barre et tous les occupants périrent. Les accès de révolte, aussi, n'étaient pas rares ; ils échouaient en général,

---

[1] H. Deschamps, *Histoire de la Traite des Noirs*, p. 120.

[2] *Ibid.*

faute d'entente préalable. C'était pourtant le dernier moment où les bons nageurs pouvaient encore espérer ne pas quitter l'Afrique."

Dans l'entrepôt et les « faux ponts », les Noirs sont entassés, souvent comme des sardines dans une boîte : ils sont en moyenne 2 par tonneau de jauge, mais le plus souvent plus. C'est là où, comme des animaux dans leur cage, ils coucheront nus sur les planches et feront tous leurs besoins. Les chaînes de fer les lient par 2, la chaîne de la jambe gauche de l'un relié à la chaîne de la jambe droite de l'autre. Parfois, ils sont encordés 4 par 4 par le cou...

Bref, dans les navires négriers, les Noirs vivent l'enfer ; ce sont des cadavres vivants, prisonniers des gens « civilisés ». Comme le décrira, en 1790, le député français Jérôme Pétion de Villeneuve, premier président de la Convention[1] :

"Représentez-vous, dès lors ce que doivent souffrir ces infortunés nus couchés sur le bois, meurtris par les chaînes qui déchirent leurs bras et leurs jambes et dans les gros temps se heurtant, s'ensanglantant réciproquement par de violentes contusions, représentez-vous ces cadavres livides entassés dans un entrepôts étroit, sans aucune circulation d'air, exhalant des vapeurs fétides, bientôt transformées en miasmes dangereux qui, repompés par leur aspiration, portent dans leur sang le poison de la mort... Représentez-vous le plancher de leur chambre telle infecté d'odeurs putrides et couvert de sang, suite du flux dont ils sont souvent attaqués qu'on croit être au milieu d'une boucherie... En vain, on multiplie les ventilateurs, les treillis, en vain les pauvres malheureux, la bouche ouverte, la langue pendante, se collent à ces treillis pour aspirer un peu d'air, ce soulagement leur est encore refusé, le soleil dans ces climats brûlants darde des rayons de feu, ou bien des pluies fréquentes inondant les vaisseaux forcent de fermer les treillis, les ventilateurs et les misérables Noirs sont ensevelis vivants dans un sépulcre horrible. C'est alors qu'on entend les sanglots, les cris de la rage et du désespoir."

---

[1] Pétion cité par F. Tardo-Dino, *Le Collier de servitude. La condition sanitaire des esclaves aux Antilles françaises du XVIIe au XIXe siècle*, Editions Caribéennes, 1985, pp. 47-48.

De même, le témoignage du franciscain italien Carli est assez édifiant et poignant, qui montre que les navires négriers portugais en partance d'Angola pour le Brésil (voyages durant 50 jours pour atteindre Rio de Janeiro) sont des vrais tombeaux pour les captifs (leur nom portugais est d'ailleurs *tumbeiros*, « croque-morts »)[1] :

> "Les hommes étaient empilés à fond de cale, enchaînés de peur qu'ils ne se soulèvent et tuent tous les Blancs à bord. Aux femmes on réservait le second entrepont. Celles qui étaient enceintes étaient réunies dans la cabine arrière. Les enfants étaient entassés dans le premier entrepont comme des harengs en baril. S'ils voulaient dormir, ils tombaient les uns sur les autres. Pour satisfaire leurs besoins, il y avait des sentines mais, comme beaucoup craignaient de perdre leur place, ils se soulageaient là où ils se trouvaient, surtout les hommes cruellement accumulés de sorte que chez eux chaleur et odeur devenaient intolérables."

Un « noir passage » de trois mois : "Dieu et la Sainte Vierge veuillent nous conduire au Nouveau Monde !"

Les négriers sont des chrétiens qui, quand ils sont gagnés par une certaine appréhension, se remettent tout bonnement au Créateur, à son Fils et à la Mère de celui-ci. En effet, la mer est houleuse et pleine de mauvaise surprise, et il n'est pas dans ce cas certain qu'on arrive au but. Alors, tout est remis aux mains du Maître du destin et de la destinée. La prière, brève, est entonnée par le prêtre ou le capitaine. Elle est reprise par les membres de l'équipage. Aux esclaves, l'on ordonne de répondre en chœur par le refrain, du genre : "Dieu et la Sainte Vierge veuillent nous conduire au Nouveau Monde !"

Mais de manière générale, la prière fait partie de la vie du marin et elle est obligatoire pour les esclaves peu avant de dormir.

---

[1] F. Mauro, *Le Portugal et l'Atlantique au VIIe siècle, 1570-1670*, Sevpen, Paris, 1960, p. 171.

Les bateaux peuvent contenir 450 à 500 esclaves pour 40 hommes d'équipage, et la traversée dure de deux à trois mois, parfois plus. Les esclaves sont enchaînés au-dessous du pont toute la journée et toute la nuit, à part de brèves périodes d'exercices. Ils sont entassés dans la saleté, la puanteur et la mort. Ils étouffent, gémissent ou demeurent silencieux.

C'est le *middle passage* de certains auteurs anglo-saxons. C'est le « noir passage » d'Hubert Deschamps et certains autres auteurs francophones. Une traversée au cours de laquelle les Noirs meurent massivement. L'historien congolais Elikia M'Bokolo écrit[1] :

> "Non sans esprit de paradoxe et de provocation, certains historiens se sont attachés à suggérer que la mortalité des équipages blancs était au moins égale, sinon supérieure à celle de la cargaison noire. C'est assurément comparer des choses qui ne sont pas comparables, notamment parce que la mortalité des équipages est mesurée le plus souvent sur toute la durée du « voyage triangulaire », alors que celle des esclaves n'est connue que pour la traversée de l'océan Atlantique. Or, on sait que ce n'est pas pendant le voyage proprement dit, mais lors du séjour sur les côtes africaines que les marins mouraient le plus : les enquêtes réalisées par Robert Stein sur 130 bateaux français (1715-1778) montrent que la mortalité était presque de 0 % sur le trajet Europe-Afrique, de 8 % en Afrique, de 5 % pendant le « noir passage » et de 5 % sur le trajet Amérique-Europe. Le même auteur constate que sur 1 500 000 esclaves transportés par les Français en Amérique au cours de cette période, 150 000, soit 10 %, sont morts pendant la traversée, auxquels il faut ajouter un nombre plus élevé d'esclaves morts au cours de deux premières de séjour en Amérique. La difficulté d'un tel dénombrement tient à plusieurs facteurs : d'abord, l'incohérence des sources (le nombre de morts est donné tantôt « pendant la traversée », tantôt « pendant la traite, la traversée et la vente », tantôt encore « après la traite », « avant la vente », etc.) ; ensuite, la multiplicité des variables à

---

[1] E. M'Bokolo, *Afrique noire, Histoire et Civilisations*, Tome 1 : *Jusqu'au XVIIIe siècle*, Hatier-AUPELF, Paris, 1995, p. 231.

prendre en compte (taux d'entassement ; durée du voyage ; conditions géographiques ; contexte particulier de chaque voyage, selon, par exemple, la résistance par la révolte, le suicide, le refus de manger...) ; enfin, le fait que la mortalité a dû varier selon les époques et les régions."

On estime ainsi à plus de 30 000 le nombre d'expéditions négrières atlantiques. A l'origine les captifs sont peu coûteux, les négriers ne se soucient guère des pertes enregistrées au cours de la traversée. Mais au fur et à mesure que le trafic s'organise, les prix vont grimper : le captif est devenu précieux. Aussi, les négriers deviennent méticuleux dans leur choix...

Le taux de mortalité pour la traite atlantique est estimé à 12%. Mais en Angola, par exemple, l'historien américain Raymond Cohn a montré que 40% des esclaves mouraient avant d'arriver sur la côte pour être vendus aux Brésiliens et aux Portugais, et que 10% disparaissaient dans les ports. L'on sait aussi qu'environ deux millions meurent pendant la traversée. La plupart des études établissent que le taux de mortalité des expéditions était compris entre 10 et 20%, et cela quelle que soit l'époque ou la nation négrière.

Révoltes et châtiments à bord

A bord, les révoltes des Noirs sont nombreuses. Pour maintenir l'ordre dans le navire, l'esclavagiste se sert d'un fouet. Celui-ci s'emploie également pour imposer le silence, ou pour briser une grève de la faim (si le gréviste s'entête, le chirurgien le nourrit de force, par l'introduction du *speculum oris*, ou on le roue de coups devant ses compagnons).

Pour les meneurs d'une rébellion, le fouet s'accompagne d'autres méthodes de torture, qui conduisent le plus souvent à la mort. Ainsi, voici comment est décrite la mutinerie qui a lieu au bord de *L'Affriquain*[1] :

---

[1] Gaston Martin, *Nantes au XVIIIᵉ siècle. L'Ere des Négriers (1714-1774) d'après des documents inédits*, Paris, Alcan, 1931, cité par J. Meyer,

"Hier à huit heures, nous amarrâmes les Nègres les plus fautifs, autrement dit les Nègres auteurs de la révolte, aux quatre membres et couchés sur le ventre dessus le pont, et nous les fîmes fouetter. En outre, nous leur fîmes des scarifications sur leurs fesses pour mieux leur faire ressentir leurs fautes. Après leur avoir mis les fesses en sang par les coups de fouet et les scarifications ; nous leur mîmes de la poudre à tirer, du jus du citron, de la saumure, du piment tout pilé et brassé ensemble avec une drogue que le chirurgien y mit et nous leur en frottâmes les fesses pour empêcher que la gangrène n'y soit mise et de plus pour que cela leur eût cuit sur les fesses... Nous avons mis l'Anglais (un esclave acheté à un navire anglais) aux fers, qui était le chef, cramponné au gaillard d'avant et aussi emmenotté à cette fin de le laisser mourir en languissant."

Le marin a besoin de calme pour mener à bon port son navire. Quand, consciemment ou non, un esclave s'aventure à troubler la tranquillité que veut s'imposer le marin, celui-ci n'hésite pas à le châtier. Le châtiment concerne n'importe quel esclave, qu'il soit un homme ou une femme, qu'il soit un nourrisson ou un adulte ; il va du simple fouet à la mise à mort. Voici un exemple de cruauté signalée par Pope-Hennessy[1] :

"Un enfant noir de dix mois refusait de manger. Le capitaine d'un [navire] négrier l'arracha à sa mère et le fouetta avec un chat à neuf queues. Comme les jambes du bébé commençaient à enfler, il ordonna de lui plonger les pieds dans l'eau bouillante. La peau s'en allait avec les ongles des orteils ; on la remplaça par de la toile huilée. Comme l'enfant deux ou trois heures plus tard continuait à refuser toute nourriture, le capitaine le fouetta une fois de plus ; le bébé mourut dans le quart d'heure qui suivit. Le capitaine força la mère à jeter son cadavre à la mer."

Esclaves et Négriers, p. 69 et par F. Tardo-Dino, *Le Collier de servitude*, pp. 44-45.

[1] Pope-Hennessy cité par F. Tardo-Dino, *Le Collier de servitude. La condition sanitaire des esclaves aux Antilles françaises du XVIIe au XIXe siècle*, Edit. Caribéennes, 1985, p. 46.

Les femmes, elles, sont tout simplement bafouées dans leur dignité élémentaire, ainsi que le raconte John Newton, un capitaine négrier repenti[1] :

"Lorsque les femmes et les jeunes filles arrivent à bord, nues, tremblantes, terrifiées, exténuées de froid, de fatigue et de faim, elles subissent souvent les rudesses lascives des sauvages blancs... En pensée, ils se répartissent sur-le-champ leur proie et n'attendent plus que la première occasion... Elles sont livrées sans retenue aux volontés illégales du premier venu."

Newton révèle que, au cours du voyage, en pleine mer, chaque matelot "séduit une femme en bas de la cale" et couche "avec elle comme une brute à la vue de tous les officiers". Officiers et capitaines, eux aussi, disposent des Noires à volonté. Ce sont surtout les belles vierges qui servent de plaisir à ces loups de mer. Les esclaves mâles, eux, n'ont évidemment pas droit au contact intime avec les femmes dont ils sont séparés.

Ces actes gratuits de sadisme et de viol collectif s'accompagnent souvent... des moments de détente, pendant lesquels les capitaines obligent les esclaves... à danser pour les distraire ! C'est la fameuse « danse des nègres » sur le pont du navire, relatée avec emphase par certains négriers. Selon cette histoire macabre, les « parcs à nègres » des navires deviennent vite d'affreux cloaques.

Cette triste joie qu'on leur impose en leur offrant le plaisir à côté de la mort, est encore plus féroce peut-être que les mauvais traitements dont on les accable.

Un aller simple : 15 à 30 millions d'Africains déportés en Amérique

Combien ont-ils été arrachés à l'Afrique pour l'Amérique ? Les auteurs se sont hasardés à fournir des chiffres qui minimisaient ou exagéraient le phénomène esclavagiste. Ce sont les historiens appartenant aux nations

---

[1] J. Newton, *Thougts upon the African Slave Trade*, cité par F. Tardo-Dino, *op. cit.*, p. 46.

83

ayant pratiqué la traite qui donnent naturellement les plus bas chiffres. Les plus « raisonnables » d'entre eux donnent entre 12 et 15 millions de Noirs déportés en Amérique. Ainsi, en 1929, le Français Dieudonné Rinchon les estime à 13 250 000, tandis que l'Américain Philip Curtin, au début des années 1970, les évalue à 15 000 000. Ces auteurs incluent ou excluent dans leurs résultats les esclaves qui furent morts (par assassinat, par maladie ou par suicide) pendant le rapt, pendant le débarquement, au cours de la traversée de l'Atlantique ou en arrivant au Nouveau Monde.

Ce serait les Anglais qui ont beaucoup ruiné le continent noir : entre 1655 et 1807, ils auraient acheminé pas moins de 4 millions d'esclaves. Les Français les talonnent, avec au minimum « seulement » 1 200 000 esclaves embarqués au XVIIIᵉ siècle. Les deux peuples, à eux seuls, auraient ainsi déporté la quasi moitié d'Africains : entre 5,5 et 6 millions. Les Portugais auraient déversé sur le seul Brésil, entre le XVᵉ siècle et 1810, 2 250 000 esclaves.

Les chercheurs africains ou de la diaspora, quant à eux, ont tendance à surestimer le nombre d'esclaves kidnappés et embarqués. Ainsi, le Jamaïcain Eric Williams, les Afro-Américains Chancelor Williams, St. M. Elkins et Lerone Bennet Jr fournissent des chiffres nettement supérieurs au double de ceux avancés par leurs collègues de souche européenne ou juive.

Les auteurs de *Africana, the Encyclopedia of the African and the African American Experience* ne les suivent pas, qui avancent un nombre d'esclaves importés des Amériques variant entre 9 et 10 millions, sur un nombre d'esclaves exportés d'Afrique variant entre 11 et 12 millions. L'on voit que pendant leur transfert, deux millions de Noirs auraient péri. Se fondant sur les études statistiques faites entre 1993 et 1997 par les chercheurs de l'Institut W.E.B. DuBois de l'Université Harvard sur la base des documents des navires et ports négriers et des archives de l'Amirauté britannique, ces auteurs pensent que 27 500 traversées ont été nécessaires pour transporter les 11 à 12 millions d'Africains.

Atsutsé Kokouvi Agbobli, docteur en histoire et auteur de plusieurs ouvrages, qui cite les différents chercheurs mentionnés ici, écrit[1] :

"Vu les modalités officielles, semi-secrètes voire clandestines de la traite des Noirs, la probité intellectuelle exige de reconnaître l'impossibilité manifeste de se faire une idée exacte de la quantité d'esclaves noirs exportés d'Afrique du début du XVIe à la fin du XIXe siècles.

A ce titre, pour se faire une idée réelle de la ponction démographique causée par l'esclavage et de la traite pour l'Afrique, il n'y a pas meilleure référence que l'assertion suivante tirée du tout petit opuscule intitulé « L'esclavage et la Traite des Noirs » d'un auteur anonyme et référence à la *Bibliothèque Nationale* de la rue Richelieu, à Paris, en France, sous la cote LK9 685. Ecrivant en plein milieu du XIXe siècle pour dénoncer la persistance de l'esclavage au Brésil et dans les colonies espagnoles de Cuba et de Porto Rico et donc d'une traite clandestine, il soulignait que :

« Pour obtenir ce nombre d'esclaves, non seulement le littoral, mais encore l'intérieur de l'Afrique, sont mis à feu et à sang. Sur un millier de victimes, la moitié périt pendant la capture, la marche vers la côte et la détention avant l'embarquement : un quart périt pendant la traversée, un cinquième de ceux qui sont débarqués meurt dans la première année, par suite du changement de climat. Les trois cents restants sont condamnés, ainsi que leurs descendants, à une captivité sans espoir, ou une mort prématurée »."

Les Noirs en Amérique

Le « Nouveau Monde », ou l'« Amérique » (ou les « Amériques ») est un terme générique vague, pour désigner en réalité l'aire géographique appelée les *Caraïbes*, dont il faut commencer par situer géographiquement[2]. Engendré par l'histoire, l'espace des Caraïbes se présente

---

[1] "Esclavage et traite des Noirs dans le Nouveau Monde. Les historiens africains dénoncent le révisionnisme des évêques africains", *Afrique Education*, 16-30 novembre 2003, p. 32.

[2] O.D. Lara, "Caraïbes (aire des)", *Æncyclopædia Universalis*, corpus 4, Paris, 1985, pp. 203-208.

comme une portion des Amériques – du Nord, du Centre et du Sud – centrée sur la mer des Caraïbes. C'est comme une galaxie possédant un noyau globulaire, la Méditerranée des Caraïbes, autour duquel gravite un amas d'îles (archipel des Antilles, Bahamas), de territoires continentaux et des bras qui s'étendent au nord jusqu'aux Etats-Unis et aux Bermudes, au sud jusqu'aux confins amazoniens et au Nordeste brésilien. Donc, l'espace caribéen comprend deux parties : la mer et sa périphérie territoriale.

La topographie de la périphérie territoriale distribue les terres de la manière suivante : une large portion des deux Amériques (Nord et Sud), l'Amérique centrale, l'archipel des Antilles, les Bahamas et les Bermudes. La partie nord-américaine comprend essentiellement le sud-est des Etats-Unis : Floride, Mississippi, Louisiane, Texas et Alabama. L'Amérique centrale, quant à elle, couvre le Mexique et les sept Républiques centraméricaines : Guatemala, Belize, Honduras, Nicaragua, El Salvador, Costa Rica et Panama. Les territoires suivants composent l'Amérique du Sud : Colombie, Venezuela, les Guyanes (Guyana, Suriname, Guyane-Cayenne), Brésil. L'Archipel des Antilles, enfin, se subdivise en Grandes Antilles (89 % de l'ensemble) et Petites Antilles (11 %) ; les Grandes Antilles comprennent quatre îles : Cuba, Haïti, Jamaïque et Porto Rico ; les Petites Antilles forment un chapelet de petites îles : l'archipel des Bahamas, les Antilles françaises (Guadeloupe et Martinique), etc. Notons que Cuba et les pays de l'Amérique du Sud constituent ce que l'on appelle parfois l'Amérique latine, du fait qu'ils ont été colonisés par les peuples latins (Espagnols, Portugais et Français) dont ils ont retenu les langues ; ainsi, la musique ou les musiques provenant de ce bloc sont souvent dites musiques latino-américaines.

Dans les Caraïbes vivaient les « Indiens », considérés comme les autochtones, avant l'arrivée d'immigrants européens et d'esclaves africains. Ces derniers, qui constituent en ce jour d'importantes populations et qui se reconnaissent par leurs coutumes africaines restées presque intactes (notamment dans les domaines religieux et musical), s'identifient ou sont identifiés là-bas par leurs pays ou royaumes d'origine. Ainsi, les Bakongo (mais aussi d'autres Congolais comme les Bateke, les Lari,... habitant le royaume Kongo ou même le pays congolais entier) sont appelés des Congos, les Angolais (Bakongo, Ovimbundu, etc.) sont des Angolas, etc. Pour Gerhard Kubik[1], « Congos » désigne les gens originaires du royaume du Congo, à cheval sur l'Angola et l'actuel Congo-Kinshasa, « Benguela » ceux du sud-ouest, du centre et de l'est de l'Angola, embarqués dans le port de Benguela, « Angola » ceux du royaume de Ndongo. Leslie B. Rout Jr. Rout[2], quant à lui, rappelle que les esclaves étaient souvent désignés sous le nom de leur port d'embarquement, indépendamment de leur origine ethnique ; ainsi, pour les Portugais, les « castas de Angola » comprenaient aussi bien des Angolais (Benguela, Loanda) que des Congolais. Les Congolais (accompagnés souvent des Angolais) se retrouvent également, dispersés parmi d'autres peuples africains, dans le reste des Caraïbes : aux Grenadines, aux îles ABC (Aruba, Bonaire et Curaçao)..., mais aussi dans le reste du continent américain (Colombie, Equateur, Venezuela, Guyanes, Panama, Univers Garifuna ou « Caraïbes noirs » – Belize, Honduras et autres pays de l'Amérique centrale –, Costa Rica, Pérou, Rio de la Plata argentin, Paraguay, Bolivie, Mexique, etc.).

Dans les Caraïbes, les zones de forte concentration noire sont constituées, en ordre décroissant, par Cuba, le Brésil, les Antilles françaises, Haïti, Saint-Domingue, Porto Rico, la Jamaïque et Trinidad e Tobago.

Si l'on considère que 12 à 13 millions d'esclaves ont été déportés, deux grands ensembles géopolitiques en reçoivent, à eux seuls, environ 10 millions, soit plus de 80 % de l'ensemble de la traite ; ce sont le Brésil et l'archipel des Antilles.

---

[1] G. Kubik, "Angolan traits in black music, games and dances of Brazil. A study of African cultural extension oversas", *Estudos de Antropologia Cultural*, n° 10, Lisbonne, 1979.

[2] L.B.Jr. Rout, *The African Experience in Spanish America, 1502 to the Present Day*, Cambridge University Press, Londres, 1976, p. 28.

Le Brésil, qui accueille plus de 4 millions de captifs, est le pays le plus pourvu en Noirs, soit environ le tiers du total de la traite atlantique. Les esclaves commencent à être débarqués, par milliers, à partir de 1550. Ils viennent d'abord et surtout de l'Angola (et du royaume Kongo), pour peupler la côte de Pernambouc, de Bahia, puis de Rio de Janeiro. Ils seront complétés par des esclaves issus des comptoirs portugais du golfe de Guinée et de la côte orientale de l'Afrique à partir du Mozambique. C'est entre 1830 et 1850 que, alors que la traite à destination des Antilles s'essouffle (révolution de Saint-Domingue en 1793, abolition de la traite anglaise en 1807), la traite vers le Brésil prend son essor maximal. Le Brésil va également être le pays de la plus tardive des abolitions (1888).

Les Antilles, dans leur ensemble (colonies britanniques, françaises, néerlandaises...), reçoivent le plus grand nombre de Noirs : 6 millions au moins.

Les 20 % des Noirs restants déportés en Amérique se retrouvent dans les colonies espagnoles (un peu plus d'un million et demi), aux Etats-Unis (environ un demi-million)...

Cette Amérique que Blancs et Noirs découvrent constitue un vaste chantier, un monde nouveau à construire. Les uns seront les contremaîtres, et les autres les ouvriers. Ces derniers, dès qu'ils débarquent au port, seront vendus et affectés à leurs postes de travail.

Chapitre 10

CALVAIRE DES ESCLAVES AFRICAINS EN AMERIQUE

La « foire aux Nègres », ou la vente aux enchères des esclaves, "au nom du roi, la loi et la justice"

Après le débarquement, les Noirs, comme des « marchandises », doivent être vendus au plus offrant. La vente se déroule souvent à bord même du navire négrier. Les uns après les autres, les captifs sont montés sur le pont. Nus, ils sont regroupés par lots appelés « pièces d'Inde », ou même vendus « au poids ». Les acheteurs les examinent, les palpent, les titillent...

Les Anglo-saxons pratiquent même ce qu'ils appellent le « scramble », une vente particulièrement brutale et éprouvante pour les esclaves : parqués dans un enclos, tous les esclaves constituent un lot unique, chacun valant le même prix que l'autre. Lorsque le signal est donné, l'enclos s'ouvre, et les acheteurs se grouillent, chacun cherchant à s'accaparer de la meilleure « pièce d'Inde » !

Le prix varie selon évidemment le « spécimen » : selon les tares, l'âge, la physionomie, la force, la santé... Le bel homme et la mère au bébé coûtent naturellement un peu plus cher que les autres : 600 livres (ou l'équivalent de 75 quintaux de sucre brut) en 1715 et 1500 livres (en 1765).

Il faut noter que le mode de mise en vente ne tient nullement compte des liens familiaux : le négrier constitue les lots et procède à la vente en séparant brusquement des familles qui étaient pourtant embarquées sur le même navire.

La liquidation de la cargaison prend de 10 à 20 jours après ouverture. Une « bonne vente » rapporte au négrier de 150 à 200 % de bénéfice. Heureux dans sa navigation, un capitaine de traite se retire généralement ou devient un armateur après cinq ou six voyages.

Parfois, la vente se fait également à la place publique, généralement affichée auparavant sur les murs des édifices officiels ou annoncée par un crieur et dans des gazettes. Voici un genre d'annonce, intitulé « Nègres à vendre »[1] :

"Une cargaison d'hommes et de femmes vigoureux, en bonne santé et aptes à servir immédiatement, vient d'arriver de la Côte de l'ivoire à bord du *Two Brothers*. Les conditions [de paiement] sont les suivantes : une moitié en liquide ou en nature, l'autre moitié étant payable le premier janvier prochain, avec contrat d'engagement si nécessaire. La vente sera ouverte chaque jour à dix heures dans l'entrepôt de M. Bourdeaux, n° 48, sur le port. 19 mai 1784. John Mitchell."

Au marché, appelé la « foire aux Nègres », les esclaves sont répartis en lots insécables de quatre à six individus, de manière à faciliter la vente d'éléments n'ayant pas une « valeur marchande ». Généralement, chaque lot comprend au moins 1 homme beau et fort, 1 homme de valeur moyenne, 1 petit garçon, 1 fillette, 1 ou 2 femmes (est particulièrement prisée la femme ayant un enfant au sein, car celui-ci peut devenir un bel esclave n'ayant rien coûté !).

L'abolitionniste français Victor Schœlcher, qui a assisté à une vente d'esclaves aux Antilles, en parle avec émotion, révolté[2] :

"Aux champs et à la ville, on les traite comme de véritables animaux domestiques ; on leur refuse le titre d'hommes et il n'est pas d'Européen qui n'ait frissonné d'horreur et de honte en voyant les esclaves traînés sur les marchés ou dans les ventes comme nous y conduisons les bœufs. Pour moi, c'est un tableau douloureux qui ne sortira jamais de ma mémoire et qui m'attriste encore que celui de cette infortunée que je vis au milieu d'une place publique, salement vêtue, froide et indifférente à son sort, entourée de passants et d'acheteurs, avec un crieur à ses côtés qui disait en grimaçant : « Allons,

---

[1] O. Pétré-Grenouilleau, *Les traites négrières*, La Documentation Française, Dossier n° 8032, p. 35.

[2] V. Schœlcher, *Esclavage et colonisation*, PUF, Paris, 1948. Cité par M. Métoudi et J.P. Thomas, *Abolir l'esclavage*, p. 48.

Messieurs, à 200 piastres la jolie négresse, bonne blanchisseuse ! 200 piastres, Messieurs ! Voyez, elle est jeune encore, bien saine, 250 piastres, elle est très douce, 260 piastres ma petite négresse. C'est pour rien. Remarquez, Messieurs, comme elle est forte et bien portante. Allons, 261 piastres ! » Et l'on venait lui tâter les chairs, et un autre la tournait et la retournait, et un troisième la regardait aux dents, hélas ! il n'est que trop vrai, tout comme nous faisons, au marché aux chevaux, pour examiner leur âge et leur allure."

Parfois, si le « propriétaire » ne parvient pas à honorer ses dettes envers un individu, une entreprise ou la société, la Justice s'en mêle, lui vend aux enchères ses biens, en mélangeant ses esclaves aux autres objets, pour en tirer de l'argent devant payer les factures en attente. Citons encore Schœlcher[1] :

"Ouvrez le premier journal venu des colonies, et vous y pourrez lire, feuille des annonces :
« Au nom du roi, la loi et la justice,
On fait savoir à tous ceux qu'il appartiendra, que le dimanche 26 du courant, sur la place du marché du bourg du Saint-Esprit, à l'issue de la messe, il sera procédé à la vente aux enchères publiques de :
L'esclave Suzanne, négresse, âgée d'environ quarante ans, avec ses six enfants, de treize, onze, huit, sept, six et trois ans, Provenant de saisie-exécution. Payable comptant.
L'huissier du domaine, J. Chatenay. »"

Si un « propriétaire » n'est plus satisfait de son ou ses esclaves, ou si ceux-ci deviennent têtus ou inconvenants, ou encore s'ils ont acquis une valeur « marchande » plus ou moins importante, il peut les revendre à volonté.

De leur acquéreur les esclaves reçoivent son nom ou d'autres noms

Le Noir, en quittant l'Afrique, perd automatiquement son patronyme. C'est du moins ce que décident ses bourreaux, du négrier à l'acheteur. C'est ce dernier qui lui

---

[1] M. Métoudi et J.P. Thomas, *Abolir l'esclavage*, p. 49.

colle un nom définitif. Ce nom est celui du propriétaire, ou un autre qu'il lui trouve. Si l'esclave passe d'un acquéreur à un autre, il conserve le nom du premier ou celui que lui donne le second ! Au cours de sa misérable vie, un esclave peut ainsi porter plus d'un nom, selon qu'il devient un « bien » de M. X, ou de M. Y. ou encore de M. Z... Pire, les enfants qu'il peut avoir, eux aussi des esclaves, adopteront le nom changé de leur père, ou même prendront d'autres noms dans les cas où ils sont vendus séparément, sans leurs parents !

Dans son roman *Roots* (« Racines »), transposé au cinéma (une série d'épisodes filmés que les Africains suivront avec passion dans les années 1980), Huxley raconte l'histoire poignante d'un esclave qui, appelé Kunta Kinte depuis son pays où il a été capturé, refusera de porter le nom étranger que son maître tentera de lui imposer. Il sera battu à mort, mais ne pliera point ! Dans l'Histoire de l'Esclavage, ils seront moins connus, de tels Noirs !

Après leur libération, certains esclaves et surtout leurs descendants voudront renoncer à leurs noms d'esclave, et reprendre leurs noms d'Africains. Le problème pour eux sera de savoir quels noms africains prendre : ceux d'Angola, du Congo, du Nigeria, du Sénégal... ? Plusieurs siècles se seront passés pour qu'ils se souviennent encore de leurs origines. Ils sauront que les maîtres n'avaient pas redus service à leurs ancêtres : ils ne les regroupaient pas en famille, en tribus, en clans ou en « nations », mais les éparpillaient pour les empêcher de se coaliser ou de se rebeller. Ainsi, les Noirs d'Amérique seront toujours à la recherche de leur identité propre, en commençant par leur nom. Certains prendront au hasard des noms d'une origine (angolaise, congolaise, nigériane, sénégalaise....), d'autres encore préféreront simplement devenir des citoyens « sans noms », ou même prendront des noms d'islam, estimant que cette religion était celle qui ne les avaient pas induits en esclavage. C'est dans cette dernière catégorie qu'on trouve deux célèbres Américains, Malcom X et Muhammed Ali.

Né en 1925 à Omaha, Malcom Little milite d'abord au sein des *Black Muslims* (« Musulmans noirs »), un mouvement d'émancipation des Noirs qui veut se démarquer de la société occidentale chrétienne, coupable d'avoir réduit les Noirs en esclavage, et rêve d'instaurer une nation afro-américaine islamique, l'islam étant, selon lui, la seule religion qui n'aurait pas asservi les Noirs ! Par la suite, Little fondera, en 1964, son propre mouvement, l'Organisation de l'unité afro-américaine qui, comme son nom l'indique, milite en faveur de l'union des Noirs d'Amérique et d'Afrique, la patrie mère ; il abandonnera alors son nom d'esclave et, faute de ne pas privilégier une nation africaine où puiser un nom, il se résoudra à s'appeler Malcom X (X signifie absence de nom) ; il sera assassiné en 1965. Muhammed Ali, lui, est ce boxeur – le plus célèbre du monde – qui s'appelait Cassius Clay ; il a opté pour un nom musulman au moment où il adhère aux *Black Muslims*. Lorsqu'il viendra combattre contre George Foreman à Kinshasa, en octobre 1974, il prétendra qu'il retrouvait le « pays de ses ancêtres » !

Au travail ! 16 à 20 heures de travail par jour, ponctuées par le fouet

Les Noirs qui débarquent dans les Caraïbes ont, leur fait-on savoir, l'obligation de servir leurs maîtres à la maison et surtout dans les plantations (cannes à sucre, de café). Une ordonnance de la France, « fille aînée de l'Eglise », traduisant également le sentiment d'autres nations chrétiennes esclavagistes, explique pourquoi l'on a besoin des Noirs dans le travail agropastoral[1] :

"La chaleur de ces climats (des colonies), la température du nôtre ne permettait pas aux Français un travail aussi pénible que le défrichement des terres incultes de ces pays brûlants ; il fallait y suppléer par des hommes accoutumés à l'ardeur du soleil et à la fatigue la plus extraordinaire. De là l'importation des nègres de l'Afrique dans nos colonies. De là la nécessité de l'esclavage pour soumettre une multitude d'hommes robustes à une petite quantité de Français transplantés dans ces îles. Et on

---

[1] Ordonnance des 31 mars et 5 avril 1762, citée par L. Sala-Molins, *op. cit.*, p. 206.

ne peut convenir que l'esclavage, dans ce cas, n'ait été dicté par la prudence et par la politique la plus sage. [...] Des lois dictées par la bonté de nos rois ont pourvu à leur sûreté, à leur éducation, à leur entretien. Uniquement destinés à la culture de nos colonies, la nécessité les y a introduits, cette même nécessité les y conserve."

En Amérique, les esclaves noirs dépendent du bon vouloir du planteur blanc qui leur distribue du travail selon ses propres critères raciaux. Généralement, la journée du labeur commence à 5 heures du matin et se termine à 7 heures du soir, soit 12 heures au travail (moins une interruption d'une heure pour le repas).

Si le travail domestique est relativement facile, celui des plantations est harassant. Nus ou en haillons, les Noirs labourent à la pioche et à la houe, coupent les cannes à la machette. Est fouetté le malheureux qui ose ralentir le rythme de travail ou tente de se reposer même pendant quelques secondes.

Pour soutenir ce rythme, ils sont contraints de chanter en travaillant. De même, à l'usine de transformation des cannes en sucre : les cannes sont poussées entre les meules, au risque d'écrasement des mains, surtout la nuit quand, fatigués, les ouvriers chantent pour se tenir éveillés ; celui qui sommeille peut se retrouver dans une chaudière bouillante !... Mieux que quiconque, Victor Schœlcher[1] décrit la vie quotidienne de l'esclave au travail et après le travail :

"Suivons les esclaves dans les champs. Tête et pieds nus dans ces climats brûlants, ils vont au travail par brigade de 15 ou 20, sous la surveillance de contremaîtres qui les contiennent avec un énorme fouet toujours agité. Le soir venu, on les ramène épuisés de fatigue, et on leur jette une nourriture dégoûtante et grossière.

Puis, pour dormir, 3 planches avec une misérable couverture sur des tréteaux, voilà la vie de l'esclave, froide, machinale, abrutissante et vile, monotone et sans passé pour réfléchir, sans avenir pour rêver, n'ayant que le présent

---

[1] V. Schœlcher, *Esclavage et colonisation*, PUF, Paris, 1948.

toujours armé d'un fouet ignominieux. Font-ils une faute, on leur met aux pieds des fers formés d'anneaux qui vont s'attacher à la ceinture ; et, ainsi chargés d'un coup de fouet on les chasse au travail ou bien on les plonge dans un cachot au fond duquel est un lit de bois avec des entailles où chaque jambe s'enclave au-dessus de la cheville. Attachée de la sorte, la victime, presque toujours nue, ne peut se tenir que sur le séant ou couchée sur le dos, et il est facile de concevoir tout ce qu'il y a de poignante douleur à rester vingt-quatre ou quarante-huit heures dans une aussi affreuse position. A la dernière extrémité arrivent les châtiments corporels, et l'on a vu de malheureux noirs expirer sous les coups de ces fouets à gros nœuds, instruments de leur supplice."

Le fouet. Inventé et toujours agité pour l'esclave, il fait partie de sa vie, une vie, dit Schœlcher, "froide, machinale, abrutissante, vile, monotone, sans passé pour réfléchir, sans avenir pour rêver, n'ayant que le présent toujours armé d'un fouet ignominieux". L'abolitionniste ajoute, dégoûté et révolté[1] :

"Le fouet est une partie intégrante du régime colonial, le fouet en est l'agent principal; le fouet en est l'âme; le fouet est la cloche des habitations, il annonce le moment du réveil, et celui de la retraite; il marque l'heure de la tâche; le fouet encore marque l'heure du repos; et c'est au son du fouet qui punit les coupables, qu'on rassemble soir et matin le peuple d'une habitation pour la prière; le jour de la mort est le seul où le nègre goûte l'oubli de la vie sans le réveil du fouet. Le fouet en un mot, est l'expression du travail aux Antilles. Si l'on voulait symboliser les colonies telles qu'elles sont encore, il faudrait mettre en faisceau une canne à sucre avec un fouet de commandeur".

Mais même ainsi torturés, les Noirs sont obligés de retourner au travail. Ceux qui œuvrent dans les plantations ou les usines ne se reposent que le dimanche ou les jours fériés, comme leurs maîtres. Mais une bonne partie de ces jours de repos leur sont pris par les prêtres pour le

---

[1] V. Schœlcher, *Des colonies françaises. Abolition immédiate de l'esclavage*, chapitre VII, « Le fouet », 1842.

catéchisme et la messe. Un catéchisme taillé sur mesure, qui évite de dire que le christianisme est une religion qui enseigne l'amour, la justice et la liberté...

Chapitre 11

ETAT DES NEGRES ET « LEGITIMITE » DE LEUR ACQUISITION

Le Parlement espagnol : les Indiens et les Noirs sont des « hommelets »

Nous savons que, dès le début de l'occupation espagnole, les dominicains Montesinos et Las Casas protestent contre l'esclavage des Indiens. Une bulle pontificale de 1537 et une loi royale de 1570 l'abolissent en principe, sinon en fait.

Pourtant, la condamnation de l'esclavage des Indiens n'implique pas nécessairement la condamnation de l'esclavage des Noirs, qui ont massivement remplacé les Indiens dans les travaux domestiques, agricoles et industriels. L'abolition de l'esclavage des Noirs entraînerait l'arrêt de ces travaux, et donc la faillite économique des colonies d'Amérique. Même dans les ordres monastiques, l'on est en grande majorité d'accord pour que l'esclavage négrier demeure. La question qui va se poser à certaines consciences n'est donc pas tant le bien-fondé de l'esclavage, mais celui de l « acquisition légitime ».

En 1537, l'année même où Paul III interdit l'esclavage des Indiens, un consultant demande à Francesco de Vitoria de dire si le rapt des Noirs, tel qu'il est réalisé en Afrique, est moralement acceptable. Le théologien dominicain espagnol répond, vaguement, que le roi du Portugal ne peut enquêter sur la provenance des esclaves, mais que l'important est que ces captifs puissent devenir chrétiens !

Six ans plus tard, un autre dominicain, Thomas Mercado, dénonce, dans un ouvrage, les violences et les ruses des Portugais et des chefs africains pour se procurer des esclaves. Il parle de la souffrance de ces captifs africains, qui doivent abandonner les leurs pour aller dans un monde inconnu, ainsi que des cruautés faites sur eux pendant la déportation. Pourtant, comme tous les hommes de son temps, le bon religieux ne condamne pas   la traite dans son principe, mais se borne à noter que ce commerce constitue un acte infâme et un péché. Une condamnation qui reste bien isolée et qui n'a aucune conséquence pratique.

Donc, toute la société admet que l'esclavage des Noirs est une entreprise « naturelle ». Après avoir réduit les Noirs en esclavage, il va se dérouler en Amérique et en Europe plusieurs débats plus ou moins philosophiques et théologiques pour décider du statut des Noirs : *sont-ils des hommes ou des objets ?*

A vrai dire, ces débats ont toujours eu lieu, mais jusqu'alors, ils n'étaient que le fait des philosophes, des Pères de l'Eglises et des théologiens. L'on connaît la position de la majorité d'entre eux : la traite et l'esclavage sont conformes à la religion. Cette fois-ci, les débats vont être portés au niveau de l'Etat ; résoudre la question du statut des Noirs décidera de leur achat et de leur vente ou non.

L'un de ces débats implique Las Casas (évêque de Chiapas au Mexique depuis 1544) qui, à son retour dans son pays en 1547, affronte directement le parlement, lequel refuse d'abolir l'esclavage dans les colonies espagnoles d'Amérique. La discussion a notamment lieu entre lui et un certain Juan Ginès de Sepulveda (1490-1573), avocat des conquistadores et chapelain de Charles Quint, initiateur de l'*asiento* et partisan acharné de la légitimité de la conquête et de l'esclavage. Connu sous le nom du débat ou de la controverse de Valladolid (1550-1551)[1], il pose la question suivante : *les Indiens sont-ils esclaves par nature ?*

La réponse de Sepulveda est évidemment positive, et ce ne sont pas des « arguments » qui lui manquent : la lutte menée contre les Indiens est juste, car elle a pour but de leur faire renoncer à leurs pratiques barbares et de les intégrer au christianisme ; dans ce cas, l'esclavage ne peut être condamné, il est du « droit » d'un souverain catholique, "aussi excellent, pieux et juste", et de son pays, l'Espagne, "une nation si humaine, aussi riche de toutes sortes de

---

[1] L. Hanke, *Colonisation et conscience chrétienne au XVIe siècle*, Plon, 1957, pp. 185-186, 190-191.

vertus", de dominer les êtres inférieurs, les « hommelets » (*hombrecillos*) que sont les Indiens,

> "si médiocrement humains, dépourvus de toute science et de tout art, sans monuments du passé autres que certaines peintures aux évocations imprécises, peuples aussi peu civilisés, aussi barbares, souillés de tant d'impuretés et d'impiétés !"

Pour appuyer sa doctrine pseudo-chrétienne, Sepulveda cite Aristote, qui avait défini les catégories humaines susceptibles d'être tenues et maintenues en esclavage, et surtout saint Thomas, pour qui une guerre peut être conduite si elle sert une cause juste. Derrière les propos de Sepulveda se reconnaissent tous les conquistadores, les autorités coloniales, et plusieurs clercs. Las Casas constitue une rare exception ; en entendant les sornettes de Sepulveda, il se fâche :

> "Tous les êtres humains sont les hommes, tous possèdent entendement et volonté, les cinq sens extérieurs et les quatre sens intérieurs, et sont poussés à les satisfaire ; tous aiment le bien, jouissent du bon, du beau, réprouvent et abhorrent le mal [...].
>
> Il n'y a pas et il ne peut y avoir de nation si féroce, si dépravée qu'elle soit qui ne puisse être convertie à toutes les vertus politiques et à toute l'humanité de l'homme domestique, politique et raisonnable [...].
>
> Les exemples anciens comme récents nous prouvent clairement qu'il n'est pas de peuple si rude, inculte, grossier et barbare qu'il soit, qui ne puisse être convaincu, amené à la voie droite, à la douceur et à l'obéissance, par une méthode appropriée et naturellement humaine : c'est-à-dire par la courtoisie et l'affection."

Remarquons que Las Casas, dans ce débat, ne parle pas spécifiquement de seuls Indiens, mais de "tous les êtres humains". Car, depuis son repentir, son combat pour les droits de l'homme ne concernait plus que les seuls Indiens, mais incluait également les Noirs...

Ainsi, quand Sepulveda traite les Indiens de « sous-hommes » (« hommelets »), l'on peut étendre son opinion aux Noirs. En fait, à l'époque, c'est l'avis du plus grand nombre de Blancs, y compris les prélats. Le petit nombre des gens qui soutiennent un avis contraire sont mal vus et parfois combattus.

Pour le « Code noir » français, les Noirs sont des « biens meubles »

"Le texte juridique le plus monstrueux produit par les Temps modernes"

Par l'*asiento* et autres textes prétendument juridico-commerciaux, l'Espagne semble être la première nation esclavagiste à réglementer la traite négrière. En ce moment, la France laisse ses colons imposer au coup par coup, imitant ou non les Espagnols. La marchandisation des esclaves, dit Sala-Molins, se fait de façon brutale ; elle obéit à la loi du marché.

Sous prétexte de mettre un terme à la traite négrière qui se pratique en désordre et d'« octroyer » au Noir une protection légale, Louis XIV, le « Roi-Soleil », un monarque qu'on disait "très chrétien", signe et promulgue en mars 1685 un édit, connu sous le nom significatif de « *Code noir* ». Le but est de codifier la traite, qu'il trouve capitale pour la survie des colonies.

Inspiré des pratiques esclavagistes espagnoles et rédigé à l'initiative de Colbert, l'homme des grandes réglementations, c'est un texte hideux, qui concerne "la discipline de l'Eglise et l'état et la qualité des nègres esclaves aux îles de l'Amérique" (les Antilles, la Louisiane et la Guyane).

Exégète impitoyable du texte et pourfendeur de toutes les hypocrisies abolitionnistes, Louis Sala-Molins[1], professeur émérite de philosophie politique à Paris I et à Toulouse II, considère à juste titre ce qu'il appelle cette « infamie légale », qui réglemente l'esclavage des Noirs aux

---

[1] L. Sala-Molins, *Le Code noir, ou le calvaire de Canaan*, P.U.F., Paris, 1987, p. 9.

colonies françaises, comme *"le texte juridique le plus monstrueux qu'aient produit les Temps modernes et préservé pourtant tout un demi-siècle l'ère contemporaine"*. C'est vraiment une aberration, s'indigne Sala-Molins : pour la première fois dans l'histoire moderne cohabitent les mots « droit » et « esclavage » dans un ensemble homogène de lois.

"L'esclavage (des peuples que la divine providence a mis sous notre obéissance) pour maintenir la discipline de l'Eglise"

Dans cette ordonnance de 60 articles qui officialise et protège la traite, l'auteur reprend un certain nombre des dispositions inspirées par le clergé, qui reconnaissent la condition « naturelle » de l'esclave, considérant celui-ci comme un être intermédiaire entre les choses et l'homme libre. A vrai dire, si, d'un point de vue religieux, le Noir est considéré comme un êtres susceptible de salut, il est en réalité défini juridiquement comme un « bien meubles » transmissible et négociable, dont le Code entend gérer la vie, la mort, l'achat, la vente, l'affranchissement et la religion. Pour faire simple, dit Sala-Molins : *"canoniquement, l'esclave a une âme ; juridiquement, ils n'en a pas"*.

Dès le préambule du Code, Louis XIV déclare sans ambiguïté :

"Louis, par la grâce de Dieu roi de France et de Navarre : à tous, présents et à venir, salut. Comme nous devons également nos soins à tous les peuples que la divine providence a mis sous notre obéissance, nous avons bien voulu faire examiner en notre présence les mémoires qui nous ont été envoyés par nos officiers de nos îles de l'Amérique, par lesquels ayant été informés du besoin qu'ils ont de notre autorité et de notre justice pour y maintenir la discipline de l'Eglise catholique, apostolique et romaine, pour y régler ce qui concerne l'état et la qualité des esclaves dans nos dites îles..."

Nous ne pouvons citer tous les 60 articles du Code noir. Retenons-en quelques-uns qui soient significatifs et résumons les autres.

L'article 2 décrète que les Noirs doivent être capturés et mis en esclavage pour être christianisés : "Tous les esclaves qui seront dans nos îles seront baptisés et instruits dans la religion catholique, apostolique et romaine" ; ceux qui "achèteront des nègres nouvellement arrivés" devront le signaler aux autorités des îles, pour que celles-ci donnent "les ordres nécessaires pour les faire instruire et baptiser dans le temps convenable".

L'article 4 précise que seuls ceux qui professent la religion catholique sont habilités à s'occuper des nègres, sous peine de "confiscation des dits nègres contre les maîtres qui les auront préposés".

L'article 7 parle du "marché des nègres et de toutes les autres marchandises", lequel devra se tenir les jours indiqués par les autorités.

"Les enfants qui naîtront de mariages entre esclaves seront esclaves et appartiendront aux maîtres des femmes esclaves"

Les articles 9 à 12 concernent l'union des corps impliquant au moins un esclave. Le 9 interdit à un « homme libre » marié d'avoir des rapports sexuels avec une esclave, et dans le cas où il aurait eu une liaison illicite débouchant sur des enfants, il sera "condamné en une amende de deux mille livres de sucre" ; en outre, il sera "privé de l'esclave et des enfants", lesquels seront "confisqués au profit de l'hôpital, sans jamais pouvoir être affranchis". Toutefois, un homme libre célibataire peut épouser une esclave, mais seulement "dans les formes observées par l'Eglise" ; dans ce cas, l'esclave sera affranchie, et les enfants issus de ce rapport seront "rendus libres et légitimes".

L'article 11 défend "très expressément aux curés de procéder aux mariages des esclaves, s'ils ne font apparoir du consentement de leurs maîtres" ; il interdit également "aux maîtres d'user d'aucunes contraintes sur leurs esclaves pour les marier contre leur gré."

L'article 12 parle des enfants issus du mariage contracté entre un couple d'esclaves :

"Art. 12 : Les enfants qui naîtront de mariages entre esclaves seront esclaves et appartiendront aux maîtres des femmes esclaves, et non à ceux de leur mari, si le mari et la femme ont des maîtres différents."

Le commentaire de Louis Sala-Molins :

"S'il fallait ordonner les articles du Code Noir par ordre décroissant d'horreur, c'est probablement cet article qu'il faudrait citer en premier. Sa première phrase claque au cerveau du lecteur contemporain comme un coup de fouet.

La matrilinéarité, évoquée plusieurs fois dans le Code Noir (cf. art. 9 et 13) joue en plein pour la naissance en liberté ou en esclavage : elle joue aussi pour la propriété des enfants qu'elle concerne, autre manière de dire la même chose...[On peut évoquer] la réplique devenue célèbre d'une jeune esclave à laquelle le moine, esclavagiste et tendre à la fois, conseillait d'épouser un Noir : « Non, mon père. Je ne veux ni de celui-là ni d'aucun autre. Je me contente d'être misérable en ma personne, sans mettre des enfants au monde qui seraient peut-être plus malchanceux que moi, et dont les peines me seraient beaucoup plus sensibles que les miennes propres »."

Les esclaves baptisés seront enterrés dignement, les autres "la nuit dans quelque champ voisin du lieu où ils seront décédés"

"Art. 14 : Les maîtres seront tenus de faire mettre en terre sainte dans les cimetières destinés à cet effet leurs esclaves baptisés ; et à l'égard de ceux qui mourront sans avoir reçu le baptême, ils seront enterrés la nuit dans quelque champ voisin du lieu où ils seront décédés."

L'explication de Sala-Molins :

"Ne serait-ce le surcroît de brutalité et de dédain (« la nuit, dans quelque champ»), le Code semblerait imposer en toute objectivité l'application de la loi civile émanée du droit canonique prévoyant l'enterrement des « saints » en terre sainte, des « gentils » ou des « païens » en terre profane.

Mais l'expression « dans les cimetières destinés à cet effet » indique que les esclaves baptisés ont leur terre sainte, bien distincte de la terre sainte où reposent les maîtres et les Blancs.

Donc, pas de mélange de « terres saintes », et l'indéfini de « quelque champ » pour les esclaves non baptisés."

Les deux types de cimetières évoqués doivent être pleins d'esclaves, puisqu'il en meurt beaucoup, de maladies et souvent des coups de bâtons ou de fusil donnés par le maître. L'article 15 interdit aux esclaves de se défendre s'ils sont victimes d'une telle violence, puisqu'ils ne peuvent porter "aucune arme offensive, ni de gros bâtons", sinon ils seront fouettés.

L'esclave peut aussi être mis à mort par la justice, si, dit l'article 33, il "aura frappé son maître, sa maîtresse ou le mari de sa maîtresse ou leurs enfants avec contusion ou effusion de sang, ou au visage".

L'article 35 évoque de même la possibilité d'éliminer physiquement un esclave : "Les vols qualifiés, même ceux des chevaux, cavales, mulets, bœufs et vaches qui auront été faits par les esclaves, ou par les affranchis, seront punis de peines afflictives, même de mort si le cas le requiert."

La mort guette également l'esclave au terme des articles 38 et 39.

Article 38 : L'esclave fugitif qui aura été en fuite pendant un mois à compter du jour que son maître l'aura dénoncé en justice, aura les oreilles coupés et sera marqué d'une fleur de lis sur une épaule ; et s'il récidive une autre fois à compter pareillement du jour de la dénonciation, aura le jarret coupé et il sera marqué d'une fleur de lis sur l'autre épaule ; et la troisième fois il sera puni de mort.

Article 39 : L'esclave puni de mort sur dénonciation de son maître, non complice du crime par lequel il aura été condamné, sera estimé avant l'exécution par deux principaux habitants de l'île qui seront nommés d'office par le juge ; et le prix de l'estimation sera payé au maître.

Evidemment, les maîtres peuvent décider de la mort de leurs esclaves, en les dénonçant à la justice pour quelque crime souvent inventé. Les maîtres, affirme l'article 42, n'ont pas le droit de tuer leurs esclaves, lorsque ceux-ci "l'auront mérité", ni de "leur donner la torture, ni de leur faire aucune mutilation de membre", sous peine de "confiscation des esclaves". Si les esclaves « méritent » un lourd châtiment, les maîtres devront seulement "les faire enchaîner et leur faire battre de verges ou de cordes", en attendant que la justice n'intervienne !

Mais s'il arrive que le maître tue quand même son esclave, il n'encoura pas pour autant la peine de mort ; la justice trouvera la sanction convenue.

"Déclarons les esclaves être meubles"

L'article 44, qui devrait normalement être le premier ou le deuxième du « Code », dévoile froidement ce que représente réellement l'esclave aux yeux du maître blanc : un simple bien meuble, un objet, qui entre dans la catégorie des choses qu'on peut avoir et léguer à sa descendance :

> "Déclarons les esclaves être meubles, et comme tels entrer en la communauté, n'avoir point de suite par hypothèque, se partager également entre les cohéritiers sans préciput ni droit d'aînesse, ni être sujets au douaire coutumier, au retrait féodal et lignager, aux droits féodaux et seigneuriaux, aux formalités des décrets, ni aux retranchements des quatre quints, en cas de disposition à cause de mort ou testamentaire."

Bref, l'esclave constitue une marchandise, ou, en d'autre termes, un sous-homme, ou, pire, un « non-homme ».

L'article 47 stipule que, comme toute marchandise, les esclaves peuvent être "saisis et vendus", mais, voulant se montrer « humain », le législateur refuse que l'on saisisse et vende "séparément le mari de la femme et leurs enfants impubères, s'ils sont sous la puissance du même maître" ; l'opération sera nulle si les saisies et ventes sont séparées.

En bref, le « Code noir », au nom de la religion unique (le catholicisme), il condamne le concubinage, impose le baptême et régit le mariage et l'inhumation des esclaves ; il réglemente leurs comportements, leurs déplacements, leur vie privée, leur alimentation, leur habillement... ; il souligne leur incapacité à la propriété, leur incapacité juridique, leur responsabilité pénale... ; il leur dit ce qu'ils sont, à savoir des marchandises ; il leur définit les punitions en cas de vol, de fuite ou de violences ; il leur dit la justice et les droits du maître à leur endroit ; il leur explique ce que sont l'affranchissement et ses conséquences, les fautes impliquant le retour à l'esclavage...

Pour Sala-Molins, le Code noir, qui sera utilisé jusqu'en 1848, date du décret d'abolition de l'esclavage en France, procède à la déshumanisation de l'esclave, sur les plans juridique et civil, et établit la contrainte théologique qui s'exerce sur sa volonté. Abandonné aux caprices du maître, l'esclave devient une chose, une bête, un « bien meuble ».

Louis IX, chrétien comme le sont tous les rois de France, exige seulement de ses sujets qu'ils ne malmènent pas leur « propriété », qui est aussi leur « patrimoine ». En réalité, le roi veut contrôler les réactions les plus barbares des maîtres, dans le but de réduire les mouvements de révolte. D'où l'énumération des devoirs « d'humanité » du maître face à l'esclave, et les sanctions prévues à l'endroit du maître qui maltraite son esclave. Des sanctions qui ne seront pas appliquées contre les cruautés.

Le « Code jaune », version « africaine » du « Code noir »

Le « Code noir » est principalement destiné aux Antilles (ainsi qu'à la Louisiane, encore française, et à la Guyane). Pour les esclaves africains des possessions françaises d'Afrique (La Réunion et Maurice), ils croulent initialement sous la volonté de chaque colon. Aussi, pour « mettre un peu d'ordre » dans la pratique esclavagiste, Jean-Baptiste Etienne Delaleu (1738-1817), Procureur du Roi au Tribunal terrier de Maurice, rédige en 1776 un *Code des Isles de France et de Bourbon*. Ce recueil de lois, appliqué aux îles Maurice et Réunion, est primitivement connu sous le nom de « Code jaune », par opposition au « Code noir » régissant l'esclavage aux Antilles françaises ; par la suite, il devient simplement le « Code Delaleu », du nom de celui de son auteur. Il sera réédité en 1826, après être enrichi de trois suppléments (en 1873, 1787 et 1788). Le roi (qui est Louis XV, arrière-petit-fils et successeur de Louis XIV, celui-là même qui édite le Code noir rédigé par Colbert) récompensera Delaleu pour ce travail, en lui assurant, en 1786, une pension de 1 000 livres.

Ce Code « africain » ne diffère guère du Code « antillais » que par la couleur qu'on leur attribue pour les qualifier et les distinguer ! Mais au fond, l'un est l'exacte réplique de l'autre. Tous deux sont immondes, considérant le Noir comme un « bien meuble », comme une chose appartenant au Blanc, un être sans âme que celui-ci manipule à sa guise et essore ou jette comme un chiffon usagé.

Le Noir est traité dans huit grandes rubriques, qui constituent les huit parties de chacun de deux tomes du Code jaune (le premier est consacré à l'île de France, le second à l'île Bourbon) : Administration générale, Eglise, Militaire, Finances, Commerce, Marine, Justice, Police. Dans « Police », la huitième partie du Code, nous dit Norbert Benoît[1] qui a étudié ce règlement, il est question des moyens de répression du Noir. Le sort de l'esclave est réglé en quelques ordonnances, arrêts et règlements.

Ne baptiser que les enfants des mères affranchies !

La première ordonnance renouvelle, dans les îles de France et de Boubon, des dispositions qui avaient été faites pour les colonies françaises d'Amérique; ces dispositions, nous le savons, attribuent à l'esclavage le statut de « bien meuble », et définissent un certain nombre de lois anti-nègres. En quatre articles, cette première ordonnance veut également empêcher les abus constatés dans l'affranchissement des esclaves. Cette libération, stipule-t-elle, n'est possible qu'avec la permission écrite du gouverneur ou de l'intendant. Dans le cas contraire, l'affranchissement est annulé, et l'esclave est vendu au profit du roi ! Le 3e article invite le prêtre à ne pas baptiser les enfants des mères (noires ou métisses) affranchies, car les enfants qui naissent des esclaves sont des esclaves ; aux registres de baptême devra figurer la mention "enfant de

---

[1] N. Benoît, "L'esclavage dans le Code jaune ou code Delaleu", dans *Déraison, esclavage et droit. Les fondements idéologiques et juridiques de la traite négrière et de l'esclavage*, UNESCO, 2002, pp. 95-104.

mère affranchie". Si le baptême est administré à un enfant de mère esclave, l'enfant et la mère seront confisqués au maître (lequel paiera une amende) et vendus au profit du Roi.

La deuxième ordonnance exige des possesseurs d'esclaves non chrétiens d'instruire et de faire baptiser ceux-ci dans la religion catholique, apostolique et romaine. Elle défend également le mariage des Blancs avec les Noirs, ainsi que... celui du Noir affranchi ou libre de naissance avec une Noire esclave ! Les enfants nés de telles unions « illégitimes » seront confisqués et confiés à l'hôpital des lieux ; ils ne seront jamais affranchis.

Le premier arrêt interdit toute propriété aux Noirs esclaves. Autrement dit, il ne les autorise pas à posséder, à acheter ou à vendre des esclaves, à leur vendre ou leur acheter quelque chose d'eux sans la permission du maître, ainsi qu'à leur acheter des provisions destinées au marché sur les bords des chemins. Les Blancs qui ne respectent pas ces prescriptions paieront une amende, tandis que les Noirs recevront trente coups de fouet, le double s'ils récidivent.

Les deuxième et troisième arrêts exigent de la commune de payer quiconque capture des Noirs marrons (des Noirs en fuite) !

Le règlement du 25 septembre 1767 cherche à favoriser l'agriculture; dans ce cas, au colon le plus producteur l'Etat confiera d'avantages d'esclaves. Le règlement du 24 octobre 1767 inflige une punition corporelle au Noir qui chasse ou déboise sans autorisation. Il lui est interdit d'avoir un chien; il ne peut promener le chien du maître qu'avec l'autorisation écrite de celui-ci; tout chien suivant un Noir hors de l'habitation sera abattu !

Le règlement du 7 mai 1770 encourage la destruction d'oiseaux et de rongeurs (rats). Un Blanc qui en aura tué beaucoup recevra en récompense un Noir « pièce d'Inde » !

Le Roi Louis XVI ne veut pas de Noir en France

Le Code Delaleu reprend une législation du 9 août 1777 du Roi (qui est en ce moment Louis XVI, petit-fils et successeur de Louis XV, dont le règne commence en 1774 et finit dramatiquement, avec son exécution le 21 janvier 1793 par la Révolution). Dans son propos écrit, le monarque défend à tous ses sujets comme aux étrangers d'amener en France des mulâtres ou des Noirs. Le Blanc des colonies est toutefois autorisé d'être accompagné, pendant la traversée, de « son » Noir (ou mulâtre) de service ; cependant, celui-ci sera impérativement interné au dépôt à son arrivée au port ! Par ailleurs, seul le gouverneur de la colonie peut accorder une autorisation aux officiers des vaisseaux du Roi et à ceux des navires marchands de transporter Noirs, mulâtres ou autres gens de couleur...

En fait, Louis XVI n'innovait en rien ; il voulait seulement revivre la vieille jurisprudence du royaume, qui, sans ambiguïté, stipulait : « La France, mère de liberté, ne permet aucun esclave sur son sol ». En dépit de cette législation, certains Français avaient leurs Noirs en France, qu'ils utilisaient comme des domestiques. Un édit de 1716 légalisa leur présence, mais limita leur liberté à la durée de séjour en métropole. Au départ, ces esclaves ne gênaient presque personne, mais quand, à partir de 1740, leur nombre se mit à croire dans les villes comme Bordeaux, Nantes et surtout Paris, le roi dut sévir. D'où sa loi du 9 août 1777 (reprise à Maurice et La Réunion par Delaleu), qui fait obligation au maître de déclarer l'entrée de ses Noirs, et de leur aménager, à ses frais, une résidence forcée dans un « dépôt » situé dans chaque port ; les Noirs entrés illégalement en métropole devraient être expulsés, et les enfants nés d'unions interraciales "être pourvus d'aucune charge jusqu'à la quatrième génération". Si sévère soit-elle, cette législation ne s'appliqua que fort difficilement : il y eut, en 1777, environ 3500 Noirs à Paris, 700 à Nantes, 370 à Bordeaux, 66 à La Rochelle, et des dizaines répartis dans d'autres villes. En 1802, Napoléon réitérera l'interdiction d'entrer des Noirs sur le sol français...

Au Code Delaleu succède un autre code, le « Code Decaen », élaboré par le comte Charles Mathieu Isidore Decaen (1769-1832), qui, sous le règne de Napoléon, gouverne l'île Maurice du 25 septembre 1803 au 3 décembre 1810. Pendant son administration, Decaen restaure l'ordre colonial fondé sur l'esclavage.

Le 4 décembre 1810, il capitule devant les Anglais, qui s'emparent de l'île. C'est Sir Robert Townsend Farquhar (1776-1830) qui dirige Maurice, du 4 décembre 1810 au 20 mai 1823. Lui aussi est accusé, par les abolitionnistes, d'imposer un code anti-noir, le « Code Farquhar », aussi abject que les premiers. Il favorise notamment les maîtres mauriciens d'esclaves et encourage la poursuite de la traite.

En résumé, tous les Codes français (noir, Delaleu, Decaen), ainsi que d'ailleurs les autres codes européens, considèrent les Noirs comme des « biens meubles », que les propriétaires peuvent manipuler à leurs guise, en les faisant travailler, en les punissant, en les vendant, en les léguant...

"Les Droits divin et humain autorisent achat et vente des Nègres pour les convertir au christianisme " !

C'est sur le plan juridique que les Codes noir et jaune prétendent avoir réglé la question de l'esclavage, en réglementant l'application de cette pratique. Mais sur le plan théologique, il demeure encore des scrupules en France. C'est la Sorbonne, la plus haute autorité scientifique et morale du royaume, devant laquelle la contestation est portée, qui va trancher la question. Celle-ci est examinée par le « tribunal des cas de conscience » ; après délibération, les « casuistes » (« spécialistes » de cas conscience) rendent, le 15 avril 1698, le verdict, lequel sera repris plus tard dans le *Dictionnaire des cas de conscience*, article « esclavage » ; le problème est formulé le plus sérieusement du monde comme suit[1] :

> "« On demande si, en sûreté de conscience, on peut vendre des Nègres ? » Ceux qui s'en font scrupule disent qu'il y a de l'inhumanité d'acheter et de vendre des hommes. Que n'étant pas permis d'acheter une chose que l'on sait être dérobée, on ne peut acheter des Nègres, parce qu'ils sont pris et enlevés de force, c'est un vol usité parmi eux, ils se dérobent

---

[1] *Documents d'histoire moderne*, t. 2, Armand Colin, 1970, pp. 205-208.

réciproquement. Cela est public et par conséquent il n'est pas licite d'entrer dans ce commerce avec eux.

Ceux qui sont d'un sentiment contraire disent :

1° que « c'est un grand avantage pour ces malheureux » qui deviennent chrétiens ;

2° que « tous les princes chrétiens permettent à leurs sujets de faire ce commerce » ;

3° que « les Espagnols et les Portugais, qui se piquent d'être les meilleurs catholiques du monde, sont ceux qui en font le plus grand commerce » ;

4° que le roi de France achète des esclaves turcs sans les convertir ;

5° que « les Nègres sont ordinairement mieux nourris, habillés et soignés » en esclavage que chez eux ;

6° que les rois africains participent au commerce."

Les casuistes tentent de départager les deux opinions, proposant avec une stupéfiante assurance la réponse suivante :

"« La servitude n'est pas un droit naturel ; l'homme, au contraire, est né libre ; mais elle a été introduite par le Droit des Gens » et reconnue à ce titre par saint Paul et les Pères de l'Eglise. C'est, en tout cas, « une injustice d'acheter des esclaves de ceux qui ne les possèdent pas à juste titre, ou lorsqu'on doute avec fondement qu'ils les aient acquis légitimement ».

En un mot, le Droit divin et le Droit humain permettent les esclaves ; d'où il s'en suit qu'on peut les vendre, les acheter, les changer comme les autres biens dont on est légitime possesseur. La plus grande difficulté touchant le cas présent n'est pas de savoir si l'on peut vendre des esclaves : cela est certain par les principes ci-dessus établis ; mais de savoir si de la manière que se fait ordinairement le commerce des Nègres et autres esclaves, il n'est point injuste. [...].

Il y a trois titres en vertu desquels on peut devenir esclave :

1° la guerre, si elle est juste, et non pas faite légèrement dans le seul but de faire des esclaves ;

2° la condamnation, mais il ne faut pas oublier que les lois de ces pays sont tyranniques ;

3° l'achat, s'ils vendent eux-mêmes ou leurs enfants ; mais « ils ignorent ce que c'est que l'esclavage auquel ils s'engagent ». Or quoique tous ces titres soient justes en eux-mêmes, néanmoins, il arrive très souvent qu'ils cessent de l'être par les circonstances [...]."

La conclusion de ces hommes experts des cas de conscience, chrétiens par-dessus tout, est sans appel :

"« *Il suit de tout cela qu'on ne peut en sûreté de conscience acheter ni vendre des Nègres, parce qu'il y a de l'injustice dans ce commerce.* Si néanmoins, tout bien examiné, les Nègres qu'on achète sont esclaves à juste titre et que, du côté des acheteurs, il n'y ait ni injustice ni tromperie, pour lors, selon les principes établis, on peut les acheter et les vendre aux conditions qu'on a marquées ; on pourrait même, sans aucun examen, les acheter si c'était pour les convertir et leur rendre la liberté. »"

Autrement dit, l'on peut, sans aucun remords et en toute bonne conscience, vendre du Nègre, aux chrétiens de préférence, pour que ceux-ci, par la religion, le sortent des ténèbres pour le conduire à Dieu et à la « liberté » !...

Voilà donc, comment, au XVIIe siècle, les casuistes essaient de « résoudre » la question de la légitimité de l'esclavage. Ils n'y arrivent évidemment pas : ils hésitent à se prononcer dans un sens ou dans un autre, mais ils ont tendance à soutenir plutôt, voir à encourager, la vente des Noirs, et leur recommandation ne reprend que les arguments traditionnels, exprimés ou non avec conviction.

En définitive, la question de la traite et de l'esclavage des Noirs reste encore incertaine. Certes, la Sorbonne, voix autorisée du peuple français, condamne la servitude de l'homme noir. Mais cette condamnation n'est que théorique et formelle. Elle n'aura aucune conséquence sur le plan pratique. Le pouvoir étatique ne mettra en place aucun système de répression contre les négriers et les planteurs des Antilles, lesquels ne se soucieront ainsi guère des cogitations des docteurs en Sorbonne et des Dictionnaires de cas de conscience. Ces gens-là ont besoin des Nègres et du sucre, et de rien d'autre ! Et personne, dans le public, ne les contredit. Quelques vraies âmes chrétiennes, marginales, continueront de souffrir en secret...

« Siècle des Lumières... noires »

Falsification de l'histoire

Les manuels scolaires en Occident regorgent souvent des contre-vérités historiques, du moins en ce qui concerne la position de certaines personnalités face à la condition des Noirs. Ainsi, dans le livre de Français de la quatrième année des collèges en France (édité par Hatier), l'on peut lire ceci :

"Les penseurs et écrivains du XVIIIe siècle mettent en avant le fait qu'il n'y a pas qu'une vérité (tout est relatif) et engagent à porter un regard différent sur l'autre. L'esprit critique se réveille, les écrivains se tournent vers la réflexion philosophique. Ils s'interrogent sur le destin de l'homme, dénoncent les préjugés et se donnent pour mission d'éclairer les esprits aveuglés par les croyances trompeuses, d'où leur nom de « philosophes des Lumières ». Au nom de la raison, les écrivains philosophes (Montesquieu, Voltaire, Diderot, Rousseau) ainsi que le dramaturge Beaumarchais combattent l'intolérance, le fanatisme religieux, la guerre, l'esclavage et prônent le respect absolu de la personne humaine. Ils risquent dans ce combat la censure, la prison et l'exil, mais c'est à ce prix qu'ils construiront des valeurs qui rendront possible la Révolution française de 1789."

Certains historiens, dont Cheikh M'Backé Diop (*Cheikh Anta Diop, l'homme et l'œuvre*) et Louis Sala-Molins (*Le Code noir, le calvaire des fils de Canaan*), évoquant l'esclavage des Noirs, ont dénoncé le « siècle des Lumières » comme « les misères des Lumières ». Si en effet, l'on parcourt la pensée des hommes cités dans le manuel scolaire de la quatrième, et de quelques autres du « siècle des Lumières », l'on se rend compte qu'on est loin de la vérité.

Montesquieu : "On ne peut se mettre dans l'idée que Dieu ait mis une âme, une âme bonne, dans un corps tout noir"

Jusqu'à la fin du XVIII\ siècle, les « bons » esprits européens pensent toujours que l'esclavage des Noirs trouve une justification divine. C'est le cas de Charles de Montesquieu (1689-1755), qui, dans son célèbre *De l'Esprit de Lois*[1], publié en 1748, résume pratiquement la mentalité de son époque, quand il parle de l'« esclavage des Nègres » :

"Si j'avais à soutenir le droit que nous avons de rendre les nègres esclaves, voici ce que je dirais :

Les peuples d'Europe ayant exterminé ceux de l'Amérique, ils ont dû mettre en esclavage ceux de l'Afrique pour s'en servir à défricher tant de terres.

Le sucre serait trop cher, si l'on ne faisait travailler la plante qui le produit par des esclaves.

Ceux dont il s'agit sont noirs depuis les pieds jusqu'à la tête ; et ils ont le nez si écrasé qu'il est presqu'impossible de les plaindre.

On ne peut se mettre dans l'idée que Dieu, qui est un être très sage, ait mis une âme, surtout une âme bonne, dans un corps tout noir.

Il est si naturel de penser que c'est la couleur qui constitue l'essence de l'humanité, que les peuples d'Asie, qui font des eunuques, privent toujours les noirs du rapport qu'ils ont avec nous d'une façon plus marquée.

On peut juger de la couleur de la peau par celle des cheveux, qui, chez les Egyptiens, les meilleurs philosophes du monde, étaient d'une si grande conséquence, qu'ils faisaient mourir tous les hommes roux qui tombaient entre leurs mains.

Une preuve que les nègres n'ont pas le sens commun, c'est qu'ils font plus de cas d'un collier de verre que de l'or, qui, chez des nations policées, est d'une si grande conséquence.

Il est impossible que nous supposions que ces gens-là soient des hommes ; parce que, si nous les supposions des hommes, on commencerait à croire que nous ne sommes pas nous-mêmes chrétiens.

De petits esprits exagèrent trop l'injustice que l'on fait aux Africains. Car si elle était telle qu'ils le disent, ne serait-il pas venu dans la tête des princes d'Europe, qui font entre eux tant de conventions inutiles, d'en faire une générale en faveur de la miséricorde et de la pitié ?"

Cette vision de l'esclavage noir est développé dans la théorie sociologique des climats : Montesquieu prétend que *les lois de l'esclavage civil ont du rapport avec la nature du*

---

[1] C. Montesquieu, *De l'Esprit de Lois*, 1748, livre XV, chapitre 5.

climat. Dans une Afrique malmenée par une chaleur torride, assure-t-il, le Noir est un sauvage ; il se « civilisera » en Occident au contact d'un temps doux !

C'est fort de cette idée saugrenue que Montesquieu, en 1722, achète des actions dans la Compagnie des Indes, spécialisée dans la traite négrière. Des auteurs comme Jean Ehrard (*Lumières et Esclavage*, André Versaille éditeur, 2008, pp 27-28) invitent à ne pas blâmer Montesquieu, puisqu'il réalise cette transaction en tant que commissaire de l'Académie de Bordeaux et non à titre personnel ! C'est ainsi que le discours sur l'esclavage que nous venons de citer ne devrait pas être interprété au premier degré comme le feraient certains auteurs africains, comme ceux du site *AfricaMaat.com*. En vérité, Montesquieu tournerait en dérision l'esclavage, ainsi que le prétendent les « montesquistes » impénitents.

Cela n'empêche que l'on peut se demander comment Montesquieu, « ennemi de la saine morale et de toute religion », peut-il se permettre de justifier l'inhumanité du Noir en se référant à Dieu auquel il ne prête même pas d'existence ? Eh bien oui, cher ami, Dieu a bien mis une âme dans le corps d'un Noir, tout comme Il l'a mise dans celui d'un Blanc, d'un Jaune ou d'une peau Rouge : Il sait que l'âme n'a pas de couleur, et que tout homme, quelle que soit la couleur de sa peau, doit avoir une âme ! « Difficile » à comprendre cette évidence, mais il faut l'admettre sans se poser des questions stupides ! Le siècle qualifié des « Lumières » ne peut prétendre éclaircir tous les mystères du Tout-Puissant...

Malheureusement, beaucoup d'hommes qui croient en Dieu partagent, à cette époque, la pensée de l'« athée » Montesquieu. Les catholiques surtout devront mettre beaucoup de temps avant de se débarrasser de cette conviction acquise depuis des lunes. Quelques personnes de bon sens et de bonne volonté, qui se recrutent surtout dans les milieux de gauche opposés aux milieux de droite embués dans le traditionalisme catholique, vont tenter de mener des actions pour reconnaître la dignité de l'homme noir. C'est le cas d'une association des « Amis des Noirs ».

Voltaire : "Des Nègres transportés dans les pays les plus froids y produisent toujours des animaux de leur espèce"

François Marie Arouet, dit Voltaire (Paris, 21 novembre 1694 – 30 mai 1778), est un célèbre écrivain et philosophe français, admis à l'Académie française en 1746.

A la page 183 du livre de français de la quatrième des collèges, l'on lit ceci concernant Voltaire : "Voltaire a excellé dans tous les genres... soulevant toujours la même question : le bonheur humain est-il possible dans un monde habité par le mal et la sottise humaine ? Toute sa vie, Voltaire s'est battu contre le fanatisme, l'intolérance et l'injustice."

Pas tout à fait exact. Voici ce que le « grand » Voltaire pense du Noir, dans son *Essai sur les mœurs et l'Esprit des Nations* (1756) :

> "Leurs yeux ronds, leur nez épaté, leurs lèvres toujours grosses, leurs oreilles différemment figurées, la laine de leur tête, la mesure même de leur intelligence, mettent entre eux et les autres espèces d'hommes des différences prodigieuses. Et ce qui démontre qu'ils doivent point cette différence à leur climat, c'est que des Nègres et des Négresses transportés dans les pays les plus froids y produisent toujours des animaux de leur espèce, et que les mulâtres ne sont qu'une race bâtarde d'un noir et d'une blanche, ou d'un blanc et d'une noire."

Bref, pour Voltaire, les Noirs sont génétiquement des être laids, des « animaux » ! Pour ce « grand » esprit, les Africains sont plus détestables parce qu'ils vendent leurs propres concitoyens (*Essai sur les mœurs et l'Esprit des Nations*) :

> "Nous n'achetons des esclaves domestiques que chez les Nègres ; on nous reproche ce commerce. Un peuple qui trafique de ses enfants est encore plus condamnable que l'acheteur. Ce négoce démontre notre supériorité ; celui qui se donne un maître était né pour en avoir."

Nous savons que cette théorie fort répandue en Occident selon laquelle le Noir vendait du Noir est battue en brèche par plusieurs historiens : Elikia M'Bokolo assure par exemple que la traite négrière était un « système » monté en Europe pour razzier les Noirs africains...

C'est donc, en toute bonne conscience, que Voltaire comprend et admet la traite négrière.

Voltaire, il est vrai, ne s'affiche pas seulement comme un « négrobhe ». Il se montre également antisémite, "le pire antisémite français du XVIIIe siècle", selon Léon Poliakov ("Souvenirs des temps passés", *Revue de la Shoah*, n°158, p. 23).

Cela n'empêche que certains auteurs trouvent des circonstances atténuantes à Voltaire : pour Bernard Lazare (*L'Antisémitisme : son histoire et ses causes*, « VI. L'antijudaïsme depuis la Réforme jusqu'à la Révolution française », 1894), "si Voltaire fut un ardent judéophobe, les idées que lui et les encyclopédistes représentaient n'étaient pas hostiles aux Juifs, puisque c'étaient des idées de liberté et d'égalité universelle".

Lazare pourrait en dire autant du Voltaire « négrophobe », puisque le philosophe désapprouve des mutilations de l'esclave de Surinam dans *Candide ou l'optimisme* (1759, chapitre 19), et se réjouit de la libération de leurs esclaves par les *Quakers* de Pennsylvanie en 1769. Bien plus, dans son « Commentaire sur l'Esprit des lois » (1777), Voltaire félicite Montesquieu d'avoir jeté l'opprobre sur cette odieuse pratique. Il écrit en effet (*Œuvres complètes de Voltaire*, tome XXXI, « Commentaire sur l'Esprit des lois », section « Esclavage », édition de 1893, p. 305) :

> "Si quelqu'un a jamais combattu pour rendre aux esclaves de toute espèce le droit de la nature, la liberté, c'est assurément Montesquieu. Il a opposé la raison et l'humanité à toutes les sortes d'esclavage : à celui des nègres qu'on va acheter sur la côte de Guinée pour avoir du sucre dans les îles Caraïbes ; à celui des eunuques, pour garder les femmes et pour chanter le dessus dans la chapelle du pape ; [...]"

Cette prise de conscience tardive de Voltaire entre dans l'ère du temps : de plus en plus des voix vont s'élever pour réprouver l'esclavage des Noirs. C'est la période de l'abolitionnisme.

Chapitre 12

L'ABOLITION DE LA TRAITE ET DE L'ESCLAVAGE

Africains libres et esclaves a l'origine du mouvement abolitionniste : les différentes formes de la résistance

Quant on parle de l'abolition de la traite et de l'esclavage des Noirs, les Européens évoquent spontanément l'action de quelques-uns de leurs compatriotes et de leurs Etats.

A vrai dire, les personnalités et les Etats de l'Europe qui entreprennent d'abolir la servitude des Noirs le font à la suite des rébellions et des réclamations de ceux-ci. Ce qui pourrait inciter à affirmer que ce sont les Africains eux-mêmes, victimes de l'esclavage, qui sont à l'origine de la suppression, par les Etats négriers, du honteux commerce d'êtres humains.

Ils sont à l'origine de cette abolition puisque, dès le début, ils manifestent plusieurs formes de résistance à la traite et à l'esclavage. Ces différentes formes de résistance, en comptant les empoisonnements les incendies et le suicide sont, ne nous y trompons pas, les seules ouvertures qu'ont eues les opprimés vers une ré-appropriation de leur liberté, de leur identité, de leur indépendance. Ils ont écrit, ces hommes et ces femmes des Caraïbes soumis au système esclavagiste, les chapitres d'une histoire où s'affirme sans conteste leur volonté de briser leur système concentrationnaire et d'ébauché la création d'une véritable société.

Opposition africaine à la traite

Quand les Européens débutent la traite, ils rencontrent souvent l'opposition des Africains, qui, en ordre ou en désordre, essaient de repousser les assaillants. Ainsi, les Toucouleur, habitant les rives du moyen fleuve, s'opposent souvent aux passages des convois de Galam. En attendant le bateau, les esclaves mâles sont enchaînés 2 par 2, enfermés le soir dans des « captiveries », qui sont d'étroites ruelles peu aérées et peu éclairées ; il en subsiste une à Gorée. En 1777, les esclaves Wolof se révoltent et tentent, en vain, de s'emparer de l'île (en Amérique, les esclaves Wolof seront considérés comme des « palabreurs », volontiers semeurs de troubles).

Cependant, les négriers se méfient quand même de la résistance qu'ils rencontrent. Aussi choisissent-ils de se fixer sur la côte, loin de la concentration humaine africaine, et prêts à sauter dans leurs navires pour s'enfuir ! Les fortifications sont construites, le plus souvent à la hâte, pour se préserver des attaques des habitants de la région. Ce ne sont pas des constructions de fortune, bâties à la va-vite ; il s'agit de châteaux forts ayant de hautes murailles et dotés d'une quantité de pièces d'artillerie. Au début, ces places fortes permettent donc presque toujours aux Européens de repousser les assaillants. Mais lorsque les Africains apprennent à manier les armes à feu, ils vont réussir quelquefois, en dépit d'une résistance furieuse des négriers, à prendre les forts et à incendier les factoreries. C'est ce qui arrivera souvent dans la seconde moitié du XVIIᵉ siècle.

Selon le constat même des négriers, certains peuples africains leur résistent mieux que d'autres. Mais, de manière générale, les peuples africains refusent leur état d'esclaves, et affichent au contraire leur volonté d'être libres, leur audace et leur opiniâtreté dans la lutte. Il ne serait pas juste de dire que certains peuples luttaient contre les négriers alors que d'autres acceptaient leur état d'esclaves. Cette opiniâtre résistance aux négriers prouve que les Africains, comme tous les peuples de la planète quelle que fût leur race, aspiraient à vivre libres.

Les rois du Kongo contre la traite négrière

L'on dit souvent que les souverains ou chefs africains contribuent plus ou moins activement à la traite, en vendant leurs sujets aux étrangers. L'exemple des rois du Kongo (manikongo) dément cette allégation.

Quand les Portugais le « découvrent » en 1483, le royaume du Kongo se présente, des points de vue politique, économique et culturel, comme le plus important de la région et, avec celui du Bénin, le plus puissant de l'Afrique noire.

Pour les Portugais qui entrent en contact avec le Kongo, ce royaume constitue une « terre nouvelle » qu'il faut sortir du « paganisme » et évangéliser, de gré ou de force. En effet, le pape Eugène IV, dans sa bulle *Rex Regnum* de 1436, ont accordé à leur Roi ce « droit de patronage » (*padroado*), qui fait de lui le premier responsable de l'évangélisation des « terres païennes ». Le 3 mai 1491, le manikongo Nzinga Nkuwu et son fils Nzinga Mbemba sont baptisés : ils deviennent respectivement Joao et Afonso. Selon la coutume chrétienne occidentale, le pays dont le monarque reçoit le baptême devient automatiquement chrétien : le Kongo devient le premier Etat chrétien de l'Afrique noire.

A la mort, en 1506, de Nzinga Nkuwu (lequel avait abandonné le christianisme pour retrouver la religion traditionnelle), son fils dom Afonso Nzinga Mbemba le remplace. Pendant tout son règne (1506-1543), dom Afonso va tout faire pour moderniser et christianiser son royaume. Il a besoin des cadres et des missionnaires pour cela. Le Portugal les lui envoie, à condition que le manikongo paie le prix fort : il doit livrer certaines matières premières (dont les manilles de cuivre) et surtout les esclaves. Le roi du Kongo, qui trouve curieux les termes de cette coopération, se donne tout de même au jeu : aux émissaires du roi portugais, Nzinga Mbemba remet régulièrement une certaine quantité d'esclaves, qui sont surtout des prises de guerre. Mais il se rend compte qu'un vrai chrétien ne devrait pas agir ainsi. Aussi, se met-il à dénoncer les trafiquants portugais, qui causent

"un grand dommage tant pour les service de Dieu que pour la sûreté et le calme de nos royaumes et de nous-mêmes [...] car les marchands enlèvent chaque jour nos sujets, enfants de ce pays, fils de nos nobles et vassaux, même des gens de notre parenté. Les voleurs et hommes sans conscience les enlèvent dans le but de faire trafic de cette marchandise du pays, qui est un objet de convoitise. Ils les enlèvent et les vendent. Cette corruption et cette dépravation sont si répandues que notre terre en est dépeuplée."

Cette plainte s'adresse à Jean III du Portugal ; elle est datée du 6 juillet 1526[1]. Les excès des Portugais sont tellement alarmants que le manikongo interdit purement et simplement la traite négrière sur toute l'étendue de son royaume : "C'est en effet notre volonté que ce royaume ne soit un lieu de traite ni de transit d'esclaves", écrit en 1519 le manikongo au roi lusitanien[2]. Mais celui-ci rejette cette décision, qu'il juge irréaliste, arguant qu'interrompre la traite négrière conduira à nuire au commerce international lui-même dont elle est devenue une des branches principales !

La traite continuera donc, que Nzinga Mbemba et ses successeurs le veuillent ou non ! Convaincus que les rois du Portugal ne renonceront pas à cette pratique, les manikongo se tourneront vers le Saint-Siège, pour chercher appui dans leur lutte contre l'humiliation de l'homme noir. Aucune lettre de soutien d'aucun pape ne leur arrivera malheureusement.

Révoltes à l'embarquement, dans les navires et en lieu de captivité

La révolte commence avec l'embarquement. Nous avons vu que certains captifs préfèrent se suicider au lieu de prendre pied dans les navires, et que quelques-uns de ceux qui y montent se jettent dans l'eau ou se tuent autrement.

Les rapports des capitaines négriers indiquent que les préparatifs au « voyage » s'effectuaient en tenant compte du fait qu'il pouvait y avoir une révolte d'esclaves n'importe

---

[1] Lettre de Nzinga à Joao III, 6 juillet 1526, citée par J. B. Ballong-Wen-Mewuda, "L'esclavage et la traite négrière dans la correspondance de Nzinga Mbemba (dom Afonso I), roi du Congo (1506-1543) : la vision idéologique de l'autre", dans *Déraison, esclavage et droit. Les fondements idéologiques et juridiques de la traite négrière et de l'esclavage*, pp. 301-314 ; cit. p. 308.

[2] *Déraison, esclavage et droit...*, p. 309.

quand. Le moment le plus dangereux semble être celui pendant lequel a lieu la nourriture. Des barricades sont dressées autour de l'endroit où se fait la distribution. Des matelots se placent derrière les barricades, avec leurs fusils chargés. Les canons du vaisseau sont pointés sur les esclaves, les canonniers se tenant près des pièces avec les mèches allumées. Les fers des esclaves sont vérifiés chaque jour.

Ces révoltes au cours du « voyage » se distinguent par une violence particulière étant donné que ni l'équipage du navire ni les esclaves ne peuvent attendre de secours de nulle part et que les deux parties combattent pour sauver leur vie. Une fois la révolte matée, les négriers châtient les esclaves avec cruauté. Néanmoins, ni les exactions ni les tortures ne peuvent arrêter les captifs.

Il est attesté que les captifs, dans leur furie de sauver leur vie, s'emparaient de vaisseaux. L'ouvrage du chercheur français Dieudonné Rinchon, sur le trafic négrier à Nantes, fourmillent d'exemples de prises de navires par les esclaves : en 1768, 1774, 1788... Les Africains n'avaient pas besoin de ces navires et, lorsqu'ils les prenaient, ils les brûlaient ou bien levaient l'ancre de sorte que le bateau partait à la dérive. Souvent, les Africains, après avoir pris le bateau mais ne sachant pas le gouverner, mouraient de faim et de soif, faisaient naufrage sur des récifs.

Chez de nombreux peuples africains il existe une croyance en vertu de laquelle l'âme d'un homme, après sa mort, où qu'il soit mort, retourne au pays natal. Les négriers prétendaient souvent que les suicides des Africains, sur les négriers, étaient suscités par la croyance qu'ils reviendraient chez eux après leur mort. C'était très certainement la cause d'un certain nombre de suicides. Or, si à la nostalgie du pays venait se mêler le désir de se venger du marchand d'esclaves, ces hommes pouvaient vraiment se laisser mourir. Mourir pour pouvoir ensuite « réapparaître » et faire payer ses actes à celui qui les avait vendus !

Voilà pour le voyage vers l'Amérique. Au lieu de captivité, les révoltes d'esclaves noirs commencent dès la fin du XVe siècle dans les Caraïbes et jusqu'en 1874 au Brésil. Elles ne répondent pas seulement à l'horreur de l'esclavage, mais au fait même de l'esclavage. Elles sont nombreuses. Citons-en quelques-unes :

De 1519 à 1533, indigènes et nègres s'unissent pour lutter dans le Bahoruco (La Espanola) avec le cacique Enriquillo, avec Lampira au Honduras en 1538, Bayano au Panama en 1548, le roi Miguel au Venezuela en 1552 et Guaicaipuro en 1561-1568.

1526 : soulèvement en Caroline du Sud.

En 1548, à Panama, des esclaves fugitifs organisent un royaume, élisent un roi, Bayano, et attaquent la route reliant Panama a Nombre de Dios où passent les caravanes portant l'or du Pérou.

En 1552, au Venezuela, Miguel, esclave des mines de San Felipe de Buria, se proclame roi près de Nueva Segovia, au voisinage de Barquisimeto. Avec son épouse, la reine Guiomar, sa cour, sa noblesse et ses alliés les Indiens Jiraharas, il mène une guerre acharnée aux Espagnols.

En 1655, en Jamaïque débute la première guerre des « marrons ».

1657 : premières révoltes aux Antilles.

Vers 1731-1740, à Cuba (El Cobre), à Sainte-Croix en Guadeloupe et à Antigua, les nègres rebelles font souffler un grand vent de liberté. Mais c'est en Jamaïque et à Surinam entre 1739 et 1749 que les conflits armés se terminent par la victoire des « marrons ». Les autorités anglaises et hollandaises doivent négocier et signer des traités de paix. C'est au cours de ce procès de résistance, d'Afrique aux Caraïbes, qu'apparaissent les formes de vaudou, la *santeria*, les langues créoles, les rythmes, les musiques, les idées religieuses qui fusionnent pour constituer une culture de résistance en marge de la vie coloniale.

1791, début d'une révolte des esclaves à Saint-Domingue-Haïti qui aboutit à l'indépendance.

1802 : le colonel Louis Degrès, homme de couleur, soulève Basse-Terre en Guadeloupe et placarde sur les murs : "la résistance à l'oppression est un droit naturel".

Entre 1807 et 1837, des musulmans noirs enflamment plusieurs fois la ville de Bahia, au Brésil.

En 1808 et en 1816, des révoltes apparaissent respectivement en Guyane et dans les Barbades.

En 1822, un affranchi du nom de Denmark Vesey, charpentier installé à Charleston, en Caroline du Sud, soulève à sa suite des milliers d'esclaves.

En 1831, Nat Turner dirige une insurrection à Jérusalem, en Virginie, massacre plus d'une soixante de Blancs, avant d'être pris et exécuté. En Martinique, les émeutes éclatent à Saint-Pierre.

En 1832, cinq milles esclaves se soulèvent à la Jamaïque.

Etc.

Le marronnage et les chaînes ou la mort pour les fugitifs

Le marronnage consiste en la fuite de l'esclave : l'esclave « marron » est un esclave fugitif. Le mot « marron » proviendrait de la déformation de l'espagnol « cimarron », qui signifie « sauvage ».

Le marronnage serait aussi vieux que la traite. A l'embarquement, quelques captifs parviennent à prendre le large. En Amérique même, Jean Fouchard cite l'évasion d'Africains à Hispaniola en 1503, soit onze ans après la « découverte de l'île ; ces fugitifs réussissent à rejoindre les Indiens, et à les soulever contre l'occupant espagnol[1].

Comme la révolte, le marronnage est une manière pour l'Africain de montrer son refus de l'esclavage, de ses méthodes brutales continuelles (châtiments corporels, vente ou bannissement du conjoint, des enfants ou d'autres êtres chers...) et de la mort qu'il peut entraîner. C'est aussi l'avis de quelques anti-esclavagistes blancs, comme l'illustre Victor Schœlcher, qui essaie de définir le marronnage[2] :

---

[1] G. Thélier, *Le grand livre de l'esclavage*, Orphie, 1998, p. 70.

[2] V. ictor Schœlcher, *Des colonies françaises. Abolition immédiate de l'esclavage*, 1842.

"Privés de nourriture, épuisés de besoin ou déchirés sous le fouet le plus cruel, le calme prodigieux (des esclaves), leur oeil sec, leur figure impassible, l'expression de leurs traits infernalement satyriques au milieu des plus atroces douleurs, vous prouvent qu'ils sont plus forts que la barbarie même. Ceux que la nature a doués d'un si grand courage ou d'une telle puissance de caractère, s'ils ne se déterminent à aller vivre en marrons dans les bois, comme des bêtes fauves, restent séparés de l'habitation. J'ai vu quelques-uns de ces indomptables noirs qui eussent sans doute été de grands hommes dans le monde civilisé. On en cite qui se sont tués sans autre motif, sans autre but que celui de faire tort à leur maître."

Révoltes et marronnage, qui représentent un manque à gagner certain et qui menacent la vie des Blancs, sont, on s'en doute bien, sévèrement punis. Quand ils surviennent, les colons créent des bataillons et organisent de « descentes », véritables raids armés pour débusquer et sanctionner ceux qui sont repris.

Les punitions sont nombreuses et diverses[1] :

- Un esclave qui circule sans autorisation du maître ou qui effectue une visite nocturne à un autre esclave est punie de coups de fouet et d'une mise à la barre de plusieurs nuits de suite !

- Des esclaves appartenant à différents maîtres qui se réunissent, la nuit comme le jour, même pour célébrer les noces, sont fouettés et marqués au fer rouge de la fleur de lys.

- Les esclaves déjà punis pour cause de fuite qui récidivent, sont obligés de porter au cou ou aux jambes des colliers à longues tiges (pouvant les gêner de fuir dans la forêt ou les broussailles), des carcans à clochettes (susceptibles de signaler tout déplacement), ou encore de lourdes chaînes.

---

[1] G. Thélier, *Le grand livre de l'esclavage*, Orphie, 1998, pp. 76-77.

- Des maîtres enragés n'hésitent pas à fusiller ou à pendre des esclaves qui leur causent trop de souci, ou qui ont osé s'attaquer aux Blancs.

Dans les colonies françaises, gouvernées à partir de 1685 par le Code noir, celui-ci prévoit la sentence de mort à la troisième tentative de fuite (peine qui, en 1775, se mue en un simple enchaînement). A l'île Bourbon (La Réunion), l'Etat se montre trop cruel : le premier marronnage vaut les oreilles coupées, et le deuxième prévoit la mutilation du jarret (peines supprimées en 1791).

Les colonies françaises connaissent peu de marronnage durable, contrairement à la Guyane hollandaise (Surinam) où des esclaves parviennent le plus souvent à constituer de manière durable des groupes indépendants et organisés dès la fin du XVIIe siècle. Après de nombreuses opérations de guérilla menées par des nègres marrons Djukas et Saramakas réfugiés sur la rive gauche du Maroni, les Hollandais signent en 1760-62 des traités reconnaissant l'indépendance de ces groupes.

Les *mocambos* du Brésil et le Royaume « africain » de Palmarès

Généralement, les révoltes d'Africains ne connaissent pas de lendemain. Elles sont étouffées au bout de quelques heures ou de quelques jours. Quelques-unes d'entre elles vont cependant résister à l'assaut des colons.

Ce sont évidemment les marronnages qui connaissent une longue vie. Acte individuel de résistance au départ, le marronnage devient vite une solution pour les esclaves qui désirent vivre en liberté. Le mouvement débouche alors sur des entités plus ou moins organisées, allant des sociétés autarciques à des républiques embryonnaires de plusieurs milliers de personnes. Les Africains reconstituent parfois des royaumes au modèle ancestral, avec un roi et une vraie cour.

Ce sont surtout les Angolais et les Congolais, captifs au Brésil, qui sont à l'origine de ces communautés des fugitifs. C'est pourquoi ces communautés portent parfois les noms congolo-angolais de *mokambo* ou *kilombo* (orthographiés souvent *mocambo* ou *quilombo*).

Emergeant généralement dans des zones peu accessibles, forestières, montagneuses ou marécageuses, les kilombo sont cependant, dans leur majorité, installés non loin des villes. Les marrons peuvent ainsi organiser des razzias afin de se procurer nourriture et armes. Par la même occasion, ils cherchent à entrer en contact avec des affranchis ou d'autres esclaves susceptibles de les rejoindre dans leur combat contre l'oppresseur. Les expéditions se révèlent parfois plus sérieuses, se déroulant aux cris de « Mort au Blancs » ou « Vive la liberté » : en 1692, des marrons s'emparent ainsi brièvement de Camanu, au sud de l'Etat de Bahia.

Pour vaincre les mokambo, les autorités portugaises s'adjoignent souvent les Indiens, mais il arrive que ceux-ci préfèrent rejoindre les Noirs dans les communautés de fugitifs, formant une alliance redoutée des colons. Malgré leur résistance farouche, ces gens épris de liberté finissent par être vaincus. Ceux qui parviennent à échapper à la capture ou au massacre s'empressent de rejoindre d'autres communautés marronnes.

Le plus souvent, les mokambo ont ainsi une durée de vie relativement courte, au mieux entre dix et vingt ans. Mais certains ont résisté pendant plus longtemps. La plus célèbre et la plus durable de ces communautés marronnes est le « Royaume de Palmarès », qui surgit au cœur de la forêt brésilienne, dans l'Etat d'Alagoas. Ayant réussi à se maintenir pendant près d'un siècle, de 1604 à 1694, il était organisé à partir de traditions africaines : le roi règne, entouré des notables ; les villages du royaume sont protégés par des palissades et un réseau de chausse-trappes ; la religion pratiquée est un amalgame d'éléments culturels africains et chrétiens ; les habitants vivent d'agriculture ; ils organisent des razzias pour s'approprier femmes, bétail, nourriture et armes.

La population du royaume regroupait plusieurs fugitifs (20.000 au maximum), majoritairement d'origine angolaise ;

c'est pourquoi, Palmarès porte parfois le nom de Angola Janga, « Petite Angola ». Le quilombo, une institution d'origine angolaise (kilombo), devient une sorte de société militaire à laquelle tout homme, après initiation, peut appartenir. C'est cette institution qui aurait permis l'intégration de marrons de diverses origines ethniques africaines au sein du royaume de Palmarès. Le succès de Palmarès est tel que plusieurs marrons viendront grossir les rangs de ses habitants.

Pour venir à bout des rebelles, les Portugais vont organiser plusieurs expéditions plus ou moins infructueuses. En 1678, le roi de Palmarès, Ganga Zumba, conscient de la puissance de feu des Portugais, propose au gouverneur de la région de la Pernambouc de lui livrer les fugitifs qui viendraient chercher refuge dans son royaume, en échange de la paix et de la libération des siens faits prisonniers. Ce geste de conciliation de Ganga Zumba n'est pas accepté par son neveu Zambi, qui l'assimile à une capitulation. Zambi tue le « traître » et lui succède. Pour faire face aux Portugais qui ont engagé des commandos spécialistes de la chasse aux Indiens et qui s'allient les Indiens, Zambi développe l'art de la guérilla. Ce n'est qu'en février 1694 que les assaillants portugais et indiens arrivent à bout de Palmarès : 200 rebelles sont tués, 500 capturés. 200 préfèrent se suicider plutôt que de retouner à l'état de l'esclavage. Comme quelques autres, Zambi réussit à s'enfuir, mais, trahi, il est capturé et décapité.

Louverture pousse l'abolition de l'esclavage et suscite la création de Haïti, République « africaine » en Amérique

Les révoltes sont donc nombreuses en Amérique. Mais la révolte la plus illustre part d'une rébellion préméditée, bien pensée et bien organisée ; elle aboutira à la fondation d'un Etat viable qui existe encore aujourd'hui : la République d'Haïti.

Pour comprendre la naissance de cette République noire en Amérique, nous devons nous rappeler que les esclaves qui se soulèvent ou s'enfuient de chez leurs maîtres peuvent se regrouper en de petites sociétés indépendantes. Mais ces révoltes sont souvent brèves, localisées et sauvagement réprimées, et donc sans lendemain (la République de Palmarès résistera quand même pendant plus de trois quart de siècle à plusieurs expéditions armées).

Une seule organisation débouchera cependant, à l'île française de Saint-Domingue, au prix d'une longue lutte, sur la création d'un Etat viable et éternel, la République d'Haïti.

Tout commence en 1754, avec le soulèvement populaire d'une ampleur exceptionnelle mené par Makandal, un musulman originaire de Guinée. Celui-ci crée une esquisse de république marronne, qui résiste jusqu'en 1760 aux assauts des colons. Arrêté, le rebelle est brûlé vif. Le mouvement d'indépendance n'est pas pour autant étouffé. Dans la nuit du 22 au 23 août 1791, un autre esclave marron, Boukman, à la tête des esclaves du Bois-Caïman, entreprend, avec l'aide des Espagnols, ce qu'il appelle une révolte sacrée contre les Blancs (français).

C'est une révolte anarchique, sanglante (au moins 1000 Blancs sont tués) et catastrophique pour l'économie (quelques 200 sucreries et 1200 caféières sont détruites, libérant plus de 15.000 esclaves), qui va se transformer en une véritable guerre de libération et d'indépendance sous l'impulsion d'un homme de génie, Toussaint Louverture. Stratège politique et militaire, celui-ci, contrairement aux autres chefs insurgés, rallie la République française et son émissaire, le commissaire Sonthonax, qui vient de proclamer – le 29 août 1793 – la libération générale et immédiate des esclaves dans l'île. Ensemble, les deux hommes vont mener une guerre contre Anglais et Espagnols de l'île. En mai 1794, la France révolutionnaire vote l'abolition de l'esclavage. L'année suivante, elle est reconnaissante à Louverture, qu'elle élève au grade de général. Après avoir chassé les Anglais en 1797, le chef militaire parvient à réunifier l'île en 1801, en entrant, à la tête de vingt-cinq mille hommes, à Santo Domingo, la capitale de la partie espagnole de l'île. Jaloux du succès et du pouvoir de Louverture, Bonaparte envoie, fin 1801, le général Leclerc pour reprendre Saint-Domingue. Capturé six mois plus tard, Louverture est emprisonné au fort de Joux (Jura), en France, où il meurt en avril 1803. Mais la lutte continue avec ses lieutenants Jean-Jacques Dessalines et Henri Christophe, qui parviennent à proclamer, le 1er janvier 1804, l'indépendance de Saint-Domingue, devenue Haïti.

L'insurrection des esclaves du Bois-Caïman joue donc un rôle clé dans l'abolition de l'esclavage, qui aboutit à la création d'Haïti, le premier État noir indépendant au monde. Pour commémorer la révolte du Bois-Caïman, l'Unesco a proclamé en 1997 que le 23 août serait la Journée internationale du souvenir de la traite négrière et de son abolition.

Ainsi donc, dans les colonies, les nombreuses révoltes attestent et prouvent que beaucoup d'Africains étaient opposés au trafic des esclaves et protestaient contre l'esclavage. C'est dans ce sens que l'on peut affirmer que les premiers abolitionnistes furent les esclaves eux-mêmes ! Les révoltes de captifs dans les Caraïbes vont réveiller les consciences en Europe.

Les nations protestantes avant les catholiques

Les Danois ouvrent la voie

Les catholiques –Portugais puis Espagnols – ont été les premiers à entreprendre la traite négrière et à réduire les Noirs en esclavage. Pourtant, ils aboliront ces pratiques après les nations protestantes qui les ont suivis.

Le catholicisme a ceci de particulier qu'il est, comme l'écrit Hubert Deschamps[1], "solidement encadré par l'autorité ecclésiastique et la tradition". Les contestations qui peuvent apparaître sont internes, "le plus souvent feutrées, arbitrées souverainement par le pape". En l'espèce, c'est ce dernier qui donne le mot d'ordre au peuple catholique. C'est lui qui décide s'il faut abolir ou non la traite et l'esclavage. Jusqu'au XIXe siècle, il ne publie aucune

---

[1] H. Deschamps, *Histoire de la Traite des noirs. De l'antiquité à nos jours*, 1971, p. 151.

encyclique ni aucune instruction dans ce sens. Le protestantisme, suggère Deschamps, a, sur le catholicisme romain, « l'avantage » de reposer "sur la lecture directe de la Bible et de l'Evangile, avec une certaine marge de l'interprétation individuelle, donc de « variations » et de scissions...

C'est d'abord un pays nordique, le Danemark, qui décide d'abolir la traite. La décision est prise en 1792, mais elle n'aura d'effet que dix ans plus tard ! Ce n'est pas parce que la traite négrière le révulse que ce pays l'abolit, mais tout simplement parce qu'elle lui coûte cher en vies humaines et en argent. En effet, un an auparavant le gouvernement danois avait chargé une commission pour évaluer la traite ; cette commission avait mis en évidence la lourdeur des pertes humaines au sein des équipages et des cargaisons des captifs, ainsi que l'importance des frais engagés pour l'entretien des forts et la sécurité des convois. La traite se révèle donc un commerce peu rentable. Le royaume du Danemark décide donc de l'abolir, mais donne donc dix ans aux armateurs et planteurs de mettre à profit cette période pour accumuler au maximum de bénéfices !

Par cette décision, le Danemark ouvre la voie à l'interdiction de la traite et à l'abolition de l'esclavage. C'est un autre pays nordique et protestant, la Suède, qui suivra l'exemple de son voisin. Cependant, elle n'agira en ce sens qu'en... 1847, avec l'abolition de l'esclavage dans sa colonie de Saint Barthélemey.

Les Anglais abolissent la traite

Une secte protestante, les Quakers, à l'origine de la campagne abolitionniste

Le véritable mouvement abolitionniste en Europe commence en Angleterre. Dès 1673, Richard Baxter dénonce les chasseurs d'esclaves comme des « ennemis de l'humanité ». En 1680, Morgan Godwyn, un clergyman qui avait été à la Barbade, dédie à l'archevêque de Cantorbéry un ouvrage intitulé *L'Avocat des Nègres et des Indiens*, dans lequel il décrit les cruautés de la traite et les misères des esclaves des plantations.

Des prises de position similaires en faveur des Noirs vont se multiplier. Mais c'est celle des *Quakers* qui se révèle déterminante. Les quakers constituent un mouvement religieux protestant qui naît au XVIIe siècle et se répand vite dans le pays et même aux Etats-Unis. Respectueux des lois divines (*quaker* est un mot anglais signifiant « celui qui tremble à la Parole de Dieu »), ils s'opposent à toute guerre et sont les premiers objecteurs de conscience connus de l'histoire.

Selon le mot d'ordre lancé en 1671 par Georges Fox, fondateur du quakerisme, les esclaves doivent être considérés par les membres comme des frères, et peuvent même participer aux réunions de la secte. Ce qui ne va pas sans provoquer des remous dans le pays. Mais les quakers ne vont pas se laisser impressionner : en 1727, ceux de Londres condamnent la traite des Noirs et, en 1761, excluent les membres se livrant à ce trafic.

Ce sont deux militants de cette secte, Granville Sharp et Thomas Clarkson, qui vont commencer le grand combat contre la traite négrière.

Issu d'une famille d'origine ecclésiastique, très nombreuse et très pieuse, Granville Sharp, petit commis de bureau et flûtiste, est connu pour son obstination à défendre les misérables. Pour s'attaquer à la législation en faveur de la traite, il entreprend des études de Droit. En 1769, il publie une réfutation de la doctrine de York et Talbot, deux officiers de justice qui, en 1729, avaient soutenu les maîtres contre leurs esclaves, en affirmant que ces derniers ne sont libérés ni par leur débarquement dans les îles britanniques ni par leur baptême ! La même année 1769, Sharp, en avocat de l'esclave Somerset, harcèle le Lord Chief Justice, Mansfield : "Est-ce qu'un esclave, par sa venue en Angleterre, devient libre ?" A cette question générale, Mansfield fait la déclaration suivante : "L'état d'esclavage... est si odieux que seule une loi positive pourrait le soutenir ; en l'absence d'une telle loi en Angleterre, le Noir devait être libéré". Dès lors, on s'interdit au Royaume-Uni de chasser les Noirs...

Les actions en faveur des Noirs se multiplient. Ainsi, Antoine Bénézet, un protestant français réfugié à Philadelphie, devenu quaker, ouvre des écoles, dont une réservée aux Noirs : scandale ! En 1771, il publie un ouvrage – *Some historical account of Guinea, with... the slave trade* – en tête duquel il reprend une citation des Actes des Apôtres (XVII, 34) : "Dieu, qui a créé le monde, a fait d'un seul sang toutes les nations du monde". Pour lui, le vrai motif de la traite, ce n'est pas de sauver les Africains de leurs prétendus vices ou malédictions, mais le désir du gain. Si l'on accorde la liberté à tous les Noirs, les colonies gagneraient en production et en sécurité, et la Grande-Bretagne établirait un loyal et amical commerce avec tous les peuples africains. En 1784, le révérend John Ramsay publie un essai, dans lequel il soutient que l'amélioration des conditions de vie des esclaves au travail augmenterait la production, en attente de la libération complète. Selon lui, les esclaves ne travaillent que par la crainte du fouet. Même opinion chez John Newton, un ancien négrier repenti et devenu pasteur ; pour lui, la traite constitue une "malheureuse et honteuse branche du commerce", "le prix du sang".

Revenons à Granville Sharp, pour dire qu'en 1787, il fonde la future « Freetown » sur la côte africaine de Sierra Leone, pour accueillir les esclaves libérés. Le 22 mai de la même année, Thomas Clarkson (après avoir remporté le prix du concours de dissertation "Est-il permis d'asservir [des hommes] contre leur gré ?" lancé par l'université de Cambridge), fils d'un professeur ecclésiastique, réunit douze amis et les convie à former un « Comité pour l'abolition de la traite des Noirs ». Granville Sharp en est élu président, et la majorité des membres sont des quakers.

Comme son nom l'indique, le mouvement s'attaque à la traite, et non pas tant à l'esclavage lui-même. Quand l'opinion serait prête, il pourra passer à cette seconde phase. Après une enquête sérieuse auprès des trafiquants d'esclaves africains de Liverpool (le plus grand port négrier anglais) et d'ailleurs, Clarkson conclut que "la traite est une masse d'iniquités, du commencement à la fin". Son compagnon Wedgwood matérialise la souffrance du Nègre en dessinant celui-ci à genoux, tendant ses mains jointes enchaînées, avec ces mots : "Ne suis-je pas un homme et un frère ?". L'image est diffusée sous forme de gravures et de bijoux.

Wilberforce secoue le Parlement pour l'amener à abolir la traite

Sous l'influence de Newton et de Clarkson, Wilberforce symbolise l'action abolitionniste en Angleterre. C'est lui qui mène le combat au parlement. En 1780, à 21 ans, il est élu député, en même temps que son ami Pitt, qui devient Premier ministre à l'âge de 24 ans. Profondément religieux, il se consacre entièrement à l'abolition de la traite, espérant racheter l'Angleterre de ses péchés. Pour mener ce combat, lui et des amis, se réunissent à Clapharm, d'où le nom de *Clapharm Sect* qu'on leur donne au Parlement ; on les surnomme parfois « les saints » !

Le 12 mai 1789, le Parlement ouvre un débat sur la question d'abolition de la traite soumise par Wilberforce. Celui-ci présente une proposition de loi allant dans ce sens. A la tribune, il parle longuement, pendant trois heures et demie. Il tente de démontrer que la traite détruit l'Afrique et l'humanité. C'est un commerce abominable, "fondé sur l'iniquité" et indigne de l'Europe chrétienne ; il ne demande qu'à être aboli : "Je ne puis croire que le Tout-Puissant, qui a interdit la rapine et le meurtre, les ait rendus nécessaires dans une partie de son univers."

Les adversaires de l'abolition, majoritaires au parlement, objectent que si l'Angleterre abolit la traite, la France, qui ne songe nullement à renoncer à ce « commerce », prendra sa place de grande puissance commerciale ! Au lieu d'abolir la traite, il faut la réglementer ! "L'on ne peut pas réglementer la traite des Noirs ; l'on ne peut réglementer le vol et le meurtre", s'emportent Wilberforce et ses amis. Mais ils ne peuvent fléchir la majorité. Le combat est rude, et Wilberforce le relance au Parlement le 18 avril 1791. Nouvel échec.

Nouvelle bataille, un an après : Wilberforce ne propose plus une abolition totale, mais graduelle (suivant l'exemple récent du Danemark), ce qui lui permet de convaincre une majorité aux Communes. Mais les lords ajournent la décision... Puis, malchance pour Wilberforce et les siens : une guerre éclate entre la France et l'Angleterre, ce qui remet la question de l'abolition aux calendes grecques !

De 1794 à 1799, Wilberforce reprend annuellement sa motion, laquelle est régulièrement repoussée. Le camp des esclavagistes a un soutien de poids : la Couronne britannique elle-même, sous le règne de George III ! Le fils de celui-ci, duc de Clarence, qui deviendra en 1830 le roi de Grande-Bretagne sous le nom de Guillaume IV, porte le fer aux abolitionnistes. En 1799, dans son premier discours enflammé aux Lords, il montre le bienfait de la traite pour le royaume : "Sous le prétexte mal fondé d'humanité, ils [les abolitionnistes] désirent que vous abandonniez votre richesse coloniale, les muscles de votre vie commerciale, et que vous sombriez dans l'insignifiance et le mépris du monde par l'adoption de leur nouveau système de philosophie et d'humanité". Mais c'est la guerre contre la France qui va « sauver » Wilberforce : l'Angleterre s'impose, annexe les colonies françaises (et hollandaises) ou les soumet à un blocus sévère. Conséquence : la concurrence française n'est plus à craindre. En janvier 1807, la motion de Wilberforce peut alors être votée par les Lords (avec l'appui de la famille royale, qui vient de se repentir) et les Communes : le Royaume-Uni vient d'abolir officiellement la traite des Noirs. Après mai 1807, aucun navire ne pourra plus charger d'esclaves pour le royaume et ses possessions. Dès mars 1808, aucun navire ne pourra y débarquer d'esclaves. En 1811, la traite devient un crime.

L'Angleterre impose aux autres Etats européens l'abolition de la traite

Jadis la plus grande puissance négrière, l'Angleterre va devenir le champion infatigable de l'abolition mondiale, selon le mot d'ordre, en mai 1789, du Premier ministre Pitt, soutien de Wilberforce : "Il est hautement souhaitable que la Grande-Bretagne prenne la tête des autres nations pour une mesure aussi vertueuse et magnifique."

Ce qui sera fait : l'Angleterre traquera et arraisonnera les bâtiments négriers de n'importe quel pays pris en flagrant délit...

Le 8 février 1815 se tient à Vienne, en Autriche, le Congrès des Puissances. C'est l'Angleterre qui l'a convoqué, pour inviter tous les Etats européens à établir une paix durable après les guerres napoléoniennes. Lors de cette assemblée, elle demande l'abolition du commerce triangulaire, pour le motif que *"la traite des Nègres d'Afrique répugne aux principes d'humanité et de morale universelle"*.

L'Angleterre est approuvée l'Autriche, la Prusse, la Russie et la Suède, des nations... qui ne possèdent pas des colonies et ne pratiquent pas, en tant qu'Etats, la traite ! Quant aux autres... l'Angleterre va se battre pour les contraindre à passer à l'acte d'abolition.

Les Anglais passent de l'abolition de la traite à celle de l'esclavage

En 1834, les Anglais franchissent un grand pas : ils passent de l'abolition de la traite à celle de l'esclavage lui-même dans leurs colonies. Cette victoire est surtout l'œuvre des « sectes » religieuses, notamment des évangélistes. En particulier, deux de ces hommes de Dieu ont noms Granville Sharp et William Wilberforce. Ce dernier, qui avait déjà obtenu du Parlement la prohibition de la traite en 1807, est l'artisan de cette nouvelle mesure en faveur des Noirs. Pour lui, l'esclavage constitue un véritable scandale[1] :

"Et maintenant, sans aller plus loin dans la description détaillée de l'esclavage dans les colonies britanniques, de quel système sommes-nous témoins ? Est-ce trop d'affirmer qu'il n'y

---

[1] W. Wilberforce, *An Appeal to the Religion, Justice, and Humanity of the Inhabitants of the British Empire, In behalf of the Negro Slaves in the West Indies*, 1823 ; cité dans George Bennet, *The Concept of Empire*, Londres, Adam et Charles Black, 2ème éd., 1962 ; repris dans *L'anticolonialisme européen de Las Casas à Marx*, pp. 219-220.

a jamais eu, certainement jamais dans un pays chrétien, une telle somme d'énormités ?

Qu'on ait toléré depuis si longtemps un tel système dans toutes les parties de l'Empire britannique apparaîtra presque incroyable à notre propriété. Ce système serait moins surprenant, en effet, s'il s'était produit dans des régions, comme celle de l'Hindoustan par exemple, où est tombée entre nos mains une vaste population aux mœurs païennes dans tout ce qu'elles ont de monstrueux, où les superstitions sanguinaires, les cruautés contre nature et les coutumes immorales du paganisme s'étaient établies de pleine autorité, et où elles ont produit des effets naturels de dépravation et de dégradation morale de l'espèce ; quoique même dans ce cas, notre excuse ne serait valable que le temps nécessaire pour réformer les abus des indigènes par les moyens doux et raisonnables qui sont seuls reconnus justes dans leur principe et efficaces dans la pratique.

Mais le fait qu'un tel système soit maintenu depuis siècles dans des communautés formées depuis leurs origines par un peuple chrétien, et dans des colonies qui n'ont d'autres habitants païens que ceux que nous y avons apportés nous-mêmes – habitants qui, de plus, de par leur situation pouvaient prétendre de plein droit à la fois à la répartition des torts commis envers eux et au soulagement de leur misère – que, par surcroît, ce système soit maintenu par un peuple qui, néanmoins je pense, peut être considéré comme la plus morale et la plus humaine des nations, ce fait est une des anomalies qui, si elle n'ébranle pas leur croyance, du moins étonnera les âges à venir."

Ce discours émouvant n'atteint pas encore les dirigeants des pays catholiques qui, soutenus par leurs peuples, se montreront longtemps réfractaires. La majorité de ces Européens, vivant ou non en Amérique, les prêtres du clergé colonial compris, estimaient que "la condition des Noirs vivant en esclavage était préférable au sort que ces malheureux auraient connu en Afrique, et qu'en tout état de cause la dégradation naturelle de la race noire ne lui permettait pas d'accéder à l'égalité avec les Blancs" ! Ce sont ces racistes qui s'entêteront pendant longtemps encore à entretenir un vocabulaire malsain à l'endroit des Noirs, et à soutenir mordicus la thèse de la malédiction des fils de Cham, « père de la race noire ». Ainsi, jusqu'à la fin du XIXᵉ siècle, l'homme noir, d'Afrique ou d'ailleurs, est désigné en Europe par le mot « Nègre »[1], avec une connotation péjorative. En général, pour le Blanc, le Nègre possède donc tous les défauts physiques et moraux de la terre. Des esprits aussi célèbres que l'écrivain Voltaire ou le biologiste Lamarck accréditent cette stupidité, justifiant par le fait même l'esclavage.

L'abolition de l'esclavage aux Etats-Unis

Après l'Angleterre, ses anciennes colonies d'Amérique. A vrai dire, l'abolition de l'esclavage aux Etats-Unis est d'abord le fait de chaque Etat, avant d'être celle de toute la nation. Ce sont d'abord les Etats du Nord qui renoncent à l'esclavage : dès 1769 – sept ans avant la Déclaration d'indépendance – en Pennsylvanie, en 1783 au Massachusetts, en 1784 au Connecticut. En 1788, les Etats-Unis se donnent une Constitution, dans laquelle la section IX de l'article 1, sorte de compromis entre le Nord abolitionniste et le Sud esclavagiste, prévoit d'interdire la traite des Noirs dans... vingt ans, soit en 1808 ! Mais seulement le Nord respectera la clause, pas le Sud.

Le Nord abandonne l'esclavage non pas tant parce qu'il le considère comme un crime, mais parce qu'il le trouve inutile, l'économie étant désormais servie par de nombreux émigrants européens qui affluent, attirés par les nouveaux marchés suscités par une industrialisation galopante. Le Sud, lui, a toujours besoin d'esclaves, pour travailler dans la monoculture du coton, en plein essor à la suite de l'invention, en 1793, d'une machine à égrener, la *cotton gin*.

---

[1] En réaction, certains intellectuels noirs préfèrent utiliser ce terme dans son sens positif. Je me rappelle par exemple que dans le groupe de réflexion *Conjonctions* que quelques amis et moi animions à Strasbourg entre 1990 et 1993, Camille Tshimanga remplaçait systématiquement le mot *noir* par *nègre*...

Thomas Jefferson et George Washington, possesseurs d'esclaves

Tous deux originaires de la Virginie, un Etat du Sud qui accueille – en 1619 à Jameston – les premiers captifs africains, deux hommes, qui sont considérés comme les héros de l'indépendance américaine, soutiennent l'esclavage. Ce sont George Washington (1732-1799) et Thomas Jefferson (1743-1826). Possédant eux-mêmes des esclaves, ils estiment que tous les hommes ont des droits naturels, dont l'un est celui de posséder des biens ; or les esclaves constituent des biens. Donc, abolir l'esclavage reviendrait à priver les propriétaires de leur bien, ce qui serait inadmissible ! L'institution esclavagiste, ajoutent-ils, finira par disparaître d'elle-même, quand elle paraîtra désuète pour l'économie ; par conséquent, il est inutile de décider sa suppression d'autorité ou avec hâte. Avec de telles idées, le général Washington, chef militaire de la guerre d'indépendance contre l'Angleterre (1775-1782), deviendra le premier président américain en 1789 et sera réélu en 1792 ; et Jefferson, fondateur du Parti républicain (anti-fédéraliste), sera lui également élu deux fois à la tête des Etats-Unis, en 1800 et 1804.

C'est après le règne de ces deux hommes d'Etat que le mouvement abolitionniste va s'affirmer, conséquence de l'interdiction de l'esclavage en 1833 par l'Angleterre dans toutes ses colonies. Ce sont les milieux protestants évangéliques, dont les fameux quakers, qui répandent la bonne parole dans le Nord du pays. En 1831, un abolitionniste radical, William Lloyd Garrison, dans *The Liberator*, journal qu'il lance à Boston, s'oppose à la Constitution des Etats-Unis, qu'il qualifie de « pacte avec le diable », et exige l'abolition immédiate de l'esclavage, sans indemnisation des maîtres. Il est relayé par des mouvements anti-esclavagistes qui naissent, comme l'*American Antislavery Society*, au sein desquels militent Blancs abolitionnistes et d'anciens esclaves.

Le gouvernement des Etats-Unis, sous la pression ou non du Sud, tente par tous les moyens de refroidir les ardeurs des abolitionnistes. Par exemple, de 1836 à 1844, le

Congrès approuve la « loi du bâillon » (*gag rule*), qui interdit tout débat sur l'abolition. C'est seulement bien tard, après la France, qu'il se résoudra à imposer l'abolition sur toute l'étendue de l'union[1].

L'abolition tardive par les nations catholiques

La France tergiverse... et finit par passer à l'action

Nous venons de voir que l'élan abolitionniste commence en 1671 avec les quakers britanniques. En France, il prend corps au milieu du XVIIIe siècle (dit « Siècle des Lumières »), avec surtout les philosophes. Montesquieu est l'un de premiers à ouvrir le débat. Nous avons vu qu'il y a polémique autour de ce penseur. Les uns affirment qu'il soutient l'esclavage, les autres prétendent qu'il le tourne en dérision.

Pour ces derniers, Montesquieu se manifeste comme un antiesclavagiste. En effet, dans *Esprit des lois* qu'il publie en 1748, il consacre entièrement le livre XV à l'esclavage. C'est un système inutile et pour le maître et pour l'esclave. "L'esclavage, dit-il, est contre la nature, quoique, dans certains pays, il soit fondé sur la raison naturelle". La condamnation n'est pas ferme, mais elle inaugure quand même un chantier de réflexion.

---

[1] Il aura fallu des mouvements de pression divers pour contraindre le gouvernement de l'Union à passer à l'acte. Ainsi, en 1852, Harriet Elizabeth Beecher-Stowe publie *La Case de l'oncle Tom*, qui, racontant le triste destin d'un esclave (l'oncle Tom) tombé entre les mains d'un Blanc brutal (Simon Legre), émeut et indigne les lecteurs. Un personnage du roman, Eliza, fuit désespérément les griffes d'un propriétaire. Des abolitionnistes se résolvent à recréer et aider plusieurs « Eliza » dans leur fuite du Sud vers le Nord « libre » ; un réseau clandestin, l'*Underground Railroad*, s'organise, œuvre de quakers, d'enseignants, d'hommes d'affaires, d'esclaves affranchis... En 1854, est fondé le Parti républicain, qui recrute essentiellement dans le Nord et parmi les anti-esclavagistes. En 1859, John Brown tente de s'emparer de l'arsenal de Harper's Ferry pour armer les esclaves de Virginie ; arrêté et pendu, il devient le plus célèbre martyr de l'abolitionnisme.

Des penseurs qui adoptent des attitudes anti-esclavagistes sans ambiguïté existent. Mentionnons le chevalier Louis de Jaucourt (16 septembre 1704 – 3 février 1779). Dans l'article « Esclavage » de *l'Encyclopédie*, il souligne que l'esclavage est contraire au droit de nature et à l'esprit du christianisme :

> "C'est donc aller directement contre le droit des gens et contre la nature, que de croire que la religion chrétienne donne à ceux qui la professent, un droit de réduire en servitude ceux qui ne la professent pas, pour travailler plus aisément à sa propagation. Ce fut pourtant cette manière de penser qui encouragea les destructeurs de l'Amérique dans leurs crimes ; et ce n'est pas la seule fois que l'on se soit servi de la religion contre ses propres maximes, qui nous apprennent que la qualité de prochain s'étend sur tout l'univers."

Dans l'article « Traite des Nègres » de *l'Encyclopédie*, le chevalier de Jaucourt réfute les justifications économiques de l'esclavage :

> "On dira peut-être qu'elles seraient bientôt ruinées, ces colonies, si l'on y abolissait l'esclavage des nègres. Mais quand cela serait, faut-il conclure de là que le genre humain doit être horriblement lésé, pour nous enrichir ou fournir à notre luxe ? Il est vrai que les bourses des voleurs des grands chemins seraient vides, si le vol était absolument supprimé : mais les hommes ont-ils le droit de s'enrichir par des voies cruelles et criminelles ? Quel droit a un brigand de dévaliser les passants ?
>
> A qui est-il permis de devenir opulent, en rendant malheureux ses semblables ? Peut-il être légitime de dépouiller l'espèce humaine de ses droits les plus sacrés, uniquement pour satisfaire son avarice, sa vanité, ou ses passions particulières ? Non... Que les colonies européennes soient donc plutôt détruites, que de faire tant de malheureux !
>
> Mais je crois qu'il est faux que la suppression de l'esclavage entraînerait leur ruine. Le commerce en souffrirait pendant quelque temps : je le veux, c'est là l'effet de tous les nouveaux arrangements, parce qu'en ce cas on ne pourrait trouver sur-le-champ les moyens de suivre un autre système ; mais il résulterait de cette suppression beaucoup d'autres avantages.

C'est cette traite des nègres, c'est l'usage de la servitude qui a empêché l'Amérique de se peupler aussi promptement qu'elle l'aurait fait sans cela. Que l'on mette les nègres en liberté, et dans peu de générations ce pays vaste et fertile comptera des habitants sans nombre. Les arts, les talents y fleuriront ; et au lieu qu'il n'est presque peuplé que de sauvages et de bêtes féroces, il ne le sera bientôt que par des hommes industrieux."

Condorcet réfute les arguments des esclavagistes

Marie-Jean-Antoine Caritat, marquis de Condorcet (1743-1794), est l'un des premiers en France à considérer que la traite et l'esclavage des Noirs constituent des crimes, des crimes qu'il faut combattre énergiquement.

En 1781, il publie ses *Réflexions sur l'esclavage des Nègres*. Dans cet ouvrage, le philosophe aborde ainsi l'opinion répandue de ceux qui admettent ou soutiennent le fait de l'esclavage des Noirs : "On dit, pour excuser l'esclavage des Nègres achetés en Afrique, que ces malheureux sont ou des criminels condamnés au dernier supplice, ou des prisonniers de guerre, qui seraient mis à mort s'ils n'étaient pas achetés par les Européens."

De la manière la plus docte, Condorcet réfute cette thèse superflue, qui s'active à présenter la traite négrière comme étant presque un acte d'humanité. D'abord, il n'est pas prouvé que les Africains razziés chez eux soient des criminels ou vivent dans le vice. Ce sont les négriers qui propagent ces horreurs, pour justifier leur odieux trafic. Ensuite, prétendre que le Noir kidnappé ou acheté serait sauvé des ténèbres relève du cynisme, sinon, pourquoi l'acheteur le réduit-il encore en servitude ? Enfin, ce sont les Européens qui ont mis au point un système pernicieux, consistant à fomenter en Afrique "des guerres par leur agent ou par leurs intrigues", à "exciter la cupidité et les passions des Africains", à "engager le père à livrer ses enfants, le frère à trahir son frère, le prince à vendre ses sujets."

Les Africains ne vendraient donc pas les leurs d'eux-mêmes ; ils sont poussés par les négriers à le faire : la traite négrière est bien une entreprise née dans l'esprit des Européens et planifiée par eux. Les Africains prétendument vendeurs ne sont que des victimes utilisés par la force pour livrer la « marchandise »...

Condorcet tourne alors sa pensée vers les captifs, et leur dédie cette belle épître :

"Mes amis,

Quoique que je ne sois pas de la même couleur que vous, je vous ai toujours regardé comme mes frères. La nature vous a formés pour avoir le même esprit, la même raison, les mêmes vertus que les blancs. Je ne parle ici que de ceux d'Europe ; car pour les Blancs des colonies, je ne vous fais pas l'injure de les comparer à vous ; je sais combien de fois votre fidélité, votre probité, votre courage ont fait rougir vos maîtres. Si on allait chercher un homme dans les îles de l'Amérique, ce ne serait point parmi les gens de chaire blanche qu'on le trouverait.

Votre suffrage ne procure point de places dans les colonies ; votre protection ne fait point obtenir de pensions ; vous n'avez pas de quoi soudoyer les avocats : il n'est donc pas étonnant que vos maîtres trouvent plus de gens qui se déshonorent en défendant leur cause, que vous n'en avez trouvé qui se soient honorés en défendant la vôtre. Il y a même des pays où ceux qui voudraient écrire en votre faveur n'en auraient point la liberté.

Tous ceux qui se sont enrichis dans les îles aux dépens de vos travaux et de vos souffrances, ont, à leur retour, le droit de vous insulter dans des libelles calomnieux ; mais il n'est point permis de leur répondre.

Telle est l'idée que vos maîtres ont de la bonté de leurs droits ; telle est la conscience qu'ils ont de leur humanité à votre égard. Mais cette injustice n'a pas été pour moi qu'une raison de plus pour prendre, dans un pays libre, la défense de la liberté des hommes.

Je sais que vous ne connaîtrez jamais cet ouvrage, et que la douceur d'être béni par vous me sera toujours refusée. Mais j'aurai satisfait mon cœur déchiré par le spectacle de vos maux, soulevé par l'insolence absurde des sophismes de vos tyrans. Je n'emploierai point l'éloquence, mais la raison ; je parlerai, non des intérêts du commerce, mais des lois de la justice.

Vos tyrans me reprocheront de ne dire que des choses communes, et de n'avoir que des idées chimériques : en effet, rien n'est plus commun que les maximes de l'humanité et la justice ; rien n'est plus chimérique que de proposer aux hommes d'y conformer leur conduite."

C'est dans le même style que quelques personnes vont se prendre de pitié pour les esclaves noirs.

La « Société des amis des Noirs » contre la traite et non l'esclavage !

En 1789, est fondée la *Société des amis des Noirs*, pour soi-disant, comme son nom l'indique, défendre les esclaves noirs. Jacques-Pierre Brissot, son fondateur, est un farouche adversaire des colons. Pour cet homme, les planteurs blancs des colonies, qui ne reconnaissent aucune dignité humaine aux Noirs, ne peuvent pas représenter ceux-ci au Parlement comme ils le souhaitent. La traite des Noirs doit être abolie, parce qu'elle constitue un « commerce infâme ».

Mais curieusement, le grand défenseur des Noirs ne se prononce point en faveur de l'abolition de l'esclavage proprement dit, sinon, prétend-il, les colonies seraient ruinées ! Il va même jusqu'à proposer aux planteurs des colonies de rejoindre la Société des Noirs pour le maintien de l'esclavage[1] :

"Les ennemis des Noirs se plaisent à répandre sur cette Société des bruits extrêmement faux, et qu'il importe de dissiper. Ils insinuent que l'objet de la Société est de détruire tout d'un coup l'esclavage, ce qui ruinerait les colonies. Mais ce n'est point l'intention des amis des Noirs. Ils ne demandent que l'abolition de la traite des Noirs parce qu'il en résulterait infailliblement que les planteurs, n'espérant plus remettre des Noirs en Afrique traiteront mieux les leurs. Non seulement la Société des amis des Noirs ne sollicite point en ce moment l'abolition de l'esclavage, mais elle serait affligée qu'elle fût proposée. Les Noirs ne sont pas encore mûrs pour la liberté ; il faut les y préparer : telle est la doctrine de cette Société.

---

[1] *Le Patriote français*, n° 24, 24 août 1789, cité dans *L'anticolonialisme européen de Las Casas à Marx*, p. 194.

Si les planteurs entendaient leurs intérêts, ils devraient se réunir à cette Société."

On peut donc, la faveur des idées nouvelles de la Révolution française oblige, procéder à la libéralisation du régime colonial. Mais on ne peut envisager d'y mettre fin, ni même de se presser à en extraire les abus sur lesquels repose la prospérité des colons. L'Etat et l'Eglise de France ne se presseront pas ainsi d'abolir l'esclavage, en dépit de l'option révolutionnaire que vient de prendre Pie XII, contre la traite négrière.

La Convention abolit l'esclavage, Bonaparte le rétablit

Le 4 février 1794, la Convention nationale décrète, en un article unique, la première abolition française de l'esclavage. Ce n'est qu'une déclaration de principe, qui ne sera suivie d'aucun effet : il ne prévoit ni délai d'application ni mesures transitoires. Il aura seulement « l'avantage » d'endurcir les « grands Blancs » (propriétaires des esclaves des îles) dans leur détermination à garder leurs « biens » et dans leur révolte contre les principes de la Révolution.

C'est pour sauver la nation française, prétend Bonaparte, que celui-ci, le 20 mai 1802, dans un texte en deux articles, rétablit l'esclavage. "Conformément aux lois et règlement antérieurs à 1789", stipule l'article 1, "l'esclavage sera maintenu" dans les colonies françaises, et "la traite des Noirs et leur importation dans les dites colonies auront lieu".

Les Anglais, qui désapprouvent Bonaparte, poursuivent leur opération contre les bateaux négriers. Les capitaines des ces bâtiments sont prêts à tout, même à tuer leurs esclaves, pour ne pas être pris en flagrant délit par les Britanniques. Ainsi, un jour de 1837, raconte Emile Souvestre (1806-1854), écrivain de Morlaix, il rencontre un « commerçant négrier » de Nantes qui, poursuivi par une corvette anglaise, "avait été forcé de jeter sa cargaison humaine par-dessus bord pour ne pas être pris en contravention".

Sur la terre ferme, quelques personnes ou associations non gouvernementales continuent à se battre, à leurs manières, contre les esclavagistes.

C'est dans ce sens que, le 8 février 1838, la « Société pour l'abolition de l'esclavage » soumet à l'approbation des députés une proposition de loi, qui ne demande pas l'abolition de l'esclavage, mais seulement la liberté à tout enfant né dans les colonies (qu'il soit des parents libres ou esclaves) et à l'esclave qui accepte d'en payer un prix. La proposition. est rejetée !

Victor Schœlcher, franc-maçon, décrète que l'esclavage est à la fois un crime (et un péché) et obtient son abolition

Après son échec au Parlement, la « Société pour l'abolition de l'esclavage » change de tactique : elle procède par le recueil, au sein de la population, des pétitions. En avril 1847, elle obtient ainsi 11 000 signatures.

La plus marquante d'entre elle vient de Victor Schœlcher (22 juillet 1804 – 25 décembre 1893), sous-secrétaire d'Etat du Gouvernement provisoire, délégué pour régler l'affaire des colonies et de l'émancipation.

Adepte de la Loge maçonnique, l'homme va vouer une bonne partie de sa vie à l'abolition de l'esclavage, ainsi que le témoignent nombre de ses œuvres produites : Des Noirs », *Revue de Paris*, tome XX, 1830, pp. 71-83. *De l'esclavage des Noirs et de la législation coloniale*, 1833 ; *Abolition de l'esclavage. Examen critique du préjugé contre la couleur des africains et des sang-mêlés*, 1840 ; *Des colonies françaises. Abolition immédiate de l'esclavage*, 1842 ; *Colonies étrangères et Haïti. Résultats de l'émancipation anglaise. Coup d'œil sur l'état de la question d'affranchissement*, 1843 ; *De la pétition des ouvriers pour l'abolition immédiate de l'esclavage*, 1844 ; *Histoire de l'esclavage pendant les deux dernières années*, 1847...

Dans toutes ces œuvres et dans toute son action politique, Schoelcher exige "l'abolition immédiate et complète de l'esclavage dans les colonies françaises". Pour lui, le fait pour un homme d'asservir son semblable, de le vendre "à l'encan, comme du bétail", constitue un *crime*[1] :

> "Que l'esclavage soit ou non nécessaire, après tout c'est un vice politique aussi bien qu'un vice moral, un attentat au bon sens comme à l'équité : c'est un crime. Il n'est justifiable sous aucun rapport, et doit toujours exciter en nous une haine vigoureuse et invincible."

Criminel, l'esclavage est également *illégal* au regard des droits commun et commercial, et *immoral* au regard de la loi divine. Aucun argument, théologique ou métaphysique, ne saurait prendre la défense de l'esclavage. Par conséquent, s'insurger contre l'esclavage est un devoir, un devoir sacré :

> "La question de fond est décidée depuis longtemps : le Nègre naît essentiellement libre, puisque les hommes ont fait de la liberté un de leurs attributs primitifs ; le pacte même qui l'aurait fait esclave est illégal, puisqu'il n'a pas été réciproque, et qu'on ne lui a rien donné en échange de sa personne ; le droit du premier propriétaire était par conséquent nul, comme étant établi par la force contre le principe ; et celui du propriétaire actuel est également sans valeur, comme n'ayant pu lui être transmis qu'entaché de nullité radicale, quoique cimenté par des centaines d'actes, de rois et de parlements.
>
> La liberté antérieure est antérieure à toutes les lois humaines ; elle fait corps avec nous, et aucune puissance imaginable ne peut consacrer la violation de ce principe naturel. L'homme a le droit de reprendre par la force ce qui lui a été enlevé par la force, l'adresse ou la trahison ; et pour l'esclave, comme pour le peuple opprimé, l'insurrection est le plus saint des devoirs."

L'esclave ne va pas seulement à l'encontre du droit humain. Il est surtout un péché, qui choque l'Evangile lui-même, lequel propage un message de justice, contraire à l'esprit esclavagiste. L'Eglise, le clergé et les fidèles catholiques semblent l'ignorer, et Schœlcher se fait le malin plaisir de le leur rappeler :

---

[1] V. Schœlcher, *Esclavage et colonisation*, PUF, Paris, 1948.

"Le premier devoir d'un chrétien moderne est de renoncer à posséder des esclaves. Les Blancs sont en morale dans des ténèbres aussi profondes que celles où se trouvent les Nègres ; l'éducation des maîtres est tout entière à faire, comme celle des esclaves."

Enfin, Schœlcher balaie l'argument purement économique qui justifie le maintien de l'esclavage : l'abolition de celui-ci conduirait à la perte des colonies. C'est un argument moralement irrecevables : "La grande affaire est de mettre un terme au travail forcé. S'inquiéter de ce que coûtera le travail libre ne doit venir qu'après."

Il faut donc effacer l'esclavage du vocabulaire des hommes. Depuis 1844, le Parlement reçoit plusieurs pétitions réclamant l'abolition de l'esclavage. La plus marquante de ces pétitions est initiée en août 1847 par Schœlcher. La servitude, y dit-il[1], a des vices, qu'on ne peut détruire qu'en détruisant la servitude elle-même. "L'honneur du peuple français se compromet à transiger plus longtemps avec une institution meurtrière". La France gagnerait beaucoup en suivant l'exemple de l'Angleterre. L'émancipation dans les îles administrées par ce pays "a eu des résultats moraux et matériels satisfaisants" et a montré que "la prolongation de l'esclavage porte atteinte aux véritables intérêt des colonies et à la sécurité de leurs habitants". La France doit également suivre l'exemple des "princes barbares [qui] ont déjà proscrit l'esclavage de leurs Etats". L'abolition de l'esclavage sera une façon pour chaque Français de se dédouaner de sa "part de responsabilité dans les crimes qu'engendre la servitude".

Le 15 avril 1848, Schœlcher, chargé de présider une Commission instituée par le gouvernement pour préparer l'acte d'abolition immédiate de l'esclavage, rend son rapport. Dans ce texte-décret, le sous-secrétaire d'Etat, demande à la République de réparer une injustice faite aux Noirs depuis des siècles[2] :

---

[1] M. Métoudi et J.-P. Thomas, *Abolir l'esclavage*, Gallimard, Paris, 1998, pp. 133-134.

[2] M. Métoudi et J.-P. Thomas, *Abolir l'esclavage*, p. 137.

"La République n'entend plus faire de distinction dans la famille humaine. Elle ne croit pas qu'il suffise, pour se glorifier d'être un peuple libre, de passer sous silence toute une classe d'hommes tenue hors du droit commun de l'humanité. Elle a pris au sérieux son principe. Elle répare envers ces malheureux le crime qui les enleva jadis à leurs parents, à leur pays natal, en leur donnant pour patrie la France et pour héritage tous les droits du citoyen français ; et, par là, elle témoigne assez hautement qu'elle n'exclut personne de son immortelle devise : *Liberté, Egalité, Fraternité.*"

Le 27 avril 1848, les membres du Gouvernement provisoire adoptent, avec beaucoup de difficultés, le décret d'abolition présenté par Schœlcher. Ce décret considère que "l'esclavage est un attentat contre la dignité humaine". Par conséquent, à partir de juin 1848, il "sera entièrement aboli dans toutes les colonies et possessions françaises". A l'avenir, même en pays étranger, tout Français qui osera posséder, acheter ou vendre des esclaves, et participer à tout trafic ou exploitation de ce genre, perdra la qualité de citoyen français !

Notons que la même année – 1848 – où la France abolit officiellement l'esclavage, les esclaves des îles St Martin, St Eustache et Saba se libèrent, en juin. En 1863, la Hollande est ainsi contrainte d'abolir l'esclavage dans ses colonies (Guyane, Curaçao, Bonaire, Aruba, Saba, St Eustache, St Martin, Insulinde).

A partir de 1850, il vote une loi autorisant l'arrestation d'esclaves en fuite dans tout le pays. Exaspérés par le succès de *La Case de l'oncle Tom* et la propagande abolitionniste, les Etats du Sud jurent de défendre leur « institution particulière » ; la Bible, prétendent-ils, autorise l'esclavage des Noirs, descendants de Cham, fils indigne maudit par le bon père Noé. Calhoun, vice-président des Etats-Unis, apporte son soutien aux esclavagistes ; invoquant la démocratie grecque, il assure : "Je tiens l'esclavage pour un bien. Il n'a jamais existé une société riche et civilisée dans laquelle en fait une partie de la communauté ne vivait pas du travail de l'autre !"

Un tel discours est démenti par Abraham Lincoln (1809-1865), candidat républicain élu président de la République en novembre 1860. L'arrivée au pouvoir de cet anti-esclavagiste, qui a été élu grâce aux seuls Etats du Nord (il n'a obtenu que 2,2 % des voix du Sud), menace l'unité de la nation. Dès le 2 décembre 1860, la Caroline du Sud adopte une Déclaration de sécession ; elle est suivie par six Etats du Sud (Mississipi, Floride, Alabama, Géorgie, Louisiane et Texas). Ensemble, ils forment une Confédération et se donnent une Constitution, une capitale et un président. Quatre autres Etats esclavagistes rejoignent les sécessionnistes (Virginie, Caroline du Nord, Tennessee et Arkansas).

Lincoln abolit l'esclavage, pour maintenir l'Union entre le Nord abolitionniste et le Sud esclavagiste

Lincoln refuse la partition du pays. Il ne peut qu'affronter les séparatistes. La Guerre de Sécession est déclenchée en 1861, qui durera quatre ans. Les sudistes (ou Confédérés), conduits par les généraux Beauregard et Lee, commencent par remporter des victoires, avant d'être défaits à Gettysburg en 1863 par les nordistes (ou Fédéraux), qui emploient dans leur armée des Noirs libres. Le 9 avril 1865, Lee capitule, et la guerre civile s'achève. Bilan : plus de 600 000 tués au combat.

C'est au début de l'année 1863, pendant la guerre, que Lincoln prononce l'*Emancipation Proclamation*. Ce n'est pas une abolition universelle de l'esclavage, mais seulement une libération en droit des esclaves dans les territoires rebelles. Car Lincoln, bien que personnellement hostile à l'esclavage, ne souhaite pas l'égalité complète entre Noirs et Blancs. Le Parti républicain dont il est membre ne remet pas en cause en tant que tel l'esclavage (il l'admet là où il existe), mais il s'oppose à son extension. En ce sens, la Guerre de Sécession n'a pas été déclarée pour supprimer l'esclavage, mais pour préserver l'Union. C'est le 31 janvier 1865, peu avant la fin des hostilités, que le XIIIe amendement, qui vient d'être adopté par le Congrès, abolit l'esclavage sur tout le territoire américain. Les amendements XIV et XV, eux, proclament l'émancipation formelle des Noirs, leur octroyant citoyenneté et droit de vote. Mais les promesses qu'ils contiennent resteront lettre morte pendant près d'un siècle, les Sudistes continuant d'ignorer l'abolition de l'esclavage (ils établissent un cens électoral qui empêchent les Noirs d'exercer leur droit de vote), les Blancs racistes les plus extrémistes se regroupant dans des organisations secrètes, comme le Ku Klux Klan (qui terrorisent les anciens esclaves), et le Nord ayant cessé de se soucier du sort des Noirs[1]...

L'abolition de l'esclavage dans les colonies espagnoles

L'Espagne, qui a été la deuxième nation, après le Portugal, à opter pour l'odieux commerce d'êtres humains, est l'une des dernières à abolir l'esclavage des Noirs.

C'est le roi Charles III qui donne le ton en 1753, quand il révoque l'asiento. En 1785, il promulgue le Code Carolin, qui prétend améliorer la condition de l'esclavage, sans cependant l'abolir.

Le véritable mouvement abolitionniste tire son origine des guerres d'indépendances des colonies espagnoles d'Amérique et de nombreuses pressions anti-esclavagistes de l'Angleterre.

En effet, entre 1811 et 1850, l'Espagne se résout à abolir progressivement l'esclavage dans ses colonies d'Amérique, lesquelles proclament leur indépendance avant ou après cet événement. Le tableau suivant donne le calendrier des abolitions en Amérique, la première année marquant le début de l'opération et la deuxième l'abolition définitive.

> Chili : abolition 1811-1823, indépendance 1818 ;
> Argentine : abolition 1813-1853, indépendance 1816 ;
> Pérou : abolition 1821-1855, indépendance 1824 ;
> Saint-Domingue : abolition 1822, indépendance 1844 ;
> Amérique centrale : abolition 1824, indépendance 1821 ;

---

[1] Sur l'esclavage aux Etats-Unis, lire par exemple H. Trocmé et J. Rovet, *Naissance de l'Amérique moderne*, XVIe-XIXe siècle, Hachette, Paris, 1997.

Mexique : abolition 1825-1829, indépendance 1821 ;
Bolivie : abolition 1826-1831, indépendance 1825 ;
Uruguay : abolition 1830, indépendance 1828 (se détache du Brésil) ;
Paraguay : abolition 1842, indépendance 1811 ;
Venezuela : abolition 1850-1854, indépendance 1830 ;
Colombie : abolition 1851, indépendance 1819.

L'Espagne continuera à maintenir sous son joug deux colonies : Cuba et Porto Rico. A Cuba, elle n'abolit la traite qu'en 1865, qui continuait à battre son plein, et l'esclavage seulement en 1886 ; l'île n'aura son indépendance qu'en 1901. A Porto Rico, l'Espagne abolira l'esclavage en 1873, mais ne lâchera ce pays qu'en 1952, année où il est proclamé Etat libre associé aux Etats-Unis.

Concernant les pressions britanniques, l'Espagne, comme les autres nations esclavagistes, les subit après 1815 (Congrès de Vienne) et surtout après 1834 (abolition de l'esclavage dans les colonies anglaises). Ainsi, en 1835, l'Angleterre lui fait signer un traité d'abolition. Mais c'est seulement dix ans après que l'Espagne – fervente catholique qui entend aussi s'aligner, du moins officiellement, sur la position du Vatican qui en décembre 1839, par le pape Grégoire XVI, appelle à cessation de la traite négrière – promulgue une loi d'abolition et de répression de la traite. Cette loi n'a aucune portée, puisqu'elle ne prévoit que des peines légères contre les trafiquants et comporte des exceptions et restrictions à son application.

C'est la Société abolitionniste, créée en 1865 par Viscarrondo et à laquelle adhèrent plusieurs personnalités espagnoles, qui va donner de l'impulsion à la lutte anti-esclavagiste. En effet, c'est elle qui sera à l'origine de la révolution de 1868, laquelle assumera la responsabilité de l'abolition et de laquelle sera issue la loi Moret de 1870, une loi qui essaie de prôner – insuffisamment – l'abolitionnisme. Le gouvernement est alors contraint de décréter la fin définitive de l'esclavage dans ses colonies, en 1873 à Porto Rico et entre 1880 et 1886 à Cuba.

L'Espagne est ainsi le dernier pays européen à abolir l'esclavage dans ses possessions. Le Portugal aurait dû l'être, s'il avait encore sous sa coupe le Brésil. Cette colonie s'émancipe en effet en 1822 ; c'est donc en tant qu'Etat indépendant qu'elle abordera (en 1871) et achèvera (en 1888) l'abolition de l'esclavage. Le très catholique Brésil, et non le Portugal, est ainsi la toute dernière puissance du monde à abolir l'esclavage des Noirs issu de la traite atlantique.

Pourquoi les deux nations catholiques, Espagne et Portugal (celui-ci par sa colonie brésilienne), initiatrices de la traite négrière, sont-elles les dernières à abolir traite et esclavage des Noirs ? Pourquoi la France, également nation catholique, abolit-elle traite et esclavage après sa concurrente protestante l'Angleterre ? Cela tiendrait de l'essence même de la doctrine catholique, qui considère que l'esclavage est un strate de la société, une volonté de Dieu et une évidence de l'ordre naturel des choses.

C'est pourquoi l'Eglise elle-même, institution spirituelle, compte parmi les puissances négrières, au même titre que les Etats temporels.

Chapitre 13
L'EGLISE, PUISSANCE NEGRIERE

L'Eglise justifie et légitime la traite et l'esclavage

Nous savons que les Africains, présumés fils maudits de Cham, pouvaient être capturés ou achetés pour espérer accéder au salut apporté par le Christ. Pour cela, ils devaient être amenés en captivité et réduits en esclavage en Amérique.

En Amérique, il faut trouver la justification de l'esclavage, pour qu'il ne paraisse pas injuste. Les théologiens vont se référer à la construction philosophique grecque, aux récits de l'Ancien Testament (qui aborde surtout les us et coutumes du peuple juif), aux enseignements des apôtres (Paul et Pierre), aux écrits des Pères de l'Eglise et aux édits des conciles.

Recours aux sources « païennes » grecques

L'Eglise qui naît après la mort de Jésus-Christ est confrontée au problème de l'esclavage que pratique allègrement l'Empire romain. L'esclave, dans cette société païenne, ne compte pas : il ne jouit d'aucun droit (ni d'être citoyen, ni de fonder une famille, ni d'avoir un patrimoine), d'aucune liberté (d'opinion ou autre). Il n'a que de devoirs : envers l'Etat et surtout envers son maître, qui détient sur lui le droit de vie ou de mort.

Pour trouver sa voie face à cet Empire triomphant, les Pères de l'Eglise et des théologiens vont se ressourcer auprès des philosophes – des « païens » – grecs pour élaborer leur pensée, qui constituera la ligne de conduite de l'Eglise.

Des philosophes tels que Platon (428 env.-347 env. av. J.-C.) et Aristote (385 env.-322 av. J.-C.), considérés en Occident comme de grands modèles de pensée, élaborent des théories, que reprendront notamment certains théologiens chrétiens, soutenant que l'univers est naturellement hiérarchisé et harmonieux. Autrement dit, la société est essentiellement inégalitaire : il y a d'un côté les puissants, qui détiennent la fortune, la force ou le pouvoir, et de l'autre les faibles, qui en sont dépourvus. L'esclave, qui entre dans la classe des faibles, n'est pas un « citoyen » ; il doit se soumettre, travailler et exécuter certaines tâches durant toute sa vie, tandis que l'homme libre, son maître, a le « devoir » de commander et de s'adonner au « loisir », qui est la direction de la cité.

La thématique de l'asservissement est banale chez Platon. Dans les *Lois*, il fait apparaître l'esclave dans un chapitre concernant... les objets perdus. Que faire quand on trouve un esclave perdu ? On le rend tout simplement à son maître. La question de l'esclavage est acceptée et non raisonnée chez Platon.

Dans la cité telle que le veut Platon, l'esclave est un « objet trouvé » ou possédé par quelqu'un (capturé à la guerre par exemple) ; par ailleurs, le philosophe confond sciemment l'esclave et la brute, que "quelqu'un revendique, comme son bien à lui". « Moraliste » ayant un certain sens de l'« éthique », Platon estime que si le maître jouit sans conteste du pouvoir d'user et d'abuser de ses esclaves, il doit le faire sans le contrarier, pour son propre intérêt et surtout pour l'intérêt supérieur de la cité !

La cité dont parle Platon est une *République*, où le Président veille à ce que les maîtres ne contrarient pas trop les esclaves. Aristote conçoit une cité différente, qui doit être une *monarchie*, ou pouvoir absolu d'un roi (père de famille) sur ses esclaves (qu'il doit considérer comme ses enfants). De l'esclave, il a, comme les autres philosophes de l'Ecole socratique dont il est issu, une conception "plus élaborée". Dans son ouvrage *La Politique*, il définit l'homme comme "un animal destiné à vivre en société".

Mais la société selon Aristote est une société foncièrement égoïste, dans laquelle les esclaves occupent la dernière place de l'échiquier, forment la base matérielle du corps social. La société n'est pas faite pour eux, mais pour les maîtres, les hommes libres. Pourtant, ils ont l'obligation d'alimenter cette société, pour qu'elle fonctionne pour les autres. Aristote nie ainsi la dignité humaine des esclaves, qu'il n'hésite pas à rapprocher des animaux domestiques. Aristote parle de l'« esclave par nature » : l'esclave naît esclave ; il n'est rien d'autre qu'un "instrument animé".

Du point de vue politique, l'esclave est naturellement fait pour exécuter désirs, volontés et ordres du maître. Né pour obéir, il participe ainsi, au moins de façon passive, à la nature rationnelle de l'homme. En ce sens, l'esclavage est un « bienfait » ou un « don naturel », dont l'exercice profite doublement au maître et à l'esclave lui-même.

Bref, la question de l'esclavage est très argumentée chez Aristote, qui défend l'existence d'un esclavage naturel, à ne pas confondre avec celui dont la source est la captivité pour faits de guerre ou de razzia. Pour Aristote, en toute logique, les fils des esclaves par captivité naissent aussi naturellement esclaves que ceux des esclaves naturels. Et la philosophie ne s'en porte pas plus mal...

On s'aperçoit à les lire que ce qui préoccupe ces penseurs, ce n'est pas de savoir si l'esclavage est juste ou injuste, mais d'éviter que la vertu du maître ne périclite au contact de la nature résolument vicieuse de l'esclave.

L'expression aristotélicienne « esclavage par nature », qui tient de la philosophie païenne grecque, subsistera et fera fortune même et surtout dans les milieux ecclésiastiques.

C'est pourquoi, dès le XIXe siècle, les marxistes, pour s'opposer à ces milieux, vont parler de la lutte des classes, qu'il faut mener pour les réduire. On comprend également pourquoi l'Eglise, qui trouve naturelle la stratification de la société, s'opposera à la dialectique marxiste et à tous ceux qui veulent bouleverser l'ordre naturel des choses !

Et ce ne sont pas les « arguments » qui vont lui manquer : ils abondent dans la Bible : dans l'Ancien Testament, dans les Evangiles et dans les Epîtres de saint Paul.

Achat et vente des esclaves, autorisés par l'Ancien Testament

Les esclavagistes auront bonne conscience quand ils achèteront, vendront ou revendront leurs esclaves. La Bible le leur permet, prétendent-ils. Ils savent par exemple qu'Abraham avait acquis des esclaves (Genèse 12, 5), que Salomon employait les esclaves étrangers, etc.

Sur l'origine des esclaves, les esclavagistes citeront un passage du Lévitique (25, 39-55), qui interdit aux Hébreux de posséder des esclaves parmi eux, mais les autorise à en avoir parmi les nations étrangères :

"Si ton frère, près de toi, tombe dans la gêne et se vend à toi, tu ne l'assujettiras pas à un travail d'esclave. Il sera chez toi comme un mercenaire, comme un hôte. Il servira chez toi jusqu'à l'année du jubilé. Il sortira alors de chez toi, lui et ses fils avec lui, il retournera dans son clan et retournera dans la propriété de ses pères. Car ils sont mes serviteurs, eux que j'ai fait sortir du pays d'Egypte ; ils ne doivent pas être vendus comme on vend un esclave. Tu ne domineras sur eux avec rigueur, mais tu auras crainte de ton Dieu.

Le serviteur et la servante que tu auras viendront des nations qui vous entourent ; c'est à elles que vous achèterez serviteur et servante. Vous pourrez aussi en acheter parmi les fils des hôtes qui résident chez vous, ainsi que parmi leurs familles qui sont chez vous, ceux qu'ils auront engendrés dans votre pays, et ils deviendront votre propriété. Vous laisserez en héritage à vos fils après vous pour qu'ils les possèdent en propriété ; vous les aurez pour esclaves à jamais. Mais pour ce qui est de vos frères, les fils d'Israël, nul d'entre vous ne dominera sur son frère avec rigueur."

Se prenant pour les Hébreux, les esclavagistes du Nouveau Monde s'interdiront d'avoir des esclaves européens, mais se croiront permis d'acquérir des esclaves chez des peuples non blancs, dont les Amérindiens et les Africains.

L'acquisition se fait par capture ou par achat. Un passage de l'Exode (Ex. 21, 1-6) réglemente la *pratique d'achat des serviteurs* ; les esclavagistes vont utiliser ce texte en le détachant évidemment de son contexte historique et socioculturel :

"Voici les lois que tu leur présenteras.

Si tu achètes un esclave hébreu, il servira six années ; mais la septième, il sortira libre, sans rien payer.

S'il est entré seul, il sortir seul ; s'il avait une femme, sa femme sortira avec lui.

Si c'est son maître qui lui a donné une femme, et qu'il en est eu des fils ou des filles, la femme et ses enfants seront à son maître, et il sortira seul.

Si l'esclave dit : J'aime mon maître, ma femme et mes enfants, je ne veux pas sortir libre, alors son maître le conduira devant Dieu, et le fera approcher de la porte ou du poteau, et son maître lui percera l'oreille avec un poinçon, et l'esclave sera pour toujours à son service."

Un autre texte (Lévitique 25, 44-46) autorise clairement l'achat d'esclaves étrangers :

"C'est des nations qui vous entourent que tu prendras ton esclave et ta servante qui t'appartiendront ; c'est d'elles que vous achèterez l'esclave et la servante.

Vous pourrez aussi en acheter des enfants des étrangers qui demeureront chez toi, et de leurs familles qu'ils engendreront dans votre pays ; et ils seront votre propriété.

Vous les laisserez en héritage à vos enfants après vous, comme une propriété ; vous les garderez comme esclaves à perpétuité."

Bien entendu, les négriers ne retiendront de cette législation que le fait reconnu de réduire quelqu'un en esclavage, mais dérogeront aux autres articles ; notamment, ils ne libéreront point leurs esclaves au bout d'un temps et n'accéderont pas à la volonté d'élargissement d'un esclave...

Ainsi, il y a un florilège de textes de l'Ancien Testament qui légitiment l'esclavage et auxquels hommes d'Eglise et érudits se réfèrent. Les « bons chrétiens » propriétaires les respecteront à la règle, mais d'autres à leur guise. Notons que ces textes de l'Ancien Testament parlent du peuple juif en des temps pré-chrétiens ; les esclavagistes chrétiens les utiliseront en les arrachant à leur contexte historique et culturel, pour les rendre intemporels et universels.

L'esclave doit travailler pour son maître, sinon il sera durement puni

Les théologiens, se basant sur la Bible, sont formels : l'esclave est fait pour travailler. Son maître a le droit de se montrer exigeant envers lui. La Bible l'affirme : l'esclave est comme l'âne ; "à l'âne le fourrage, le bâton, les fardeaux ; au serviteur le pain, le châtiment, le travail" (*Ecclésiastique* 33, 25). Autrement dit, le maître peut frapper ou torturer son esclave, s'il ne fait pas son travail, ou s'il le fait mal ou lentement.. Comme le recommande l'*Ecclésiastique* (33, 26-29) :

> "Fais travailler ton esclave, tu trouveras le repos ;
> Laisse-lui les mains libres, il cherchera la liberté.
> Le joug et la bride font plier la nuque,
> Au mauvais serviteur la torture et la question.
> Mets-le au travail pour qu'il ne reste pas oisif,
> Car l'oisiveté enseigne tous les mauvais tours.
> Mets-le à l'ouvrage comme il lui convient
> Et s'il n'obéit pas, mets-le aux fers."

Voilà pourquoi l'Eglise fermera les yeux sur les duretés et même les cruautés des possesseurs d'esclaves, parmi lesquels des clercs. Si les châtiments deviennent insupportables pour l'esclave, ils tenteront de tempérer le maître ; ils lui évoqueront la suite du même texte biblique (33, 30), qui interdit l'excès : "Ne sois pas trop exigeant envers personne ; ne fais rien de contraire à la justice."

La « justice » : elle sera quand même enseignée aux maîtres. Mais il ne s'agit pas de la justice entendue dans le sens habituel de l'équité (reconnaissance et respect des droits de chacun). L'injustice ici consiste à ne pas exploiter les esclaves, mais d'outrepasser certaines limites. Les principes moraux n'entrent pas en ligne de compte ; seul prévaut l'intérêt bien compris du maître (*Ecclésiastique* 33, 31-33). :

> "Tu n'as qu'un esclave ?

Qu'il soit comme toi-même,
Puisque tu l'as acquis dans le sang.
Tu n'as qu'un esclave ?
Traite-le comme un frère,
Car tu en as besoin comme de toi-même.
Si tu le maltraites et qu'il prenne la fuite,
Sur quel chemin iras-tu le chercher ?"

Autrement dit : le maître ne doit pas s'acharner sur l'esclave, ne doit rien faire d'abusif contre lui. Le maître a besoin de l'esclave pour vivre ; si l'un maltraite l'autre, celui-ci risquera de s'enfuir, et le maître devra en pâtir ! Donc, un esclave qui travaille avec dévouement ou qui se montre sage dans sa conduite ne peut être sanctionné, au contraire (*Ecclésiastique* 7, 20-22) :

"Ne maltraite pas l'esclave qui travaille fidèlement,
ni le salarié qui se dévoue.
   Aime dans ton cœur l'esclave intelligent,
ne lui refuse pas la liberté.
   As-tu des troupeaux ? Prends-en soin ;
si tu en tires profit, garde-les."

Bref, le maître doit être à la fois sévère et « juste » envers son esclave, et celui-ci doit savoir que c'est pour son « bien » qu'on agit ainsi envers lui. L'esclave doit savoir que c'est Dieu qui veut qu'il soit sage et obéissant. En respectant la volonté du maître, il respecte la volonté de Dieu !

Canonistes, théologiens et esclavagistes prétendent que la « justification » de l'esclavage dans l'Ancien Testament serait réaffirmée par Jésus-Christ, selon les évangélistes qui relatent sa vie.

Le concept « esclave » chez les évangélistes

Par ses théologiens et ses Pères fondateurs, l'Eglise a donc, dès sa naissance au première siècle après la mort de Jésus-Christ, cherché à s'accommoder de l'esclavage, qui, il est vrai, constitue une réalité du monde greco-romain dans lequel elle se développe.

Ce monde étant « païen », l'Eglise va tenter de donner à l'esclavage une forme « chrétienne », c'est-à-dire de l'intégrer dans la Bonne Nouvelle de salut annoncée par le Messie et transmis par les évangélistes (Jean, Luc, Marc et Mathieu) et les apôtres (dont Paul et Pierre).

La première chose pour l'Eglise est de trouver une définition même au mot « esclave ». Deux définitions apparaissent dans le Nouveau Testament originel, écrit en grec : « pais » et « doulos ». *Pais* signifie « serviteur » et s'applique mieux au Christ : celui-ci est le serviteur de Dieu (c'est un sens quasi familial, qu'on retrouve dans la tradition africaine : l'esclave fait partie de la famille, c'est un « enfant de la maison »). *Doulos*, lui, s'entend dans le sens habituel, celui que lui donnent les esclavagistes : un bien matériel que dispose à volonté un maître. L'Evangile attribue ce terme au chrétien (celui qui suit le Christ) : celui-ci est au service de Dieu et de son Fils Jésus-Christ.

L'esclave noir déporté en Amérique (comme l'était jadis l'esclave blanc, qui a été dès lors affranchi) sera donc une propriété de son maître sur terre, étape nécessaire pour qu'il s'affranchisse et devienne, à sa mort, comme tout homme libre, un esclave de Dieu.

Les trois évangélistes synoptiques emploient abondamment le vocable « esclave » dans le sens de « doulos » : Luc (12, 42-48 ; 17, 7-10 ; 19, 12-27), Marc (13, 34-36), Mathieu (10, 24-25 ; 13, 27-28 ; 18, 23-35 ; 24, 45-51 ; 25, 15-30). Lisons par exemple Luc (17, 7-10) :

> "Lequel d'entre vous, s'il a un serviteur [= esclave] qui laboure ou qui garde les bêtes, lui dira à son retour des champs : "Va vite te mettre à table" ? Est-ce qu'il ne lui dira pas plutôt "Prépare-moi de quoi dîner, mets-toi en tenue pour me servir, le temps que je mange et boive ; et après tu mangeras et tu boiras à ton tour" ?
>
> A-t-il de la reconnaissance envers ce serviteur parce qu'il a fait ce qui lui était ordonné ? De même, vous aussi, quand vous avez fait tout ce qui vous était ordonné, dites : "Nous sommes des *serviteurs* [= esclaves] quelconques. Nous avons fait seulement ce que nous devions faire".

Marc (10, 45) semble être le seul évangéliste à user du terme « pais », présentant le Christ comme un serviteur humble, bien que Fils de Dieu : "Aussi bien, le Fils de l'homme lui-même n'est pas venu pour être servi, mais pour servir et donner sa vie en rançon pour une multitude." Autrement dit : Jésus est venu pour se mettre dans la situation de l'esclave !

Certains Pères de l'Église, des théologiens et des papes ont eu recours à de tels passages de l'Évangile pour prouver que l'esclavage correspond à la volonté de Dieu. Jésus lui-même, disaient-ils, a accepté l'esclavage. Jésus donne des exemples où interviennent des esclaves, ce qui prouve bien qu'il accepte la subordination des esclaves. Plus encore, Jésus admire le service des esclaves humbles et soumis. Donc, c'est quelque chose d'admirable, nullement contraire à la volonté de Dieu !

L'on peut rétorquer à ces « spécialistes de Dieu » que Jésus cite l'exemple de l'esclavage pour faire ressortir un argument. Certes, il n'a pas aboli l'esclavage, pas plus qu'il n'a supprimé la dépendance sociale des femmes, mais *il n'est pas permis de conclure de ces textes qu'il accepte l'esclavage.* Il faut savoir que Jésus utilise un symbolisme littéraire qu'il est tentant d'interpréter de manière « réaliste ». Jésus est venu « aménager » la Loi mosaïque, c'est-à-dire conserver ses aspects positifs et abolir au contraire ses aspects négatifs pour le genre humain. L'esclavage étant un impératif inhumain, l'on voit mal comment le Christ pouvait l'admettre aussi simplement !

Les apôtres, qui continuent l'œuvre du Christ, vont également se hasarder à soutenir, semble-t-il, l'institution esclavagiste. C'est surtout Paul, qui s'est proclamé apôtre de Jésus sans avoir compté parmi les douze compagnons du Maître, qui va amplifier les sens de *pais* et de *doulos*, en leur donnant une résonance particulière.

L'apôtre Paul : "Que chacun demeure dans l'état même où il a été appelé" ; "Esclaves, obéissez à vos maîtres" !

Au départ, saint Paul, jadis appelé Saul, n'aimait pas le Christ, l'on ne sait pourquoi. Aussi se mit-il à persécuter les chrétiens, cherchant à les réduire en esclavage. Mais un jour, le Seigneur lui apparut et l'interpella : "Saul, pourquoi me persécutes-tu ?". Saul se convertit et devint Paul. Il reçut la mission de propager le message du Christ. Le comprit-il avec précision ? Ce n'est pas sûr.

Pour cet ancien persécuteur des chrétiens, Jésus n'a pas été envoyé sur terre pour être le maître absolu, mais pour se faire esclave du genre humain tombé dans le péché (épître aux Philippiens, 2, 6-7) :

> "Lui, de condition divine,
> ne retint pas jalousement
> le rang qui l'égalait à Dieu,
> Mais il s'anéantit lui-même,
> Prenant condition d'esclave."

Le Christ étant totalement assujetti à Dieu le Père, et les chrétiens au Christ, pourquoi les hommes qui sont dans le péché (les Noirs sont alors considérés comme les fils maudits par Dieu) ne seraient-ils pas esclaves de ceux qui ne sont plus dans le péché (les chrétiens) ?

Si donc les Noirs, prétendent les négriers, acceptent d'être baptisés, ils ne seront plus esclaves de la malédiction divine qui les poursuit depuis la nuit des temps. Sur l'existence de l'esclavage lui-même, Paul commence par la nier, suivant en cela le Christ (épître aux Galates, 3, 27-29) :

> "Car tous, vous êtes fils de Dieu par le moyen de la foi en Christ Jésus ; vous tous, en effet, qui avez été baptisés en Christ, c'est Christ que vous avez revêtu. Il n'y a ni Juif ni Grec ; il n'y a plus ni esclave ni homme libre, il n'y a ni homme ni femme, car vous êtes un en Jésus-Christ. Mais si vous êtes du Christ, alors êtes descendance d'Abraham, héritiers selon la Promesse."

Après cette déclaration de bonne intention, Paul se perd. Il reconnaît à présent l'esclavage comme un fait de la société. Le condamner serait bouleverser l'ordre établi et inciter ainsi à la révolte, ce qu'un bon disciple du Christ ne ferait pas. L'apôtre l'écrit aux Corinthiens (1 Co 7, 20-23), à qui il explique que le sort des esclaves est enviable :

> "Par ailleurs, que l'on continue de vivre chacun comme Dieu lui a fait sa part, chacun comme Dieu l'a appelé. C'est ce que je prescris dans toutes les Eglises [...].

Etais-tu esclave, lors de ton appel ? Ne t'en soucie pas ! Et même si tu peux devenir libre, profite plutôt de ta condition servile. Car celui qui était esclave lors de son appel au Seigneur est un affranchi du Seigneur. De même, celui qui était libre lors de son appel est un esclave du Christ. Vous avez été achetés bien cher ! Ne vous rendez pas esclaves des hommes. Que chacun, frères, demeure devant Dieu dans l'état où il a été appelé."

Les esclavagistes s'empareront de cet argument pour dire que les Africains esclaves sont mieux lotis (en habillement, en nourriture, en mode de vie) que les Africains en liberté chez eux ; ils brandiront également l'argument pour s'opposer à l'abolition de l'esclavage. Les esclaves constituant la caste inférieure de la société, ils sont tenus de vouer une obéissance inconditionnelle aux maîtres. Paul est loquace sur ce point. Aux Romains (Rm, 6, 16) :

"Ne savez-vous pas que
si vous vous livrez à quelqu'un comme esclaves pour lui obéir,
vous êtes esclaves de celui à qui vous obéissez,
soit du péché qui conduit à la mort,
soit de l'obéissance qui conduit à la justice ?"

Paul, *Epître aux Ephésiens* (Ep. 6, 5-8) :

"Esclaves, obéissez à vos maîtres selon la chair avec crainte et tremblement, dans la simplicité de votre cœur.
Obéissez comme au Christ, non parce qu'on vous voit, ni dans la pensée de plaire aux hommes, mais comme des esclaves du Christ, qui font la volonté de Dieu de toute leur âme, asservis de bon gré, comme si vous l'étiez au Seigneur et non à des hommes, qu'il soit esclave ou homme libre."

Cette exhortation se retrouve mot à mot dans les épîtres aux Colossiens (Col 3, 22-25), mais également, exprimée différemment, dans l'épître à Tite et dans la première lettre à Timothée.

A Tite, Paul rappelle les devoirs particuliers qu'il faut enseigner à certains fidèles comme, par exemple, les vieillards, les femmes âgées, et les esclaves (Tt 2, 9-10) :

"Exhorte les esclaves à être soumis en tout à leurs maîtres,
à leur plaire, à ne pas être contredisants, à ne rien détourner,

mais à montrer toujours une parfaite fidélité,
afin de faire honorer en tout la doctrine de Dieu notre Sauveur."

A Timothée (1 Tm 6, 1-2) :

"Que tous ceux qui sont sous le joug de l'esclavage
estiment leurs propres maîtres comme dignes de tout honneur,
afin que le nom de Dieu et que la doctrine ne soient pas
calomniés.

Et que ceux qui ont des croyants pour maîtres ne le
méprisent pas,
sous prétexte qu'ils sont frères,
mais qu'ils les servent
d'autant mieux que ce sont des croyants et des bien-aimés
qui reçoivent leurs bons services."

L'on voit que saint Paul ne condamne pas en principe
l'esclavage, mais cherche à le sublimer et à l'adoucir. En
effet, il reconnaît aux gens le droit d'avoir des esclaves, mais
il prie les propriétaires de ces « marchandises » à les traiter
« humainement » (Ephésiens, 6, 5-9) :

"Et vous maîtres, agissez de même à leur égard,
et abstenez-vous de menaces,
sachant que leur Maître et le vôtre est dans les Cieux,
et que, devant lui, il n'y a point d'acception de personnes."

Sur la même ligne, saint Pierre édicte certaines règles de
vie sociale s'adressant aux esclaves, mais sans inviter les
maîtres à être « humains » (*1er Epître de Pierre*, 2, 18-25) :

"Domestiques, soyez soumis à vos maîtres en toute crainte,
non seulement à ceux qui sont bons et modérés, mais encore à
ceux qui sont tordus.

Car c'est une grâce de supporter, par égard pour Dieu, des
peines que l'on souffre injustement.

Quelle gloire y a-t-il, en effet, à supporter de mauvais
traitements pour avoir fauté ?

Mais supporter la souffrance quand on fait le bien, c'est une
grâce devant Dieu.

Car c'est à quoi vous avez été appelés, puisque Christ a
souffert pour vous, vous laissant un exemple afin que vous
suiviez ses traces, lui qui n'a pas commis de péché et dans la
bouche duquel on n'a pas trouvé de ruse ; lui qui, insulté, ne

rendait pas l'insulte ; souffrant, ne menaçait pas, mais s'en remettait au juste Juge ; lui qui, sur le gibet, a porté lui-même nos péchés dans son corps, afin que, morts aux péchés, nous vivions pour la justice ; lui dont la meurtrissure vous a guéris.

Car vous étiez errants comme des brebis, mais maintenant vous êtes retournés au berger et au surveillant de vos âmes."

Ces préceptes de l'apôtre Pierre vont figurer en bonne place dans la religion que les missionnaires vont inculquer aux esclaves africains aux Antilles françaises. C'est un véritable succédané d'éducation chrétienne qui contribuera à vanter la soumission aux bourreaux.

Mais revenons à Paul, pour dire que, dans une lettre à Philémon, il invite tout esclave à considérer son maître comme son père, et donc de lui être totalement soumis (Epître à Philémon, 10-25) :

"La requête est pour mon enfant, que j'ai engendré dans les chaînes,

cet Onésime, qui jadis ne te fut guère utile,

mais qui désormais te sera bien utile, comme il l'est devenu pour moi.

Je te le renvoie, et lui, c'est comme mon propre cœur.

Je désirais le retenir près de moi, pour qu'il me servît en ton nom

dans ces chaînes que me vaut l'Evangile ;

Cependant, je n'ai rien voulu faire sans ton assentiment, pour que ce bienfait ne parût pas t'être imposé, mais qu'il vint de ton bon gré.

Peut-être aussi Onésime ne t'a-t-il été retiré pour un temps afin de t'être rendu pour l'éternité, non plus comme un esclave, mais bien mieux qu'un esclave, comme un frère très cher :

il l'est grandement pour moi, combien plus va-t-il l'être pour toi, et selon le monde et selon le Seigneur !

Si donc tu as égard aux liens qui nous unissent, reçois-le comme si c'était moi.

Et s'il t'a fait du tort ou te doit quelque chose, mets cela sur mon compte.

Moi, Paul, je m'y engage de ma propre écriture : C'est moi qui réglerai...

Pour ne rien dire de la dette qui t'oblige toujours à mon endroit,
et qui est toi-même !
Allons, frère, j'attends de toi ce service dans le Seigneur ;
soulage mon cœur dans le Christ.

Ainsi, tout en exigeant des esclaves une obéissance absolue, saint Paul demande également aux maîtres de les traiter humainement, mais l'on peut vraiment se demander si les enseignements de Paul II s'appliquent, comme le prétendent les négriers, à la situation des captifs noirs d'Amérique. Il semble que non, d'après Jean-Pierre Tardieu[1] :

"En définitive, la prédication de la soumission ne peut se comprendre sans la prédication de la libération dans le Christ rédempteur. La double relation esclavage apparent – esclave réel, soumission-fraternité dans le Christ est la dialectique essentielle du christianisme que l'Eglise saura utiliser aux Indes, face à un esclavage aux dimensions pourtant bien différentes de celles que présentait l'esclavage aux temps bibliques et à l'époque de la Révélation.

En effet, les esclaves de Corinthe, auxquels se réfère par exemple Paul, n'avait rien de la situation infra-humaine des esclaves des plantations ou des mines latino-américaines, et ceux de Rome avaient parfois des positions fort enviables. La réactualisation de la prédication de la soumission à l'époque esclavagiste n'impliquait-elle pas une distorsion des textes apostoliques ?"

En effet, à l'époque de la Révélation, les esclaves, en ayant le baptême, avaient retrouvé leur dignité et étaient invités au même repas (eucharistie) et à la même considération que les autres. De ces derniers, ils étaient devenus les frères, les frères du Christ, auxquels aucune brimade n'était plus permis. Or, au Nouveau Monde, bien que baptisés, les esclaves ne sortent pas pour autant de leur état de servitude. La libération prônée par saint Paul n'est pas sciemment reprise par les prédicateurs esclavagistes...

---

[1] J.-P. Tardieu, *L'Eglise et les Noirs au Pérou aux XVIe et XVIIe siècles*, p. 27.

De même, ceux-ci évitent soigneusement de dire que le Seigneur Jésus lui-même ne tolérait pas l'institution esclavagiste. L'on connaît son éminent commandement : "Aimez-vous les uns les autres. Ne faites pas à autrui ce que vous n'aimeriez pas que l'on vous fasse".

Ce commandement-là, ceux qu'on appelle les « Pères de l'Eglise » (canonistes, théologiens et papes qui, par leurs discours ou leurs écrits ont contribué à la fondation de l'Eglise) vont sembler l'ignorer, en ce qui concerne l'esclavage. Ils ne croiront qu'au contenu des textes anciens, ceux des « païens » grecs et ceux des Israélites (que le Christ a pourtant « aménagés », c'est-à-dire révoqués dans leurs aspects inhumains) et de ceux de Paul.

Enseignements des pères de l'Eglise

Concile de Gangres : "Si quelqu'un engage l'esclave à se soustraire à la servitude, qu'il soit anathème"

Les « Pères de l'Eglise », ceux qui prétendent succéder directement aux douze apôtres de Jésus et veulent continuer l'œuvre de Jésus en bâtissant une institution appelée Eglise, reprennent sans ménagement les conseils de saint Paul.

Ainsi, Tatien (Tatianos en grec), apologiste syrien (120-173), explique au chrétien que sa vie sur terre n'est qu'une étape qui prépare l'au-delà ; d'où chacun doit accepter sans broncher l'état social dans lequel il se trouve : "Si je suis esclave, je supporte la servitude ; si je suis libre, je ne m'enorgueillis pas de ma condition" (*Discours aux Grecs*). En même temps (dans l'Epître à Barnabé), Tatien exhorte le maître à plus de douceur : "Ne commande pas avec dureté à ton esclave ni à ta servante".

Saint Irénée (130-208), évêque de Lyon, Père et docteur de l'Eglise, adversaire des gnostiques, probablement martyrisé, recommande, lui aussi (dans son *Traité contre les hérésies*, IV, 331), au chrétien de manifester une indifférence à son statut terrestre et le convie à devenir « fils de Dieu » comme Jésus-Christ nous le demande.

Clément d'Alexandrie (latin Titus Flavius Clemens, 150-216), quant à lui (dans son ouvrage *Le Pédagogue*), invite le maître à "se servir des serviteurs comme de soi-même".

Tout le monde, dans l'Eglise naissante, est donc convaincu que l'esclavage est une loi de la nature, qui divise la société en riches et en pauvres, en maîtres et en esclaves : personne ne peut contredire ce que Dieu a voulu ! C'est ainsi que, en 324, le pape Sylvestre Ier (314-335), canonisé depuis, dirige le Concile de Gangres, à l'issue duquel *les Pères conciliaires notamment prononcent l'anathème contre quiconque détournerait les esclaves de leurs devoirs de servitude* :

> "Si quelqu'un, sous prétexte de pitié, engage l'esclave à mépriser son maître, à se soustraire à la servitude, à ne pas servir avec bonne volonté et respect, qu'il soit anathème."

L'Eglise entend ainsi réagir à l'adoucissement de l'esclavage qu'on constatait sous les empereurs chrétiens et byzantins. En effet, à cette époque, les affranchissements se faisaient parfois en masse ; les captifs étaient rachetés, et l'on tendait vers le servage.

Hubert Deschamps[1], qui cite le propos étonnant du concile de Gangres, le commente : "Cette déviation esclavagiste de l'enseignement du Christ semble nous écarter des Noirs. En réalité, elle leur préparait, pour l'avenir de longues chaînes."

"Dans l'esclavage, le christianisme confère la liberté... Aussi ne défend-il pas de rester esclave" (Chrysostome)

Personne dans l'Eglise ne contestera la décision du Concile de Gangres. Des Pères et des penseurs de l'Eglise travailleront dans le sens de l'argumenter et de le renforcer. Saint Cyrille (315-386), patriarche de Jérusalem (350) et docteur de l'Eglise, écrit, dans ses *Catéchèses baptismales* (XV, n. 23) : "Celui qui a pris la forme de l'esclave ne

---

[1] H. Deschamps, *Histoire de la Traite des Noirs de l'antiquité à nos jours*, p. 16.

méprise pas les hommes". Cette idée est reprise par saint Grégoire de Nazianze (330-390), Père et docteur de l'Eglise.

Saint Ambroise (339-397), évêque de Milan, Père et docteur de l'Eglise, qui contribua à la conversion de saint Augustin, dit : "Qui est esclave, sinon celui qui commet le péché ?".

Saint Jean Chrysostome (344-407), Père de l'Eglise d'Orient et docteur de l'Eglise, élu patriarche de Constantinople en 398, reprend l'argument de Tatien et d'Irénée sur le mépris de notre état social : "Dieu ne fait point acception des personnes et pour l'Eglise, il n'y a ni homme libre ni esclave". Il continue (*Homélie* 39), définissant l'esclavage :

> "L'esclavage est un mot : celui-là est esclave qui commet le péché ; et parce que Jésus-Christ par sa venue a détruit l'esclavage, et ne l'a laissé être qu'un mot, écoutez l'apôtre : ceux qui ont des maîtres fidèles, qu'ils ne les méprisent pas, parce qu'ils sont leurs frères. Voyez comme la vertu entrant au monde a rapproché jusqu'à la fraternité ceux qui, auparavant, portaient le nom d'esclaves".

Interprétant la première épître de saint Paul aux Corinthiens, Chrysostome se veut clair (*Homélie* IX) : "Voilà le christianisme : dans l'esclavage, il confère la liberté... Aussi le christianisme ne défend pas de rester esclave" !

Jean-Pierre Tardieu[1], qui reprend cet énoncé de Chrysostome, est catégorique :

> "On devine le poids de cette conclusion pour les ecclésiastique qui auront à prêcher la résignation aux victimes de la traite.
> La fraternité dans le Christ, au-delà de toute barrière ségrégative, l'exaltation de la souffrance par l'exemple du Christ, le renversement des valeurs qu'il a provoqué, seront des arguments dont s'inspireront les prédicateurs aux Indes."

Pour bâtir et justifier ce christianisme à la saint Chrysostome favorable à l'esclavage et à la servitude de

---

[1] J.-P. Tardieu, *L'Eglise et les Noirs au Pérou aux XVIe et XVIIe siècles*, p. 30.

l'esclave, d'autres Pères et docteurs de l'Eglise élaboreront des théories qui iront même puiser dans l'Antiquité païenne grecque.

Saint Augustin : "Le maître se résignera plutôt à l'autorité que l'esclave à la soumission"

L'un de tout premiers grands hommes d'Eglise à évoquer la malédiction de Cham (ou plutôt de son fils Canaan) est saint Augustin, de son vrai nom Aurelius Augustinus, citoyen romain, né à Tagaste (aujourd'hui Souk-Ahtas) et mort à Hippone (aujourd'hui Annaba), deux villes d'Algérie. Fils d'un païen et d'une chrétienne (sainte Monique), il étudie à Carthage (370) et enseigne la rhétorique à Thagaste (373), Carthage (374), Rome (383) et Milan (385), où saint Ambroise le convertit au christianisme en 386. De retour en Afrique (388), il devient prêtre (391) puis évêque titulaire d'Hippone (395). C'est à la fois un docteur et un Père de l'Eglise, connu pour avoir lutté contre les hérétiques (manichéens, donatistes, pélagiens) et écrit plusieurs ouvrages doctrinaux (*Les Confessions* entre 391 et 400, récit de sa conversion ; *De la Trinité*, entre 399 et 422 ; *La Cité de Dieu*, entre 413 et 424, synthèse de sa théologie ; *Rétractations* entre 426 et 427, etc.).

Sa théologie s'inspire des idées « païennes » du philosophe grec Platon (le platonisme prétend que l'Univers est le règne de l'harmonie et du divin ; aussi l'homme doit-il « se rendre, autant qu'il se peut, semblable à l'Etre absolu », c'est-à-dire intelligent, bon, etc.), qu'il rend « sages » et chrétiennes. « Docteur de la grâce », il influence Luther, Calvin et Jansénius, à la base des idées religieuses qui vont s'opposer au catholicisme romain (protestantisme, jansénisme).

Avec des envolées lyriques, une emphase et un génie redoutables, Augustin élabore une exégèse attribuant à Noé l'origine du mot « esclave », qu'il crée pour accabler Canaan, le fils de son enfant irrévérencieux (Cham) ; Dieu, qui écoute toujours son fidèle serviteur Noé (qui est un « être rationnel », et avec lui, ses fils Sem et Japhet et leurs descendants), aurait par la suite institué l'esclavage pour punir tout péché commis par les « brutes » ou « êtres irrationnels » (progéniture de Canaan)[1] :

> "Dieu voulut que l'homme rationnel, créé à son image, dominât uniquement les irrationnels : pas de domination sur l'homme, mais l'homme sur le brute (*non hominem homini, sed hominem pecori*)... Le mot d'esclave n'est jamais employé dans les Ecritures avant que le juste Noé n'ait châtié avec ce mot le péché de son fils (*hoc vocabulo... peccatum filii vindicaret*)."

Donc, pour Augustin, l'esclavage est une conséquence du péché. Punissant une faute commise, il prévient le développement de la méchanceté : c'est une loi naturelle qu'il ne faut chercher à contredire. Augustin estime que les "bons frères", Sem ("dont le nom signifie le Nommé et dont la semence générera le Christ selon la chair") et Japhet ("dont le nom signifie l'Etendue des nations") ont le devoir d'asservir le « mauvais frère », Cham ("dont le nom signifie le Rusé, fils intermédiaire de Noé"). Sem, on l'aura compris, est l'ancêtre des Israélites (Sémites, parmi lesquels Jésus), tandis que Japhet l'est pour les autres Blancs.

Mais puisque un homme (Noé) et son épouse ne peuvent donner que des enfants ayant leur couleur de peau, comment faire pour que le fils maudit (Cham), dont l'âme a été « noircie », ait de même une peau noire ? Ce sont les Pères de l'époque d'Augustin – époque patristique (IVe au VIe siècles) qui décrètent que *la couleur noire sera assimilée au péché, à la tentation, au démon, tandis que la blanche symbolisera Dieu, ses saints et tout ce qui est pur*. Les raisonnements patristiques nourriront les errements des écoles scolastique et néo-scolastique.

Ainsi, pendant des siècles, plusieurs Pères de l'Eglise reprendront et étofferont certains éléments de l'analyse paulinienne pour bâtir des théories farfelues sur le thème de l'adéquation de l'esclavage en tant que préservation de la (bonne) nature face à ce qui viendrait obstruer sa finalité (le bien). C'est le cas de saint Augustin, chez qui l'esclavage est

---

[1] S. Augustin, *Cité de Dieu*, liv. 19, chap. 15.

une punition imposée au pécheur : Dieu, en créant l'homme, être raisonnable, à son image, a voulu qu'il demeure libre ; c'est le péché "qui fait que l'homme tient l'homme dans les chaînes et toute sa destinée ; et cela n'arrive que par le jugement de Dieu, en qui il n'est point d'injustice, et qui sait mesurer les peines aux démérités."

Augustin se réfère alors à Paul pour exiger que l'esclave ne cherche jamais à se révolter, mais qu'au contraire il obéisse en tout temps et en toutes circonstances à son maître :

> "C'est pourquoi l'apôtre invite les esclaves à demeurer soumis, à servir de cœur et de bonne volonté, afin que, s'ils ne peuvent être affranchis par leurs maîtres, eux-mêmes affranchissent, pour ainsi dire, leur propre servitude, témoignant dans leur service non l'hypocrisie de la crainte, mais la fidélité de l'affection jusqu'à ce que l'iniquité passe, et que toute souveraineté, toute puissance humaine étant anéanties, Dieu soit tout en tous."

Pour Augustin, l'esclave ne peut pas se détacher de son maître parce que les deux forment une même famille, cellule de base de la Cité. Dans cette famille,

> "le maître aura plutôt besoin de se résigner à l'autorité que l'esclave à la soumission. [En effet] il est manifeste que la paix de la famille doit se rapporter à l'accord de l'autorité et de l'obéissance entre les habitants de la Cité."

En résumé, Augustin justifie l'esclavage par le péché. Comme il le décrète dans *La Cité de Dieu* :

> "La cause première de l'esclavage est le péché qui a soumis l'homme au joug de l'homme, et cela n'a pas été fait sans la volonté de Dieu qui ignore l'iniquité et a su répartir les peines comme salaire des coupables."

Cette idée de culpabilité est reprise et renforcée au VIIe siècle par Saint Isidore de Séville (560-635), un autre docteur de l'Eglise. Cet archevêque de Séville (601), organisateur de l'Eglise d'Espagne, affirme en effet, dans ses *Etymologies*, une impressionnante somme encyclopédique,

que les esclaves, collectivement coupables, ne peuvent – et ne doivent – échapper à leur sort :

"A cause du péché du premier homme, la peine de la servitude a été infligée par Dieu au genre humain : à ceux auxquels ne convient pas la liberté il a miséricordieusement accordé la servitude."

On revient là à l'esprit au concile de Gangres, qui menace d'excommunier toute personne qui inciterait l'esclave à désobéir à son maître ou à ne pas accomplir son service. D'ailleurs, en 650, le pape Martin Ier réactualisera le décret édicté lors de ce concile.

Dès cette époque, l'esclavage devient pratiquement la solution idéale retenue pour punir tous ceux qui seraient nés ou vivraient dans le péché : l'esclavage est ainsi imposé par le 9e Concile de Tolède aux enfants de prêtres (655), par le Synode de Melfi, sous le pape Urbain II, aux veuves de prêtres (1089) et par le Troisième Concile de Latran à ceux qui apportent leur aide aux Sarrasins (1179). En 1226, le pape Grégoire décide d'inclure la légitimité de l'esclavage dans l'officiel *Corpus Iuris Canonici*, basé sur le *Décret de Gratien*, qui est devenu la loi officielle de l'Église.

Thomas : "L'esclave est quelque chose de son maître" !

C'est dans la lignée de la décision du concile de Gangres, et nonobstant l'autre décision contradictoire de Rome interdisant au maître de tuer sans droit un serviteur (décision prise, on ne sait pourquoi, moins de deux siècles plus tard, au concile d'Albion, en 517), que saint Thomas d'Aquin (1224 ou 1225-1274), un des docteurs de l'Eglise les plus connus, cautionne également l'esclavage, et même de manière plus appuyée. Celui que l'on surnomme le « Docteur angélique » est un éminent théologien et philosophe italien, qui entre dans l'ordre de Saint-Dominique en 1240 (ou 1243) ; il enseigne à Paris, à Rome, à Viterbe et à Naples. Sa métaphysique repose sur une distinction : chez tous les êtres créés, l'essence se distingue de l'existence ; seul Dieu existe par lui-même.

L'influence du *thomisme*, la plus grande synthèse théologique du Moyen Age, qui concilie la pensée d'Aristote et le dogme chrétien, a été forte jusqu'à nos jours. Il produit de nombreux ouvrages, dont les principaux sont : *Commentaires* sur Aristote, sur les Ecritures, etc. ; *De l'Etre et de l'Essence, Somme contre les gentils* (1258-1264) et surtout *Somme théologique* (1266-1276).

Dans cette dernière œuvre, Thomas reprend l'essentiel du paganisme aristotélicien et de la thématique augustinienne, qu'il synthétise avec l'égalitarisme des stoïciens, avant d'expliquer froidement que l'esclavage, dérivé du « droit des gens », est conforme à la nature et obéit donc à un ordre divin. Le maître, à qui l'on demande d'être sage, doit gouverner l'esclave, et celui-ci doit lui prêter son aide. L'esclave doit savoir qu'il n'est asservi que dans son corps, son esprit étant libre. Par conséquent, aucun rapport de justice ne doit exister entre le maître et son serviteur :

> "Il ne doit pas y avoir de droit spécial du maître ou du père car c'est le bien privé d'une personne ou d'une famille et la loi concerne le bien commun de la cité et du royaume... [En conclusion] entre le père et le fils, de même qu'entre le maître et son esclave, il n'y a pas de rapports comme entre deux êtres différents... [cela peut s'expliquer de deux façons : 1°] Entre un maître et son esclave, il n'y a pas de justice proprement dite parce qu'en un sens ils ne font qu'un. [2°] L'esclave est quelque chose de son maître. La notion parfaite de droit et de justice se trouve là en défaut..."

La seule « justice » entre maître et esclave que saint Thomas accepte est une justice domestique, celle qui se pratique dans la maison, celle qui dépend du bon vouloir du père envers son enfant. Dans le même sens, saint Augustin, se référant soi-disant à la Bible, accepte et justifie la « torture du mauvais serviteur », et distingue, conformément au Droit canon, entre les coups (licites) et les amputations (illicites) !

Jean-Pierre Tardieu résume la bien la conséquence des théories de saints Augustin et Thomas sur l'esclavage des Noirs en Amérique[1] :

"En définitive, si la raison accepte la servitude comme châtiment du péché, cette servitude est utile au genre humain. Voilà une concession que les négriers ne devaient pas oublier.

Le poids des théories de Saint Augustin et de Saint Thomas est considérable pour le chrétien face à la traite des Noirs. La servitude est le résultat de la violation de l'ordre de la nature. La référence à la malédiction de Noé sur la descendance de Cham aura un impact immense. Lorsqu'on présentera les Noirs comme les descendants de Cham, cela reviendra à justifier leur esclavage, car, comme le souligne Saint Augustin, "cela ne s'est fait que par le jugement de Dieu en qui il n'y a point d'injustice".

Les néo-scolastiques : Les captifs d'une guerre juste sont réductibles en esclavage " !

Nous avons vu que ce sont les théologiens et les docteurs chrétiens qui assoient l'idée d'une malédiction divine des Noirs, qui justifierait ainsi leur esclavage. Par exemple, saint Thomas, qui est une référence dans la pensée catholique, justifie l'esclavage dans plusieurs cas. En particulier, il considère, à la suite de tant d'autres, que les prisonniers capturés dans une « juste » guerre (guerre « sainte ») peuvent être réduits en esclavage. Il s'agit évidemment des prisonniers musulmans, hérétiques, schismatiques ou « païens » (Il est vrai que ces derniers traitaient également comme des esclaves les prisonniers catholiques). Plusieurs bulles pontificales, dont la célèbre demeure sans doute *Romanus Pontifex* du pape Nicolas V (1455), essaient de légitimer cette réduction en esclavage. Elles y voient même l'occasion rêvée de christianiser les captifs.

C'est la thèse défendue par le théologien Vitoria, l'éminent théoricien du « droit des gens », qui est la reprise de l'exégèse augustinienne et thomiste. Pour légitimer la

---

[1] J.-P. Tardieu, *L'Eglise et les Noirs au Pérou aux XVIe et XVIIe siècles*, p. 33.

conquête chrétienne entreprise par le Portugal et d'autres nations européennes, Vitoria se sert de la théorie du « droit des gens », qui est une vieille théorie élaborée jadis par le philosophe païen grec Aristote et revalorisée au niveau de l'Eglise par Saint Thomas d'Aquin, qu'il a lui-même héritée de Saint Augustin. Dans sa *Somme théologique*, nous avons vu que Thomas parle en effet d'un esclavage dérivé du droit des gens, conforme à la nature.

La néo-scolastique avec certains théologiens ayant une pensée similaire ne fait que renouveler ou remodeler ce vieux thème. Vitoria par exemple soutient sans rire que la colonisation se fait d'abord pour le bien des « barbares » qui ne diffèrent pas des animaux, n'ayant rien inventé et se montrant incapables de s'auto-conduire[1] :

> "... il semble qu'il faille employer vis-à-vis des Indiens les mêmes procédés que l'on emploierait vis-à-vis d'êtres dépourvus de raison ; car, pour se gouverner eux-mêmes, ils ne leur sont pas supérieurs, ou le sont très peu. Ils sont à peine supérieurs aux bêtes : leur nourriture est aussi primitive et à peine meilleure que celle des animaux : ils devraient donc être, comme les animaux, soumis au gouvernement des gens civilisés...
>
> Et assurément cette opinion pourrait se baser sur ce précepte de charité, car ces barbares sont notre prochain ; nous devons nous préoccuper de leur bien : mais... [il faut] remarquer que ce que l'on fait, on doit le faire pour leur bien et pour leur utilité et non pour l'avantage des Espagnols."

A un de ses confrères dominicains qui lui demandent si l'esclavage et le monnayage des Noirs ou des Indiens peuvent bibliquement se justifier, Vitoria se perd dans sa rhétorique théologique, affirmant ne pas savoir les méthodes et les moyens qu'utilisent les Portugais et les Espagnols pour capturer et acheminer les esclaves au marché. Il se fait l'avocat du roi lusitanien, estimant invraisemblable que celui-ci puisse tolérer le marchandage d'êtres humains. Par conséquent, il ne voit pas pourquoi les acheteurs d'esclaves devraient avoir quelque scrupule ! Il

---

[1] M. Merle, *L'anticolonialisme européen de Las Casas à Marx*, pp. 59-60.

s'agit sans doute d'esclaves de guerre, soupire Vitoria, avant de délirer[1] :

"Les Portugais n'ont pas à savoir si les guerres que les barbares se font entre eux sont justes ou injustes. Il suffit qu'untel soit esclave, de fait ou de droit, et je l'achète tout de go !"

Mais pourquoi alors la pratique chrétienne de l'esclavage ne concerne-t-elle seulement que les peuples de couleur noire, et non certains autres peuples « païens » ? Cette question est posée avec la « découverte » des Indes occidentales (l'Amérique), par Christophe Colomb. Nous avons vu qu'à la suite de cette « découverte », les conquistadores, dans leur soif de s'emparer des richesses du «nouveau monde» et de christianiser intempestivement les Indiens, massacrent ceux-ci qui osent défendre leur trésor et leur civilisation.

Las Casas, dans sa *Brevissima Relacione de la destruccion de las Indias*, parle ainsi de "la cruauté des Espagnols [qui] s'est avérée si grande que sur trois millions d'indigènes vivant sur la Isla Espagnola [Haïti] il n'en est plus que deux cents".

Las Casas contre l'esclavage des Indiens... mais pour celui des Noirs !

Indifférente au départ, la conscience catholique va protester contre le génocide des Amérindiens dès le XVIe siècle. Tout commencerait en 1511, lorsque le dominicain portugais Antonio de Montesinos inaugure la lutte pour la justice. Dans un sermon[2], le plus rare et sans doute le plus beau qu'ait jamais fait un prélat en faveur des opprimés, il accuse les colons d'Hispaniola (Saint-Domingue, actuel Haïti) de commettre, sur les Indiens, des péchés mortels.

"Vous êtes tous en état de péché mortel, que vous y vivez, qui vous y mourrez, à cause de la cruauté et de la tyrannie dont vous faites preuve à l'égard de ces peuples innocents. Dites-moi,

---

[1] F. Vitoria, *Releccionnes sobre los Indios*, Austral, Madrid, 1975, p. 23.

[2] Dans M. Bataillon et A. Saint-Lu, *Las Casas et la défense des Indiens*, Juliard, 1971, pp. 67-68.

de quel droit et en vertu de quelle justice tenez-vous ces Indiens dans une si cruelle et horrible servitude ? Qui pouvait vous autoriser à faire toutes ces guerres détestables à des gens qui vivaient tranquillement et pacifiquement dans leur pays, et à les exterminer en nombre si infini, par des meurtres et carnages inouïs ? Comment pouvez-vous les opprimer et les épuiser ainsi, sans leur donner à manger ni soigner les maladies auxquelles les exposent mortellement les tâches excessives que vous exigez d'eux et encore serait-il plus juste de dire que vous les tuez pour extraire et amasser votre or quotidien ?...

Ces gens ne sont-ils pas des hommes ? N'êtes-vous pas obligés de les aimer comme vous-mêmes ? N'ont-ils pas une âme, une raison ? N'avez-vous pas le devoir de les aimer comme vous-mêmes ?... Soyez persuadés que dans l'état où vous êtes, vous ne ferez pas plus votre salut que les Maures et les Turcs qui ignorent ou méprisent la foi de Jésus-Christ."

Parmi les colons esclavagistes qui ont suivi ce beau discours, il y a Bartholomé Las Casas (1474-1566), ordonné prêtre en 1510 à Cuba, après avoir quitté l'Espagne pour les plantations de son père (compagnon de Christophe Colomb) dans l'île d'Hispaniola. En 1514, soit trois ans après la prêche de Montesinos, il se repent de son injustice à l'égard des Indiens, et devient dominicain en 1522. Désormais, et pendant un demi-siècle, il devient le fervent défenseur de la cause indienne (on le surnommera « Protecteur des Indiens »), un peu comme le bourreau Saint Paul qui devient l'apôtre de ses anciennes victimes !

Parmi les méthodes qu'il préconise pour abolir l'esclavage de ses chers Indiens (lesquels, affirme Las Casas, seraient des "gens fragiles, de complexion délicate", et donc inaptes aux durs travaux des plantations et des mines), il propose, en 1516, que ces derniers soient remplacés dans des plantations et comme esclaves par des Noirs (à cause de leurs corps robustes : 1 Noir vaut 4 Indiens au travail, dit-on alors en Amérique), qu'on ferait venir de l'Afrique ou des Antilles et qu'on distribuerait aux colons (à raison de douze par chacun) !

Les adversaires de Las Casas prétendent que l'introduction des esclaves noirs en Amérique faisait son affaire, puisqu'il attendait des intérêts des compagnies pratiquant la traite négrière. Las Casas, qui parle de lui à la troisième personne, reconnaît à la fois avec humilité et noblesse son erreur ; il regrettera son geste durant toute sa vie[1] :

"Cet avis de donner licence d'importer des esclaves noirs en ces terres fut donné par le jeune prêtre Las Casas dans un premier temps, sans prendre garde à l'injustice de leur capture par les Portugais et de leur réduction en esclavage. Depuis qu'il l'a appris, il ne l'aurait pas fait pour tout au monde, parce que toujours il a tenu pour injuste et tyrannique leur réduction en esclavage, car la même raison est en eux comme dans les Indiens.... [Aussi] de cet avis qu'il donna, il ne s'est pas peu repenti depuis lors, se jugeant coupable par inadvertance. En effet, plus tard, il eut l'évidence qu'en vérité la captivité des Noirs n'était pas moins injuste que celle des Indiens. [...]

Ce ne fut pas un bon remède ce conseil qu'il donna de transporter des Noirs pour libérer les Indiens, bien qu'il supposât qu'ils étaient justement captifs ; et il n'est pas certain que l'ignorance où il était et sa bonne volonté soient des excuses pour lui devant le Juge divin."

Las Casas parvient donc à admettre s'être trompé en pensant que les Noirs étaient moins hommes que les Indiens. Mais le mal était fait (avant et avec lui), et, apparemment, il était le seul, bien que trop tard, à prendre conscience de l'état d'humanité des Noirs. Mais cela ne signifie pas que Las Casas va se battre pour les Noirs, non. Son combat, jusqu'à sa mort en 1566, à l'âge de quatre-vingt-douze ans, le sera pour la cause indienne.

Ce combat, qui consiste surtout à dénoncer l'*encomienda* (répartition autoritaire des esclaves indiens entre les colons) et le *requerimiendo* (obligation faite aux conquistadores pénétrant sur un territoire de sommer ses occupants d'accepter l'enseignement de la foi catholique

---

[1] Las Casas *Histoire des Indes*, livre III, chap. 102-103 et 129 ; cité dans M. Bataillon et A. Saint-Lu, *op. cit.*, p. 109 et dans H. Deschamps, *Histoire de la Traite des Noirs*, pp. 48-49 (les deux citations sont légèrement différentes).

sous peine d'être dépouillés de leurs biens et réduits en esclavage)[1], est mené avec une telle vigueur que le peuple catholique d'Espagne et Rome, qui croyaient à la justification divine, sont émus.

C'est d'abord le roi d'Espagne qui en 1523 déclare timidement que les Indiens sont libres. De même, Antonio de Montesinos, Francisco de Vitoria et les autres défenseurs des Indiens ne se battront que pour ces derniers, *ignorant superbement les Noirs*.

Ainsi donc, Las Casas, contrairement à des théologiens comme Vitoria, ne croit pas à la notion platonicienne ou aristotélicienne d'un esclave « par nature », ou esclave de

---

[1] Elaboré par les théologiens castillans tous acquis à la conquête coloniale, le *requerimiendo* est un interminable document comportant un historique de la religion catholique, qui débute au premier chapitre de la Genèse et se termine avec la mission (non biblique) confiée (par la papauté) aux rois d'Espagne. Destiné à être signifié aux Indiens (et plus tard aux Noirs) au cours de réunions publiques, il s'achève par la phrase non ambiguë suivante : "Si vous n'obéissez pas au Pape et à Sa Majesté, je vous certifie qu'avec l'aide de Dieu, je vous ferai la guerre par tous les moyens en mon pouvoir". Le texte «sacré» issu des laborieuses cogitations théologiques est lu en l'état – sans traduction et sans interprète – aux Indiens (et aux Noirs) déjà enchaînés, de sorte que ceux-ci ne pouvant y répondre, sont roués de coups et immédiatement réduits en esclavage. Las Casas, contre la papauté qui ne trouve rien à dire au *requerimiendo*, relate avec précision l'application de celui-ci : "Ils arrivent de nuit, les sinistres brigands espagnols, jusqu'à une demi-lieue du village et, là, ils lisent la « requête » disant : Caciques et Indiens de cette terre, de cette localité, nous vous faisons savoir qu'il y a un Dieu, un pape et un roi de Castille qui est le seigneur de territoire. Venez lui exprimer votre obéissance, sinon nous vous ferons la guerre, nous vous tuerons, nous vous placerons en captivité. Et à l'aube, alors que dorment les innocents, ils pénètrent dans le village, mettent le feu aux maisons de paille, font brûler vifs femmes et enfants, et tourmentent les survivants pour qu'ils leur disent où ils pourront trouver plus d'or qu'ils n'en ont découvert jusqu'ici. Ceux qui en réchappent sont emmenés enchaînés comme esclaves" (Cité par J.-F. Baqué, *La Conquête des Amériques, XVe-XVIe s., op. cit.*, p. 384). Après les Espagnols, les Portugais, les Français, les Anglais, les Hollandais et d'autres peuples colonisateurs pratiqueront, sous des formes plus ou moins semblables ou différentes, l'*encomienda* et le *requerimiendo*.

fait ou de droit. "Au diable Aristote ! Ce n'était qu'un païen et sa parole ne vaut rien lorsqu'elle contredit le contenu de l'Ecriture", s'écrit Las Casas. L'esclavage, pense-t-il, ne peut être qu'accidentel, conséquence du hasard ou de la fortune ; il est un effet du droit *secondaire* des gens. Si l'on doute sur la liberté d'une personne, on devrait trancher en faveur de sa liberté ; de cette façon, les Indiens faits esclaves doivent être libérés immédiatement.

La thèse de Las Casas, du moins dans un premier temps, ne vaut que pour les Indiens. Les Noirs, eux, n'ont pas de défenseurs. Ce qui amène Jean Comby[1] à écrire :

"C'est le mode de capture qui décide de la légitimité ou non de l'esclavage. On se rend bien compte que les millions de Noirs (entre 12 et 20) qui ont été amenés d'Afrique n'ont pas été capturés dans une juste guerre. Alors on invoque les nécessités économiques ou l'obligation pour les sociétés de tolérer un certain nombre d'abus tels que l'usure, la prostitution et la traite. D'ailleurs les Noirs étaient baptisés avant d'être embarqués pour l'Amérique et les missionnaires catholiques redoutaient surtout qu'ils soient vendus à des hérétiques, Anglais ou Hollandais, ce qui était pour les pauvres esclaves l'assurance de la damnation."

Louis Sala-Molins[2] pense que la néo-scolastique, l'école dans laquelle on trouve des théologiens aussi différents que Vitoria et Las Casa, a poussé

"jusqu'à l'absolue égalité entre la légitimité du droit des Indiens à être maîtres chez eux et le droit des nations européennes à l'être chez elles. En revanche, elle ne corrigea pas le récit biblique dans le passage capital de la malédiction liminaire sur Cham. Elle ne gomma de ses références ni l'exégèse augustinienne..., ni les arrangements thomistes touchant à la relecture des bienfaits de l'esclavage en terme de punition d'une faute, d'exercice partiel ou totale de sa souveraineté, de remède aux conséquences fâcheuses de la

---

[1] J. Comby, *Deux mille ans d'évangélisation*, pp. 109-110.

[2] L. Sala-Molins, *Le Code Noir, ou le calvaire de Canaan*, P.U.F., Paris, 1987, pp. 44-45.

culpabilité. L'Indien, non prévu au programme biblique, échappe au destin « politique » de Canaan et se voit octroyer les trois souverainetés (monastique, domestique, politique). Homme néanmoins (on a tardé à s'en convaincre, mais on y est parvenu), il n'échappe pas à la condamnation par démonolâtrie, pas davantage aux conséquences déplaisantes de cette attitude culturelle. Homme, il s'accroche à la souche adamite de l'humanité : on ne sait trop par quelles racines ou quels greffages, mais on ne veut pas sérieusement en douter.

Le Noir, lui, ne trouve pas si facilement grâce aux yeux de la néo-scolastique. Seul Las Casas pleurera toutes les larmes de son corps pour avoir cru un temps à la légende de l'incroyable robustesse des Africains et pour avoir plaidé l'emploi des Noirs aux travaux qui terrassaient les Indiens."

C'est donc au nom de la « sainte » scolastique, renouvelée par Vitoria et d'autres théologiens, que l'Eglise soutiendra encore pendant longtemps le principe d'un esclavage des « barbares ». Comme nous le verrons, ce sera seulement au XIXe siècle, avec le pape Grégoire XVI, que la Sainte Eglise catholique reconnaîtra enfin l'inadéquation d'un esclavage par nature des Noirs. Cela n'empêche que la néo-scolastique sera réaffirmée par une encyclique de Léon XIII, et le thomisme ne sera réaménagé, sans être abandonné, qu'au Concile de Vatican II (1962-1965) !

Avant cela, le thomisme a été largement utilisé pour légitimer les aventures que les Portugais, les Espagnols et les Européens, vont entreprendre en Afrique. Tous vont prétendre venir en Afrique pour les raisons suivantes : juste guerre (à l'islam), achat de gens déjà esclaves, salut des âmes païennes par le baptême...

Des clercs participent à la traite et possèdent des esclaves

Vente des esclaves, salaire des missionnaires

L'on sait que les rois portugais qui nouent des relations avec l'Afrique noire poursuivent un but purement économique : tirer profit du potentiel minier et humain pouvant servir dans leurs industries ou dans leurs plantations d'Amérique. C'est ainsi que s'organisent deux types de chasses bien juteuses, celle aux matières premières et surtout celle à l'homme. Dans ce commerce légalisé, prennent part, directement ou indirectement, tous les Portugais qui foulent le sol africain, des artisans aux missionnaires. Le christianisme que ces derniers véhiculent s'inscrit dans cette optique. Ce qui fait dire à Georges Balandier[1] qu'au royaume Kongo, "l'expansion chrétienne, la traite (celle des hommes en première place), le heurt de civilisations différentes et à certains égards antagonistes" apparaissent comme les éléments d'une même volonté, clairement définie en 1512 par le *regimento* du roi Manuel, selon lequel "le monopole commercial et la conquête spirituelle sont les buts et les moyens de la politique retenue à l'égard du Kongo". Le monopole commercial inclut naturellement la traite des Noirs, dont les droits royaux perçus s'élèvent jusqu'à 8000 reis par esclave « exporté ».

Il semble que le comportement peu recommandable de la majorité des missionnaires soit justement lié au départ par le salaire mirobolant que les autorités du *padroado* leur allouent pour récompenser leur travail. Cuvelier et Jadin tentent d'expliquer que les missionnaires, comme les autres Blancs, payés en *nzimbu*, coquillages-monnaie n'ayant cour qu'au Kongo, étaient contraints de transformer leurs revenus en la seule « monnaie » convertible au-dehors, les esclaves noirs. C'est dans ce sens qu'ils admettent, et même encouragent, les trafics d'êtres humains, s'il ne s'y impliquent pas carrément[2] :

"La précarité des moyens de paiement et la disposition de *nzimbu* donnés par le roi et les fidèles inciteront souvent les clercs, non seulement à convertir leur traitement et les dons reçus en esclaves vendus à Saõ Tomé, ce qui était prévu et légal, mais à faire aussi du trafic et à se livrer au commerce pour

[1] G. Balandier, *La vie quotidienne au royaume Kongo (XVIe - XVIIIe s.)*, Hachette, 1965, pp. 49-50.

[2] J. Cuvelier et L. Jadin, *L'Ancien Congo d'après les archives romaines (1518-1640)*, Bruxelles, 1954, p. 35.

subsister. Plusieurs se font d'ailleurs accompagner de parents, neveux ou autres, qui les aident et les incitent à faire du commerce".

Pour toutes ces raisons et quelques autres non évoquées, la première évangélisation n'avait donc pu aboutir à l'édification d'une véritable Eglise.

Georges Balandier résume parfaitement bien la situation des ecclésiastiques au royaume du Kongo, où évangélisation du peuple va souvent de pair avec traite et esclavage[1] :

"La couronne portugaise assurait partiellement la charge des frais résultant de l'action missionnaire, en s'efforçant de les compenser par un droit prioritaire en matière de vente d'esclaves. Les souverains kongo, de leur côté, devaient assurer à leurs dépens l'entretien des prêtres : ils percevaient une dîme en monnaie du pays, c'est-à-dire en coquillages *nzimbu*. Ces prélèvements affectés aux évêques, à leurs représentants et au clergé, ne pouvaient trouver un emploi en dehors du royaume. Ils servaient à se procurer vivres ou services et aussi à acquérir des esclaves. Ils entraînaient un trafic honteux permettant de ne point capitaliser en monnaie d'usage restreint. J. Cuvelier et L. Jadin mentionnaient ces occupations en principe défendues aux clercs. Déjà, le roi Afonso Ier [du Kongo] se plaignait d'une telle pratique, il dut procéder ou faire procéder à l'expulsion de prévaricateurs plus soucieux de leurs intérêts que du service de la foi.
L'emprise politique portugaise, l'établissement du christianisme et la traite négrière se trouvent étroitement liés ; ils constituent ensemble la structure spécifique de la première colonisation. Et l'on connaît même le cas révélateur d'un prêtre, le père Ribeiro, qui avait vendu les objets du culte afin d'acheter des esclaves ! [...]. Le clergé est non seulement concerné d'une manière directe, par sa participation au trafic, mais aussi d'une manière indirecte, par les simulacres de conversion et de protection spirituelle qui camouflent l'ignoble commerce. Il a baptisé les esclaves, « sans faire les catéchismes nécessaires », pour les protéger des « plus grands périls ». Il a défendu le monopole portugais et ses propres privilèges économiques,

---

[1] G. Balandier, *La vie quotidienne au royaume du Kongo*, pp. 71-72.

contre les Hollandais et les Anglais, avec l'argument de la lutte sainte contre les hérétiques. Ce n'est pas le principe de la vente des hommes qui est mis en discussion ; toute l'indignation tient au fait qu'il n'est pas *juste* « que les baptisés dans l'Eglise catholique soient vendus à des peuples ennemis de leur foi ». L'intransigeance spirituelle et l'intérêt matériel coïncidait en la circonstance.

Le clergé, à Kongo et en Angola, s'est inséré dans le système esclavagiste de manière très apparente. Les évêques et les missionnaires disposaient d'esclaves pour leur service et leurs plantations. Ils ont organisé leur vie quotidienne à l'image des notables kongo, préfigurant ainsi les modes d'exploitation agricole de l'Amérique portugaise : leurs missions annoncent la *casa grande* du Brésil colonial. [...]. L'ensemencement des âmes et la colonisation des terres n'ont pas été dissociés. L'esclavage trouvait là une raison supplémentaire de s'imposer, et d'autant mieux que les éléments indésirables, « à cause de délits ou de mauvaise conduite », étaient tirés des plantations pour être vendus aux commerçants négrières."

Ainsi, pendant qu'ils évangélisent les peuples noirs, brûlent systématiquement les « fétiches », organisent une chasse impitoyable aux *nganga-nkisi*, et administrent en masse des baptêmes, les missionnaires, bénissent les trafiquants et parfois participent eux-mêmes au juteux trafic. Jean Comby écrit que "beaucoup d'établissements religieux possèdent des esclaves. Selon des voyageurs jésuites, les maisons de la Compagnie en Angola (Saint-Paul de Loanda) en avaient douze mille."[1]

La traite et l'esclavage des Noirs, pratiqués par tous les étrangers, seront l'une des causes, sinon la cause principale, de l'effondrement du royaume Kongo.

Les clercs achètent et vendent des esclaves noirs, ne voyant rien "de condamnable dans cette pratique"

Les membres de la Société de Jésus comptent parmi les prélats les plus esclavagistes. En 1590, leur Général leur interdit pourtant l'achat et la vente des esclaves. Ceux qui

---

[1] J. Comby, *Deux mille ans d'évangélisation*, pp. 109-110.

œuvrent en Angola rejettent cet ordre, prétextant qu'il est impossible de vivre sans vendre des Noirs, ceux-ci constituant la monnaie courante du pays (la vraie monnaie du pays, le « nzimbu », n'aurait aucune valeur à leurs yeux) ! Ils ne vont ainsi cesser d'acheter des esclaves, de les acheminer en europe ou en Amérique – par petits paquets, pour cela ne se remarque point – pour que, vendus, ils leur rapportent des devises !

Arrivés en Amérique, les Noirs, expédiés ou non par les pères, sont dans un piteux état physique ; pour eux, le baptême était un rite d'entrée en esclavage. C'est ce que remarque le P. jésuite portugais Alonso de Sandoval, en recevant les captifs d'Afrique. Il se met alors à les instruire et, désirant connaître leurs mœurs et leurs pays, il écrit, en 1610, au recteur du collège jésuite de Saint-Paul de Loanda (actuelle Luanda, capitale d'Angola). La réponse de son correspondant arrive, toute simple dans son élaboration : le commerce des Noirs est légal et qu'il n'y a pas en avoir scrupule, le « Bureau de Conscience » de Lisbonne ayant examiné les aspects moraux et religieux de l'esclavage. Le recteur ajoute :

> "Or, les évêques [venus de Lisbonne] qui se sont rendus à Sao Tomé, au Cap Vert et ici même ici à Loanda, tous hommes savants et vertueux, n'y ont pas trouvé faute : il est de règle généralement acceptée que celui qui possède une chose de bonne foi peut la vendre et que cette même chose peut être achetée...
>
> Je reconnais que dans les foires où l'on achète ces nègres, il y en a toujours quelques-uns qui ont été capturés illégalement, ayant été volés ou condamnés par les juges de leur pays à être vendus pour des fautes légères qui ne méritaient pas cette peine, mais il y en a peu de cette sorte, et rechercher parmi les dix ou douze mille nègres qui quittent ce port chaque année les quelques-uns qui ont été illégalement capturés est chose impossible, aussi soigneusement qu'on pourrait le faire".

Par conséquent, tous les Blancs, les membres du clergé compris, qui se sont installés dans les « colonies » portugaises d'Afrique, n'ont pas à rougir à acheter et/ou à vendre des Nègres :

"Ni nos supérieurs ni nos évêques n'ont jamais rien vu de condamnable dans cette pratique [esclavagiste], à laquelle nous nous livrons, en Angola comme au Brésil, sans aucun scrupule. On aurait tort de poser la question aux Nègres ; s'il en est qui ont été enlevés sans bon droit, c'est une infime minorité. Et on ne peut frustrer Dieu de tant d'âmes à cause de cette minorité."

Evidemment, que le commerce des Noirs pose ou non des problèmes moraux, il faut seulement y voir le fait que ces « choses » sont extirpées des « ténèbres » pour les conduire à la « lumière » du Christ :

"Perdre toutes ces âmes qui partent d'ici – dont beaucoup trouvent leur salut –, parce que quelques-unes, impossibles à reconnaître, ont été capturées illégalement, il me semble que ce ne serait pas rendre grand service à Dieu, car elles ne sont que quelques-unes et celles qui trouvent leur salut sont nombreuses et légalement capturées."

Hubert Deschamps[1], qui rapporte cet étonnant épisode de la traite par les ecclésiastiques, ajoute que "Sandoval se contenta de faire imprimer cette réponse à la suite de son livre : *De instauranda Ethiopium salute* (1646)."

Fonctionnaires royaux, ils ont droit d'avoir des esclaves

Aux puissances esclavagistes classiques que sont les nations (Portugal, Espagne, France...), s'ajoute l'Eglise catholique de chacune d'elles. Ainsi, dans les nouvelles colonies du Nouveau Monde, l'Eglise est une institution alliée et complice de l'Etat. Ses princes et ses membres sont par conséquents pris en charge par le pouvoir politique colonisateur. Jean-Pierre Tardieu[2] écrit :

---

[1] H. Deschamps, *Histoire de la Traite des Noirs de l'antiquité à nos jours*, p. 148.

[2] J.P. Tardieu, *L'Eglise et les Noirs au Pérou aux XVIe et XVII e siècles*, p. 113.

"Les clercs s'embarquant à Séville pour les Indes étaient considérés, en vertu du patronat, comme des fonctionnaires royaux. Ils avaient droit, selon leur fonction outre-mer, de se faire accompagner d'un certain nombre d'esclaves détaxés précisé par une licence délivrée par l'administration royale. Ce document était déchiré par les officiers du fisc, une fois l'ecclésiastique arrivé à destination, pour éviter toute fraude."

Tardieu[1] ajoute :

"La dernière licence enregistrée date du 5 février 1567. Sur les 140 détenteurs, 73 sont des ecclésiastiques, ce qui constitue une proportion considérable. Dans une liste se trouvent deux évêques. Fray Tomas de San Martin, évêque de la Plata, possède quatre esclaves, deux hommes et deux femmes ; elle est répertoriée le 23 juillet 1552. Sept ans plus tard, le 15 août 1559, une autre cédule pour quatre esclaves est enregistrée en faveur du titulaire du même siège épiscopal, sans que le nom ne soit précisé.

Les autres ecclésiastiques ne disposent que de deux esclaves [...]."

Ainsi, comme les laïcs, les clercs des colonies d'Afrique et d'Amérique participent plus ou moins activement à la traite et à l'esclavage des Noirs. Dans une société esclavagiste, ils ne veulent pas se démarquer des civils ; ils veulent au contraire, comme tout le monde, profiter des structures offertes pour se lancer dans les affaires, des affaires qui consistent en l'emploi des Noirs. Certains prélats vont voir en effet, dans l'acquisition d'esclaves, un moyen d'accroître leurs richesses matérielles, ou pour ceux qui en étaient dépourvues, une aubaine pour les avoir.

Ainsi, aux Antilles, les ecclésiastiques utilisent abondamment et gratuitement des esclaves dans leurs propriétés agricoles, comme on peut le lire dans le rapport du légiste E. Petit paru en 1771[2] :

---

[1] *Ibid.*

[2] E. Petit, *Droit public ou gouvernement des colonies françaises...*, cité par A. Gisler, *L'esclavage aux Antilles françaises (XVIIe - XIXe siècle)*, Karthala, Paris, 1981, p. 151.

"Les Dominicains ont, à la Martinique, une sucrerie et cinq cents esclaves... à Saint-Domingue, une sucrerie et plus de deux cents noirs ; une autre sucrerie attend des forces, pour devenir plus considérable que la première. Les Jésuites avaient... à Cayenne et dans le Continent (la Guyane) deux belles sucreries, une cacaotière considérable, une vaste ménagerie ; et sur ces différentes possessions au moins neuf cents noirs."

Jean-Pierre Tardieu montre, quant à lui, qu'au Pérou et, en général, dans les possessions espagnoles d'Amérique, l'Eglise est devenue, au XVIe et XVIIe siècles, une entreprise lucrative grâce à l'achat, à la vente et à l'utilisation des captifs africains. Il écrit[1] :

"Les ecclésiastiques et les religieux, s'ils n'étaient pas toujours insensibles aux raisons évoquées par les détracteurs du commerce des pièces d'Indes, se comportaient comme des laïcs, malgré les recommandations conciliaires.

Ils firent appel aussi à la main-d'œuvre servile, comme gens de maison, comme journaliers ou comme travailleurs agricoles dans leurs propriétés. [...] Leur comportement face à leurs esclaves ne différait pas de celui des particuliers.

Les ordres religieux, oubliant les règles qui régissaient la vie de leurs communautés, devinrent d'importants propriétaires d'esclaves, qu'ils employaient pour le plus grand nombre dans les haciendas léguées par de pieux bienfaiteurs ou achetées grâce à leurs dons. Ainsi, les Noirs se transformaient en élément indispensable de leur stratégie économique dont dépendait étroitement leur rayonnement.

Les clergés séculier et régulier, auxquels s'ajoutèrent les couvents féminins, furent de la sorte les meilleurs clients du commerce négrier."

Comme on peut le voir, du XVe au XIXe siècles, la possession et l'utilisation d'esclaves par les prélats européens en Afrique et en Amérique constituent une pratique courante. La chose est tellement normale qu'elle n'étonne ni n'offusque personne. A l'époque, c'est plutôt les – rares – clercs qui n'ont ou n'emploient pas d'esclaves qui suscitent curiosité ou incompréhension...

---

[1] J.-P. Tardieu, *L'Eglise et les Noirs au Pérou aux XVIe et XVIIe siècles*, p. 109.

Les ecclésiastiques incitent les fidèles à donner ou léguer leurs esclaves à l'Eglise, au service des congrégations

Pour acquérir les esclaves, les ecclésiastiques ne se limitent pas à l'achat au marché ou aux particuliers. Ils font mieux : pendant la messe, ou par des affiches devant les églises, ils invitent les ouailles possédant les esclaves de les céder gracieusement à l'Eglise. Comme l'écrit Tardieu[1] :

"Les ordres religieux, aux Indes espagnoles comme dans le vieux monde, firent appel à la générosité des fidèles. Ceux-ci se limitaient à faire des dons et des legs sous forme d'argent ou de biens fonciers. Les esclaves étaient considérés comme partie intégrante des biens d'une personne, on prit vite l'habitude d'offrir ou de léguer des Noirs aux diverses entités religieuses. [...].

Tous les ordres religieux présents au Pérou reçurent des esclaves noirs des fidèles. Ce furent d'abord les dominicains, les mercédaires, les augustins, les franciscains, puis les jésuites, les bénédictins, les frères de Saint-Jean-de-Dieu, etc."

Les congrégations religieuses féminines poussent loin leur envie d'avoir des servantes noires qu'elles les exigent auprès des novices. Comme l'écrit encore Tardieu[2] :

"Les esclaves noirs constituant une partie du capital des gens aisés, la dot exigée des jeunes filles pour prendre le voile était souvent payée en esclaves [...].

Les dons effectués par les familles des religieuses sont incontestablement plus rentables. Comme ces établissements étaient sous la tutelle directe de l'évêque du diocèse, les donations devaient recevoir le « satisfecit » de la curie épiscopale. [...]

L'esclave n'était pas offerte directement à la religieuse qui en principe n'avait pas de biens personnels. Elle était cédée théoriquement au couvent, et ne pouvait servir la religieuse désignée par le donateur qu'à ses heures libres. [...]

---

[1] J.-P. Tardieu, *L'Eglise et les Noirs au Pérou aux XVIe et XVIIe siècles*, pp. 141-142.

[2] J.-P. Tardieu, *L'Eglise et les Noirs au Pérou aux XVIe et XVIIe siècles*, pp. 148-149.

Comme l'espérance de vie de l'époque était faible, on prévoyait qu'après la mort des bénéficiaires, l'esclave passerait à une autre religieuse apparentée, alliée ou intime de la famille, avant de revenir définitivement au couvent en bien propre. De préférence, cette esclave était très jeune, de douze à treize ans, et parfois moins [...]
La religieuse concernée, après la donation, faisait une demande motivée auprès de l'évêque pour introduire l'esclave dans la clôture, démarche appuyée par l'abbesse. La curie établissait en dernier l'autorisation. Une telle procédure se justifiait par le nombre croissant d'esclaves dans les couvents de Lima, ce qui allait à l'encontre des décisions du Concile de Trente et inquiétait les autorités. Les prétextes invoqués par les religieuses sont l'âge, la fatigue, la maladie, une vie bien remplie et justifiant un repos mérité."

Des clercs participent au calvaire de l'homme noir

Les esclaves noirs au service d'ecclésiastiques

Achetés ou hérités, les esclaves noirs servent les prêtres, comme ils servent tout le monde. Ainsi, peuvent-ils être leurs domestiques ou travailler dans leurs plantations. Jean-Pierre Tardieu décrit avec perspicacité le rôle des esclaves noirs employés au service des prêtres du Pérou, mais son analyse peut parfaitement s'appliquer aux ecclésiastiques des autres colonies du Nouveau Monde. Ce sont les conciles qui sont parvenus à leur octroyer ce droit[1] :

"L'examen des Archives de l'Archevêché de Lima nous permet de nous en assurer : les curés des villages les plus éloignés de Lima possédaient des servantes esclaves, noires ou mulâtres. Il faut en chercher la raison dans les décisions prises par les Conciles liméens.

Les pères conciliaires décidèrent lors du premier Concile (1551-1552), que les curés ne pourraient avoir à leur service des Indiennes, fussent-elles mariées, sous peine de 30 pesos d'amende pour la première incartade, et 50 autres, plus dix jours de prison, pour la seconde. Nombre de curés profitaient de la situation, ce qui portait un grave préjudice à leur mission pastorale. On voulut éloigner d'eux l'objet de tentation, en les

---

[1] *Ibid.*, p. 118.

autorisant toutefois à prendre une esclave noire. Cela laisse supposer que les curés étaient en mesure d'en acquérir une. On considère d'éventuelles relations avec une telle femme comme moins graves : elles ne concernaient pas la communauté dont le curé avait la charge.

Lors des visites du diocèse de Lima, les représentants de l'archevêque vérifiaient que cette règle était bien respectée."

En ce qui concerne les esclaves mâles, ils étaient exhibés fièrement par leurs maîtres, comme leur signe de richesse extérieure[1] :

"Les autorités religieuses de Lima ne dédaignaient pas le goût de l'ostentation, et certaines s'entouraient d'une suite d'esclaves noirs, comme les responsables civils. Le roi dut interdire aux inquisiteurs, le 11 avril 1633, d'acquérir plus d'esclaves qu'il ne leur en fallait pour leur service.[...].

En 1719, c'est le comportement de l'évêque de Trujillo, Fray Juan Vitores de Velasco, qui fut dénoncé. Il effectuait ses visites pastorales entouré de ses esclaves noirs et mulâtres [...]."

Les Noirs appartenant à un clerc peuvent être loués à quelqu'un, prêtre ou laïc, pour effectuer ses travaux. Tardieu écrit que "ce système de location, très répandu à travers toutes les Indes espagnoles, n'est pas négligé par les ecclésiastiques"[2]. Le Noir loué rapporte évidemment à son maître une somme conséquente, et des prélats n'hésitent pas à intenter devant la justice inquisitoriale des procès contre la personne qui, ayant employé leurs esclaves, refusent de payer ou payent insuffisamment les services rendus.

Tardieu affirme encore que "le Noir peut être mis par son maître au service d'un membre d'une communauté religieuse". Il conclut : "La vie des Noirs auprès des dignitaires de l'Eglise n'était donc pas toujours une sinécure"[3].

---

[1] J.-P. Tardieu, *L'Eglise et les Noirs au Pérou aux XVIe et XVIIe siècles*, p. 126.

[2] *Ibid.*, p. 127.

[3] *Ibid.*, p. 127.

Aux Antilles, les ecclésiastiques appliquent les rigueurs du *Code noir*

Sachant que le Code noir est fondé sur le droit canonique, les clercs le soutiennent et veillent, voire participent, à son exécution. Par exemple, l'article 36 de ce Code stipule que l'esclave qui volerait un mouton, une poule ou un légume, sera mis au « carcan » (en lui appliquant un bâillon frotté de piment, ou pire, en l'attachant au carcan par une oreille avec un clou, avant de couper cette oreille), aux « ceps » (en le ferrant les pieds et les mains) ou sera coiffé d'un « masque de fer blanc » (pour l'empêcher de manger).

Mais la peine la plus humiliante et la plus inhumaine reste sans doute la flagellation. Selon les différentes façons de la pratiquer, cette punition porte le nom de « quatre piquets » (l'esclave est attaché à quatre piquets par terre), d'« échelle » (il est lié à une échelle pour recevoir les coups), de « hamac » (il est suspendu par les quatre membres pour le mieux tailler), de « brimbale » (il est suspendu par les mains seulement), de « rigoise » (il est fouetté par une sorte de cravache à nerf de bœuf, ou par des lianes souples ou pliantes comme de la baleine). La loi autorise jusqu'à cinquante coups de fouet. Mais certaines personnes trouvent ce nombre insuffisant, tel ce missionnaire que cite Louis Sala-Molins[1] :

"Le P. Labat a parfois des tendresses envers les esclaves. Sauf quand il s'énerve. C'est lui-même qui raconte avoir fait donner une fois « environ trois cents coups de fouet » à un esclave, « qui l'écorchèrent depuis les épaules jusqu'aux genoux. Il criait comme un désespéré et nos nègres me demandaient grâce pour lui ». Puis le bon père le « fit mettre aux fers après l'avoir fait laver avec une pimentade, c'est-à-dire avec de la saumure dans laquelle on a écrasé du piment et des petits citrons. Cela cause une douleur horrible à ceux que le fouet a écorchés, mais c'est un remède assuré contre la gangrène qui ne manquerait pas de venir aux plaies ». Cela se passait à la veille. Le jour venu, le

---

[1] L. Sala-Molins, *Le Code noir...*, p. 163, citant Labat, *Nouveau voyage*, t. 1, pp. 166-167.

saint homme fit reconduire l'esclave à son maître. Le maître « me remercie de la peine que je m'étais donnée » et fit encore fouetter son esclave « de la belle manière»."

On l'a compris : pour ce missionnaire tortionnaire[1], et il n'est pas le seul, l'esclavage est une bonne chose, une nécessité absolue, institué pour « redresser » le Noir, « congénitalement » mauvais ! C'est "un moyen infaillible, et l'unique qu'il y eut, pour inspirer le culte du vrai Dieu aux Africains, les retirer de l'idolâtrie, et les faire persévérer jusqu'à la mort dans la religion chrétienne, qu'on leur ferait embrasser".

Cette pratique «peu catholique» semble se retrouver dans les clergés des de toutes les colonies, qu'elles soient françaises, portugaises ou espagnoles. Evoquons le cas des ecclésiastiques espagnols.

Les ecclésiastiques espagnols punissent leurs esclaves

Dans les colonies espagnoles, les ecclésiastiques ne sont pas plus cléments envers les esclaves qu'aux Antilles françaises. Jean-Pierre Tardieu note que c'est dans les plantations des jésuites que les esclaves noirs souffrent le plus[2] :

"Les haciendas jésuites, à l'instar des propriétés civiles, possédaient une panoplie d'instruments destinés à punir les esclaves indociles et à faire réfléchir ceux qui étaient tentés par l'insoumission.

Les plus simples sont les fers attachés aux pieds, appelés « prisiones » ou grillos ». Les Noirs enclins à la fuite se voient attribuer en premier lieu ce sinistre appareil. Sur le chantier de l'église des jésuites d'Arequipa, il n'empêche pas de travailler les manœuvres. Ces derniers ressentent davantage l'appel de la liberté que les ouvriers confirmés, peut-être parce qu'ils sont soumis à un traitement plus dur. Ces fers se trouvent dans le

---

[1] Labat, *Nouveau voyage aux îles de l'Amérique*, t. 2, p. 38 ; cité par L. Sala-Molins, *op. cit.*, p. 61.

[2] J.P. Tardieu, *L'Eglise et les Noirs au Pérou aux XVIᵉ et XVII ᵉ siècles*, p. 262.

magasin de chaque hacienda, de chaque collège et même de chaque couvent masculin de Lima.

Un forgeron les adapte aux membres des esclaves."

Les fers, simples ou doubles plus ou moins renforcées, sont fixés aux chevilles des esclaves, enlevés ou changés. "Car il faut parfois les remplacer par des fers plus épais capables de résister aux efforts de l'esclave. On dispose donc d'une batterie de fers adaptés aux différentes situations."

L'on trouve également, dans les haciendas des missionnaires, des colliers de fer, que l'on fixe au cou d'esclaves rebelles, hommes ou femmes.

Chaînes et colliers de fer sont naturellement employés différemment, plus ou moins longtemps et selon l'intensité de la faute[1] :

"Il y a une gradation dans l'utilisation de ce matériel. On met au cap un esclave pour le punir d'une faute grave. Ce sont deux pièces de bois articulés autour d'un gond et assujetties par un cadenas, ajoutées de deux trous où l'on passait les jambes des fautifs. Chaque hacienda veille au bon état de cet instrument. Mais à Victor, on n'en change le cadenas et les clous qu'en 1661 et en 1685. Le cep se trouvait dans la prison, local existant dans toutes les haciendas et tous les couvents masculins de Lima. Le visiteur, lors de ses tournées, s'assurait qu'il y avait une dans chaque domaine...

Pour les châtiments imposés aux esclaves des Indes, on s'était inspiré de ceux utilisés en Espagne. Les jésuites y eurent recours comme tous les maîtres. Cependant, la hiérarchie veilla à ce qu'on ne tombât pas dans les excès commis par les particuliers et que la législation royale elle-même ne parvenait pas à réprimer.

Ainsi il revient aux oreilles du préposé général Mucio Vitelleschi que les « hermanos chacareros » se laissent aller à des comportements bien peu religieuses envers les esclaves placés sous leur contrôle, économisant sur la nourriture et les vêtements, en forçant sur les châtiments. Le 17 février 1617, il ordonne au provincial Diego Alvarez de Paz de procéder à une

---

[1] J.-P. Tardieu, *L'Eglise et les Noirs au Pérou aux XVIe et XVIIe siècles*, pp. 262-263.

enquête et de prendre des mesures en vue d'une plus grande modération dans l'application des peines. Il interdit aux jésuites de punir les Noirs de leurs propres mains et de procéder au « pringamiento ». Ce châtiment, spécialement réservé aux esclaves, consistait à répandre sur leurs corps des gouttes de suif fondu. On procédait aussi à des brûlures au moyen de torches faites de morceaux de « maguey ». Le général juge cette attitude indigne des « esclaves d'un ordre religieux ».

De tels excès n'étaient donc pas inconnus des haciendas jésuites.

Mais les visiteurs et les provinciaux eurent à cœur de rappeler les administrateurs à plus d'indulgence."

« Serviteurs de Dieu », les jésuites, qui l'oubliaient trop souvent, sont donc constamment rappelés à l'ordre. Ils sont invités à ne pas fouler au pied "les devoirs de la charité (piedad)". Ils ne participeront plus "à l'application de la peine, réservée au majordome ou à un autre serviteur". Les administrateurs des haciendas veilleront en outre à quelques autres préceptes : ne pas dépasser pas trente coups de fouet (azotes), que l'instrument de torture ne soit pas trop dur, que "l'imposition des fers se fasse également avec modération", que les esclaves ne soient pas poussés au désespoir et vaquent à leurs occupations sans trop de difficulté !...

Voilà pour la charité recommandée par la Compagnie de Jésus. Tardieu pense qu'il existe "une autre motivation purement utilitaire" qui conduit la direction générale de la Congrégation à recommander la douceur dans les punitions infligées aux esclaves[1] :

"La responsabilité d'un religieux ne devra pas être directement engagée dans la répression. Il la confiera à des intermédiaires. Son image de marque ainsi préservée, il sera perçu comme une possibilité de recours. Ne faisait-on pas l'éloge des « hermanos chacareros » qui s'étaient efforcés d'apparaître comme des frères aux frères ?"

---

[1] *Ibid.*, p. 264.

Autrement dit : les jésuites demandent au majordome de châtier les esclaves ; lorsque ceux-ci hurlent de douleur ou se plaignent, ils viennent en consolateurs, promettant qu'ils demanderont au majordome d'être moins violent, « plus chrétien » ! De cette manière, les esclaves ne seront pas assez « abîmés » pour être productifs.

"Les instructions des visiteurs, en contact direct avec les réalités matérielles, insistent sur le comportement exigé des administrateurs. L'esclave a droit à un minimum d'égards sans lequel sa rentabilité est compromise. Au-delà de certaines limites, la violence risque d'éclater. Cette attitude, à en juger par les réitérations des instructions, n'était pas si facile à obtenir, malgré les références à des notions de productivité auxquelles un administrateur était moins insensible. Cependant, grâce à la hiérarchisation et au système de contrôle établis par les jésuites, leurs esclaves étaient vraisemblablement moins victimes de l'arbitraire des maîtres."

Il n'empêche que les jésuites, comme d'ailleurs d'autres clercs, participent eux-mêmes, de façon « plus chrétienne », au calvaire du Noir. Celui-ci est un « être humain », qui doit donc être traité moins brutalement ; il est là pour produire de l'argent : un comportement violent à son endroit risquerait de compromettre sa capacité au travail.

Mais les jésuites ne poursuivraient pas que des buts « chrétien » et économique en cherchant à ménager l'esclave. C'est ce que pense Tardieu, qui ajoute au crédit de ces prélats la « dimension morale » de leur démarche : "ils n'étaient tout de même pas de simples gestionnaires". Ils étaient d'abord des « éducateurs » des Noirs, mus par la volonté de les mener au paradis !

Une « peine pénitentielle » plus terrible que les châtiments physiques

Les châtiments corporels ne sont rien, comparés à la peine spirituelle que l'on peut infliger à l'esclave. Battus, les esclaves se révoltent toujours ou parviennent à ne pas respecter le Code noir. Mais si, peut-être, on promet aux récalcitrants ou aux insoumis les feux éternels de l'enfer, auront-ils peur, se comporteront-ils docilement et respecteront-ils l'ordre imposé.

C'est ce que pense le P. Charles-François de Coutances, préfet apostolique des missions des capucins aux îles antillaises du Vent (Porto Rico, Guadeloupe, Martinique, etc.). Dans un document écrit vers 1776-1777, ce prélat, que les colons qualifient volontiers de « vrai homme d'Etat », suggère aux politiques et aux prêtres comment il faut traiter les Noirs pour qu'ils soient soumis aux maîtres et à l'autorité établie. Son mémoire s'intitule clairement : « Règlement de discipline pour les nègres, adressé aux curés dans les colonies françaises d'Amérique ». Il comporte quatre grands articles, consacrés respectivement à l'instruction religieuse, à la discipline pénitentielle, à la prédication et à l'administration des sacrements.

Le document est publié et commenté par Antoine Gisler[1]. Il traite sur l'instruction religieuse, la discipline pénitentielle, le prône et les sacrements.

L'instruction religieuse

"L'instruction religieuse des nègres doit faire dans les colonies un des principaux objets du ministère de la religion. La sûreté publique, l'intérêt des maîtres, le salut de leur âme, sont les motifs qui doivent engager le missionnaire à y travailler avec d'autant plus de zèle, que c'est le seul avantage que cette malheureuse espèce d'hommes puisse retirer de l'état d'esclavage auquel ils sont assujettis...

Mais comment inculquer les vérités d'une religion toute spirituelle et toute sainte à des hommes nés dans le sein de l'ignorance et de la barbarie, qui ont vécu sans culte, sans lois et sans mœurs, abandonnés à toute la corruption d'une nature abrutie ?

[Les curés s'efforceront de] gagner leur confiance par leur empressement à les rechercher, par leur patience à les supporter, par leur charité à les soulager dans les peines. [Ils devront] borner leur instruction aux vérités essentielles au

---

[1] A. Gisler, *L'esclavage aux Antilles françaises (XVIIe - XIXe siècle)*, 1981, pp. 185-184-192.

salut, en s'efforçant de leur imprimer la foi aux choses qu'on leur enseigne, plutôt que de chercher à leur faire comprendre comment ni pourquoi ils y croient. [Mais l'essentiel de leur tâche sera de] les former aux bonnes mœurs. C'est la religion des hommes simples et grossiers ; [elle consiste] dans l'accomplissement des devoirs de leur état, et dans la correction des vices qui y sont opposés."

La discipline pénitentielle

"L'établissement d'une discipline pénitentielle nous a paru le seul moyen propre à opérer parmi les nègres la correction de certains vices que les réprimandes, les menaces ni les châtiments les plus rigoureux ne peuvent même leur faire avouer. Nous n'ignorons point que la religion chrétienne ne connaît ni violence ni contrainte, mais elle n'a pas moins dans la discipline des peines qu'elle peut imposer pour corriger les méchants... comment en effet contenir dans bornes du devoir des gens d'un caractère aussi grossier, aussi inconstant et aussi enclin au mal, si la religion ne leur impose pas une sorte de punition qui les frappe plus que les châtiments mêmes.

- Il règne surtout parmi eux trois de ces vices capitaux, qu'il n'est pas moins de l'intérêt commun, que de celui de la religion, de réprimer, savoir le marronnage, les empoisonnements et les avortements, trois crimes que les lois ont soumis à la peine de mort, et qui demeurent presque toujours impunis, faute de preuves juridiques."

Ainsi, le P. Charles-François considère les Noirs comme des gens nés avec tous les vices de la terre (violence, grossièreté, méchanceté, inclination au mal, au marronnage, aux empoisonnements, aux avortements...). Seule la religion peut les adoucir, les « humaniser ». Pour que les Noirs ne commettent plus leurs crimes, l'auteur ne trouve pas un autre moyen que d'instituer la *peine publique*. Les Noirs, auxquels cette sanction « morale » sera imposée, seront mis "à genoux sur le seuil du portail de l'église... chaque dimanche et jour de fête, pendant la prière, et le catéchisme, l'espace de trois, ou de six mois, ou même d'un an, selon la nature de la faute." Seuls les Noirs ayant donné des "marques certaines de repentir et d'amendement après leur temps expiré" seront absous.

La pénitence publique s'imposera "dans le temps le plus propre et de la manière la plus capable de faire impression". C'est pendant les trois derniers dimanches de Carême que le curé pourra lire, "à la messe paroissiale et à la prière des nègres", la formule suivante :

"Le jour de Pâques étant par excellence un jour de grâce... nous exhortons les maîtres à recevoir à pardon ceux de leurs esclaves qui se présenteront à pénitence. En conséquence, nous enjoignons aux nègres qui nous ont été dénoncés, soit marrons, malfaiteurs et autres, savoir... de rentrer dans leur devoir, et de se rendre le Samedi-Saint à la porte de l'église, à l'issue de la messe, pour y être mis en pénitence ; défendons les mêmes peines à aucuns de les soutirer ni favoriser en aucune matière ; faute de quoi nous les avertissons que nous les déclarerons rebelles et opiniâtres abandonnés de Dieu, séparés du nombre des chrétiens, et privés pour toujours de l'assistance des sacrements et de la sépulture."

Après la messe du Samedi-Saint, le curé lira un autre texte, encore plus insultant et plus menaçant pour l'esclave mais plus rassurant pour le maître :

"Pour les nègres marrons : serviteur infidèle et méchant, puisque vous avez manqué au service de votre maître, à l'obéissance que vous devez à Dieu et à la Sainte Eglise, pour vous livrer à l'égarement de votre cœur et vous exposer à la perte certaine de votre salut et de votre vie, nous vous condamnons par l'autorité de notre ministère à en faire pénitence pendant l'espace de... vous déclarant que si vous manquez de l'accomplir, et ne donnez des preuves certaines de repentir et d'amendement, vous serez effacé du nombre des chrétiens, privé de l'entrée de l'église, et abandonné à la mort sans assistance, sans sacrements et sans sépulture...

Pour les nègres empoisonneurs : scélérat infâme, odieux à Dieu, indigne d'être compté parmi les hommes, plus cruel que les bêtes féroces, puisque vous avez attenté à la vie de vos semblables, et que vous avez employé des moyens indignes et lâches pour détruire la maison de votre maître, et faire périr les biens que la divine Providence lui avait accordés, l'atrocité de votre crime mérite la mort et tous les tourments ; mais comme la Sainte Eglise ne rejette aucun de ceux qui veulent se repentir et se corriger, c'est pourquoi nous vous condamnons."

Les mêmes imprécations sont proférées contre les Noires qui expulsent le fœtus hors d'elles. Ces Noires, décrète le P. Nicolson, commettent un crime[1] :

"On voit des négresses qui se font avorter, pour que le maître barabre qu'elles servent ne profitent pas d'une postérité dont la condition ne peut être que malheureuse, puisqu'elle doit être semblable à la leur. Une espèce de compassion se joint ainsi au plaisir de la vengeance, pour outrager ainsi la nature. Cœurs inhumains ! ce crime retombe sur vous."

Mais revenons au « Règlement » du P. Charles-François.

Le prône

Après la discipline pénitentielle vient ce que le P. Charles-François appelle le prône (recommandation, annonces que le prêtre fait au cours de la messe dominicale) :

"Et afin que toutes les parties de l'instruction concourent au même but, nous avons jugé nécessaire de prescrire la forme de prône suivante, que les curés feront tous les dimanches avant le catéchisme :

[a] une exhortation à demander pardon à Dieu de] vos péchés, (à) le remercier de vous avoir admis par le saint baptême dans l'assemblée des chrétiens... (à) le prier, premièrement pour vos frères qui sont encore dans le paganisme, afin qu'il daigne par sa miséricorde les appeler à la lumière de son saint Evangile ; deuxièmement pour vos maîtres et maîtresses, pour leurs enfants, pour tout ce qui leur appartient, afin qu'il les conserve et les fasse prospérer ;

[b] les inévitables monitions :] Nous avertissons... tous ceux et celles qui sont adonnés à mal faire, et abandonnés au libertinage et au vol, de se corriger, sous peine de damnation éternelle... tous ceux et celles qui sont marrons, de se rendre à l'obéissance de leurs maîtres, et défendons aux autres de les

---

[1] A. Gisler, *L'esclavage aux Antilles françaises (XVIIe - XIXe siècle)*, p. 187.

aider et soutenir dans leur révolte, sous peine d'une rigoureuse pénitence..."

Les sacrements

Considérons le passage concernant l'Eucharistie :

"Quoique la légèreté naturelle des nègres, la grossièreté de leur esprit et la dépravation de leurs mœurs les en rendent pour la plupart indignes ou incapables, ils ne doivent pas pour cela en être généralement exclus. [Les curés ne les y admettront cependant qu'après] s'être assurés de leur bonne conduite, et qu'avec un certificat de leur maître ; que ceux d'un âge mûr, ou qui sont mariés, à cause de leur penchant désordonné à l'incontinence ; et seulement une fois ou deux tout au plus par an... mais ils l'interdiront absolument à ceux qui auront subi la pénitence publique, ou même qui auraient été soupçonnés de l'avoir méritée."

Retenons dans cet extrait : les prêtres n'admettront les Noirs à l'Eucharistie "qu'avec un certificat de leur maître". Des maîtres qui, dans leur large majorité, se comportent avec cruauté peuvent-ils être dignes de bons « juges chrétiens » ? En considérant cette exigence, l'on voit bien que le maître et l'ecclésiastique fait plus confiance au maître qu'à sa propre conscience, qu'à son propre pouvoir de ministre ordonné. Cela montre aussi un fait : les deux hommes collaborent harmonieusement, pour le bon maintien de l'esclavage des Noirs.

En fait, les ecclésiastiques appliqueront bien le « Règlement » du P. Charles-François, mais n'éviteront point de punir physiquement leurs esclaves.

L'Inquisition contre les danses « licencieuses » et l'accès aux ordres des Noirs

Un autre type d'humiliation faite aux Noirs est la dépréciation de leur culture et le refus de l'accès aux ordres. En effet, quand les esclaves, dans leur détresse, crieront, en chantant et en dansant, leur souffrance due aux mauvais comportements quotidiens que leur font subir des maîtres cruels, l'Inquisition, tribunal de l'Eglise instituée pour frapper les impies et les « païens »[1], sévira, en interdisant des danses jugées scandaleuses. La plupart de ces danses, comme la *yuka* dont dériverait la *rumba* amenée aux Caraïbes (notamment à Cuba) par les Bakongo, se réalisent en couple, où l'homme poursuit la femme et exécute face à elle le *vacunao* (ou *abrochao*), mouvement pelvique symbolisant le contact sexuel. Pour cette raison, la prude Eglise catholique décrète que l'Afrique et le diable ne font qu'un. l'Inquisition décide que les Noirs, à cause de leur appartenance à la famille de Cham, le fils indigne de Noé maudit par Dieu, et de leur « indécence congénitale », ne devraient pas espérer devenir ministres de Dieu, tout au plus peuvent-ils chanter à l'église ! Comme l'écrit Isabelle Leymarie[2], parlant des danses d'origine africaine de l'Amérique latine :

"A partir du début du XVIIe siècle, pour l'Epiphanie et d'autres fêtes religieuses, l'Eglise autorisa les Noirs à se réunir afin d'élire leurs propres reines et rois. Les Bantous, en particulier, organisaient dans les rues des villes des *congos* et *congadas* [qui sont des danses d'origine congolo-angolaise se dansant aux sons des tambours conga]... Mais ces rassemblements effrayaient les Blancs, qui les interprétaient comme des incitations à la révolte, et suscitaient le mépris des autorités coloniales, qui en soulignèrent le caractère « obscène » et «bruyant» et les prohibèrent à plusieurs reprises. Au XVIIe siècle, l'Inquisition avait d'ailleurs associé l'Afrique au diable, baptisant celui-ci « Mozambique ». [...] Cependant, malgré le mépris dont le clergé les accabla (l'Eglise, avec l'aval du pape, interdit aux Noirs l'accès aux ordres religieux), les Noirs convertis au catholicisme influencèrent la musique religieuse mexicaine : des chœurs noirs chantaient dans certaines églises, avec souvent plus de

---

[1] Le vrai nom de l'Inquisition est « Congrégation de la Suprême et Universelle Inquisition » (institution ecclésiastique qui, chargée, entre le XIIIe et le XIXe siècles, de réprimer, par la torture ou le bûcher, toute hérésie supposée ou réelle, se muera au 29 juin 1908 en « Congrégation du Saint-Office », puis le 7 décembre 1965, en « Congrégation pour la Doctrine de la Foi »).

[2] I. Leymarie, *Du tango au reggae. Musiques noires d'Amérique latine et des Caraïbes*, Flammarion, Paris, 1996, pp. 238, 239.

chaleur et d'enthousiasme que les chœurs blancs, et la musique populaire absorba des syncopes noirs..."

En Afrique même, les autochtones qui osent défendre leur culture contre la destruction étrangère, sont frappés à mort. Cas, au royaume Kongo, de Béatrice Nsimba, plus connue sous le nom de Dona Béatrice, qui, à l'instigation de de deux pères capucins, est brûlée vive (en 1702), pour avoir relevé des contradictions dans la religion du Christ et l'incompatibilité entre elle et l'esclavage.

Les prélats qui luttent contre l'esclavage sont punis ou mis à mort

Dans son ouvrage publié en 1668, le père jésuite Diego de Avendano remarque que la pratique esclavagiste justifie les principes ; autrement dit, si nul n'ose condamner la traite, c'est parce que tout le monde y trouve son compte : le roi achète et vend les esclaves noirs, les religieux et les évêques eux-mêmes en achètent ; ces derniers osent même excommunier les voleurs d'esclaves, reconnaissant par là le droit des propriétaires[1].

Tous les clercs ne sont pas pour autant des trafiquants ou de possesseurs d'esclaves. Mieux, il en existe quelques-uns, parmi la majorité, qui désapprouvent l'institution même de l'esclavage. Parmi ces rares anti-esclavagistes, certains s'engagent à combattre la pratique esclavagiste.

L'un des cas les plus célèbres est celui du P. Epiphane de Moirans (1644-1689). Il est bien placé pour mener le combat : capucin, il appartient à une Congrégation dont la règle interdit aux membres d'avoir des biens (ce qui ne veut pas dire que les capucins ne possèdent pas des « biens » que sont les esclaves noirs). En 1682, il présente un traité, pour protester contre l'esclavage des Noirs des Antilles (Martinique, Colombie, Cuba)[2]. Le prélat table son argumentation sur les cinq points suivants :

---

[1] H. Deschamps, *Histoire de la Traite*, p. 147.

[2] Moirans, *Juste défense de la liberté naturelle des esclaves*, citée par J. Comby, *op. cit.*, p. 140.

"1. Personne ne peut acheter ni vendre aucun des esclaves d'Afrique, communément appelés « nègres ».

2. Tous ceux qui en possèdent sont tenus de les libérer sous peine de damnation éternelle.

3. Les maîtres des esclaves sont tenus, en les libérant, de leur rembourser leurs travaux et de leur en acquitter le prix.

4. Les Noirs qui demeurent dans les lieux des Indes où ils travaillent dans ces choses familières appelées par les Français « Sucreries » et par les Espagnols « Ingenios » et dans lesquelles il y a des esclaves, ces Noirs sont tenus par le droit divin naturel de partir et de gagner des lieux où ils pourront s'occuper de leur salut éternel.

5. A cause de l'injustice commise contre les Noirs arrachés à leur terre natale et déportés aux Indes, les Princes chrétiens auront à fuir de leurs terres et ils les perdront ; à ces terres seront arrachés les évêques et les clercs ; ils passeront les mers en fugitifs ; et les chrétiens deviendront captifs et esclaves."

Pour montrer que l'esclavage des Noirs ne peut aucunement se justifier selon le droit de Dieu, Moirans en arrive au prologue suivant :

"Ayant vu, entendu, éprouvé, prouvé par l'expérience ce qui fut fait contre les esclaves en fait d'injures, injustices, oppressions, cruautés, pratiques inhumaines, impiétés, en tel nombre et si énormes qu'en resterait stupéfait un Barbare ou un Scythe, je ne dis pas un chrétien ou un religieux, s'il savait ou entendait un peu de ce que j'ai vu de mes yeux, entendu de mes oreilles et touché de mes mains dans les Indes Occidentales, dans les îles d'Amérique et les régions de la terre du continent du fait de chrétiens et catholiques espagnols et français ; en remède à de si nombreux et si grands horribles forfaits et exécrables crimes, et aussi injures, oppressions inhumaines de bêtes plutôt que d'hommes à l'égard d'hommes et d'hommes chrétiens appelés nègres, j'ai décidé d'écrire : parce que la charité du Christ m'y pressait. En effet, les barbares seraient émus à cette vision à moins d'êtres aveugles par la cupidité ; à combien plus forte raison le seront les chrétiens, capucins, missionnaires et apôtres [...]. J'ai supporté toutes les haines du monde et les persécutions à cause des élus parmi les nègres, pour qu'eux aussi soient sauvés. [...] Je ne cessais pas d'enseigner les esclaves, avertissant et argumentant les maîtres pour qu'ils ne se trouvent pas d'excuses et que soient sauvés les esclaves prédestinés."

Les esclaves prédestinés et autres ne seront pas libérés. C'est le P. de Moirans qui sera interdit, conjointement par les autorités coloniales et ecclésiastiques, d'exercer son ministère aux Antilles ; il sera embarqué pour l'Espagne. Rome ne viendra pas à son secours, qui continue encore à croire que l'esclavage des Noirs est légitime, puisque légitimé par la Bible ! D'ailleurs, le P. Moirans a la « chance » d'échapper au bûcher ardent de l'impitoyable Inquisition.

C'est aussi le cas du jésuite Antonio Vieira (1608-1697), un Brésilien métis, qui, lui, ne plaide pas pour la cause des Noirs, mais pour celle des Indiens. Pour cette raison, il sera frappé par l'Inquisition ; Jean Comby[1] raconte comment :

> "Vieira a le titre de visiteur des missions brésiliennes ; il s'efforce d'obtenir une juste rétribution pour les Indiens requis au travail mais l'exploitation continue et les Indiens chrétiens « retournent à la forêt et au paganisme ». Le jésuite négocie un traité de paix avec les chefs indiens. Cependant la volonté de protéger les populations indigènes rend furieux les colons qui saccagent le collège Belem et expulsent les Pères. L'Inquisition condamne Vieira à deux ans de prison. Rappelé à Rome, il est encore poursuivi par les tribunaux romains. [...].
> Les jésuites doivent se montrer modérés dans leur lutte contre les injustices, acceptant l'importation de Noirs pour sauvegarder la liberté des Indiens."

En effet, comme Las Casas en 1516, le P. Vieira se bat pour la libération des Indiens et leur remplacement par les Africains, lui qui serait pourtant un métis ! Par exemple, dans son sermon à « ses frères noirs » tenu à Bahia en 1653, il les invite à remercier Dieu et la Vierge Marie de les avoir arrachés aux "ténèbres du paganisme" et, donc, à l'Enfer. Cependant, trente ans après, le même Vieira élaborera un autre sermon, tout aussi célèbre, dans lequel il parle de la

_____

[1] J. Comby, *op. cit.*, pp. 133-134.

"traite inhumaine, où les marchandises sont des hommes". Mais si le Ciel semble bénir ce trafic en conduisant les navires à bon port, c'est qu'il est un moyen, par la foi, de mener les âmes au Paradis. Le maître qui entretient les esclaves ne possède en réalité que leurs corps, leur âme étant la propriété exclusive de Dieu. Un jour viendra où il deviendra, à son tour, un esclave. Aussi, doit-il prendre garde, doit-il renoncer à toute brutalité et doit-il ouvrir son cœur au repentir !

Est-ce parce que Vieira, par ses deux sermons, se montre apparemment contradictoire qu'il mérite les foudres de l'Inquisition ? Il semble que l'homme est jugé coupable tout simplement par son second discours, qui fustige les négriers, parmi lesquels se rangent précisément les hautes autorités de l'Eglise.

Ainsi, les prêtres qui s'évertuent à critiquer l'institution esclavagiste sont considérés, aussi bien par la société que par l'Eglise, comme des marginaux, pire, comme des « contestataires », susceptibles de bouleverser le bon ordre établi. Le père jésuite Juan de Solorzano Pereira, dans son ouvrage paru en 1648, qui résume les combats anti-esclavagistes de Molina, Rebello et de quelques autres pères, conclut qu'ils considèrent le trafic des Noirs comme "très dangereux, douteux et de nature à troubler les consciences à cause des fraudes qu'on y commet habituellement ; mais que ce n'est pas aux particuliers d'enquêter là-dessus"[1]. Ces prélats arrivent à cette conclusion en constatant que la traite s'accroît, tandis que les condamnations deviennent modérées, et les scrupules sont étouffées.

Molina, Rebello, Moirans et leurs semblables sont généralement désavoués par les autorités ecclésiastiques. La punition peut être un simple blâme, une mutation, une affectation à un service dans lequel le prêtre « récalcitrant » n'aura plus la parole, ou encore une peine d'emprisonnement ferme. Pire, la terrible Inquisition peut

---

[1] H. Deschamps, *Histoire de la Traite*, p. 147.

frapper le traître de mort. Gérard Thélier évoque le cas de deux prêtres anti-esclavagistes victimes de l'Inquisition[1] :

"Au Mexique, un des tout premiers révolutionnaires mexicains, le père Hidalgo, simple curé du village de Dolorès mais grand meneur d'hommes, annonce l'abolition de l'esclavage en décembre 1810 à Guadalajara. Hidalgo pris, livré à l'Inquisition puis fusillé en 1811, un autre prêtre encore plus humble, le père José Maria Morelos, prend la relève avec succès. Il réunit le premier Congrès mexicain, déclare l'indépendance et proclame l'égalité des races et l'abolition de l'esclavage. Il sera lui aussi fusillé en 1815."

L'Eglise contre l'abolition de l'esclavage ?

L'Eglise enseigne aux esclaves de ne pas se rebeller contre leurs maîtres

Nous savons que les révoltes d'esclaves sont durement réprimées. Les esclaves sont fouettés, enchaînés ou tués. Les fugitifs qui sont repris portent pendant longtemps les colliers au cou ou aux jambes.

Pour éviter que les esclaves encourent des peines aussi terribles, l'Eglise recommande et enseigne qu'ils se soumettent humblement aux maîtres, qu'ils ne leur résistent pas, ne leur faussent pas compagnie ! C'est ce qu'exprime par exemple le P. Fauque, prêtre à Cayenne, qui, accompagné de ses cinq compagnons jésuites, supplie les « marrons », dans leur repaire, de regagner leurs maîtres[2] :

"Souvenez-vous, mes chers enfants, quoique vous soyez esclaves, vous êtes cependant chrétiens comme vos maîtres ; que vous faites profession depuis votre baptême de la même religion qu'eux, laquelle vous apprend que ceux qui ne vivent pas chrétiennement tombent après leur mort dans les enfers : quel malheur pour vous, si, après avoir été les esclaves des

---

[1] G. Thélier, *Le grand livre de l'esclavage. Des résistances et de l'abolition. Martinique, Guadeloupe, La réunion, Guyane*, Orphie, 1998, pp. 150-151.

[2] Le P. Fauque dans sa lettre du 10 mai 1751, adressée au P. Allard, citée dans *Choix des Lettres édifiantes*, Paris, 1837, tome VII, p. 74.

hommes en ce monde et dans le temps, vous deveniez les esclaves du démon pendant l'éternité ! Ce malheur pourtant vous arrivera infailliblement si vous ne vous rangez pas à votre devoir, puisque vous êtes dans un état habituel de damnation ; car, sans parler du tort que vous faites à vos maîtres en les privant de votre travail, vous n'entendez point la messe les jours saints ; vous n'approchez point les sacrements ; vous vivez dans le concubinage, n'étant pas mariés devant vos légitimes pasteurs. Venez donc à moi, mes chers amis, venez hardiment ; ayez pitié de votre âme, qui a coûté si cher à Jésus-Christ... Donnez-moi la satisfaction de vous ramener tous à Cayenne ; dédommagez-moi par-là des peines que je prends à votre occasion : approchez-vous de moi pour me parler ; et si vous n'êtes pas contents des assurances de pardon que je vous donnerai, vous resterez dans vos demeures, puisque je ne saurais vous emmener par la force."

Les jésuites sont, dit-on, les clercs qui semblent le plus s'apitoyer sur le sort des esclaves ; ils ne demandent pas la remise en cause et l'abolition de l'esclavage, mais il leur arrive de dénoncer les comportements « anti-chrétiens » des maîtres et, pour éviter aux esclaves de subir leurs foudres, les invitent à ne pas leur résister. C'est à cause de cette attitude humaniste et « négrophile » qu'ils seront enjoints de quitter les colonies françaises. L'Eglise ne les soutiendra pas, l'Eglise dont l'argument, comme d'ailleurs celui des partisans de la traite et de l'esclavage, est imparable : les esclaves qui « maronnent », tout comme ceux qui se révoltent, sur les navires et dans les plantations coloniales, le font parce qu'ils sont traités très cruellement. Ils prennent la fuite, non parce qu'ils ne veulent pas être esclaves, mais parce qu'ils ne supportent pas d'être cruellement traités.

Sans cesse, les prélats (pas tous !), qui prennent la défense du commerce des esclaves, supplient les maîtres, en ces termes : "Traitez mieux les esclaves africains, et il n'y aura plus de révoltes" !

D'autre part, ces mêmes prétendus avocats de la cause noire tentent de démontrer qu'il est souhaitable que la traite atlantique continue, puisque, ils en sont convaincus, l'exportation des Africains hors de leur pays est un bien pour eux du fait que l'esclavage en Afrique serait beaucoup plus terrible que dans le Nouveau Monde, que les captifs auraient une vie bien meilleure dans les plantations d'Amérique et des Indes occidentales que chez eux !

Bossuet : Saint-Paul ne veut pas de libération d'esclaves !

Les évêques qui pensent que l'esclavage des Noirs améliore leur condition humaine se trouvent aussi bien dans les colonies d'Amérique qu'en métropole. En métropole, l'on peut mentionner le cas de Jacques-Bénigne Bossuet (1627-1704), évêque de Meaux de 1681 à sa mort (surnommé ainsi... « l'Aigle de Meaux »).

Cet homme d'Eglise se révèle un prédicateur talentueux, connu pour ses sermons, ses panégyriques des saints et ses oraisons funèbres pathétiques. C'est aussi un écrivain de renom, ayant publié notamment le *Catéchisme de Meaux* en 1687, les *Méditations sur l'Eglise* et les *Elévations sur les Mystères*... mais aussi l'*Histoire des variations des églises protestantes* (1688).

Dans ce dernier texte, Bossuet pourfend le protestantisme. Cette religion serait corrompue, du fait qu'elle prône, entre autres, la libération des esclaves ! C'est le pasteur Pierre Jurieu (24 décembre 1637 – 11 janvier 1713), religieux calviniste, théologien, écrivain et pamphlétaire prolifique français, qui répond à Bossuet, en écrivant (dans son ouvrage *Les Soupirs de la France esclave qui aspire après la liberté*, Amsterdam, 1689) :

"Il est malaisé d'être esclave au milieu de mille personnes libres, sans être touché de son esclavage. C'est pourquoi la France doit se réveiller et sentir le poids de l'effroyable tyrannie sous laquelle elle gémit en considérant l'heureuse liberté dont jouissent les Etats voisins sous leurs princes légitimes et dans la possession de leurs anciennes lois..."

A ce pamphlet de Jurieu, Bossuet réagit en publiant les *Avertissements aux protestants sur les lettres du ministre Jurieu contre l'Histoire des variations*. Dans le cinquième de ces *Avertissements* (article 50) il rejette la thèse de Jurieu d'un contrat explicite ou implicite entre le prince et ses sujets ; pour lui, le prince ne peut rendre la liberté à ses sujets, autrement, il désobéirait à la loi divine :

"De condamner cet état [= l'esclavage], ce serait entrer dans les sentiments que M. Jurieu lui-même appelle outrés, c'est-à-dire dans les sentiments de ceux qui trouvent toute guerre injuste : ce serait non seulement condamner le droit des gens, où la servitude est admise, comme il paraît par toutes les lois, mais ce serait condamner le Saint-Esprit, qui ordonne aux esclaves, par la bouche de saint Paul, de demeurer en leur état, et n'oblige point leurs maîtres à les affranchir"

Le Saint-Paul qu'évoque Bossuet est celui de la première épître aux Corinthiens (chapitre VII, verset 24) et celui de l'épître aux Ephésiens (chapitre VI, versets 5-8). Dans cette dernière lettre, nous l'avions vu, l'apôtre déclare :

"Esclaves, obéissez à vos maîtres d'ici-bas avec crainte et tremblement, en simplicité de cœur, comme au Christ, non d'une obéissance tout extérieure qui cherche à plaire aux hommes, mais comme des esclaves du Christ, qui font avec âme la volonté de Dieu. Que votre service empressé s'adresse au Seigneur et non aux hommes, dans l'assurance que chacun sera payé par le Seigneur selon ce qu'il aura fait de bien, qu'il soit esclave ou qu'il soit libre."

Notons que cette célèbre phrase de Bossuet (réponse à Jurieu) sera reprise par l'écrivain Gustave Flaubert (1821-1880), qui la figurera dans son *Sottisier* (Flaubert, extraits du *Sottisier*, dans l'éd. Folio de *Bouvard et Pécuchet*, 2006, p. 468).

La religion, pour contenir les Noirs et éviter l'abolition de l'esclavage

L'abolition de l'esclavage. L'Eglise, en tant qu'institution, sera la dernière puissance à le souhaiter. Pendant longtemps, elle conviera les maîtres à traiter « chrétiennement » (« doucement ») leurs esclaves. Elle ne remettra pas en cause l'édifice même de l'esclavage.

Dès le début de la traite, tous les gouvernements coloniaux comptent sur l'Eglise pour éviter toute rébellion des esclaves. Pour contenir ces derniers, une seule solution s'impose : leur inculquer les principes de soumission enseignés par la religion. C'est ainsi que, le 25 janvier 1765, Sa Majesté Très-Chrétienne Louis XV le Bien-Aimé souligne, à l'intention du gouverneur de la Guyane, le rôle et l'importance du christianisme :

"La religion doit fixer les premiers regards de l'administration. C'est surtout par le frein qu'elle impose que peuvent être contenus les esclaves, trop malheureux par l'esclavage même, et également insensibles à l'honneur, à la honte et aux châtiments."

Dans un autre mémoire le même Louis XV donne la même instruction aux autorités des îles du Vent (Porto Rico, Guadeloupe, Martinique, etc.) :

"Nécessaire à tous les hommes, elle [la religion] l'est encore plus dans les colonies, peuplées d'esclaves qui ne peuvent être contenus que par l'espérance d'une vie meilleure."

Antoine Gisler, qui cite ces deux interventions royales, les commente comme suit[1] :

"Contenir les Noirs : on se souvient avec les quelle rigueur cet impératif disciplina l'action du pouvoir civil, se soumettant puis éclipsant toute autre perspective. Que la religion soit intégrée à la politique, et cet objectif la définit à son tour. L'éducation religieuse devient un élément de l'éducation décrite jadis, et qui visait à atteindre l'âme des Noirs pour les adapter de l'intérieur à leur condition d'esclave. [...]

Le levier essentiel dont elle dispose est la doctrine des fins dernières, des sanctions d'outre-tombe. Pour que cet argument porte, qu'il ait pour effet d'appliquer les intéressés à leur condition d'esclave, la première condition est qu'il s'y applique lui-même : en d'autres termes, que le missionnaire (qui, de son propre aveu, ne trouve de raison déterminante à l'asservissement des Noirs que l'intérêt matériel des colons) persuade l'esclave que d'accepter son sort est un devoir de conscience ; que « l'espérance d'une meilleure vie » est à ce

---

[1] A. Gisler, *L'esclavage aux Antilles françaises (XVIIe - XIXe siècle)*, 1981, p. 170.

prix ; que la révolte et le marronnage sont passibles de châtiments éternels. [...]. Pas d'allusions, donc, à des droits éventuels. Les esclaves doivent à leurs maîtres « une soumission sans bornes, une obéissance entière, dans tous les cas » ; si injuste que soit leur sort, il importe de leur « laisser toujours croire que les maîtres ne peuvent avoir tort envers eux » : ces consignes, explicitant le contenu de la police de l'esclave à l'adresse des fonctionnaires, le gouvernement se doit de les imposer au clergé. Qui, dès lors, sevra s'en appliquer aussi le corollaire. [...].

C'était beaucoup demander au clergé."

Ainsi, le clergé agira le plus souvent dans le sens de l'Etat, pourvu que vive la colonie. Comme nous l'avons dit, les rares prélats qui tenteront de mettre en péril l'édifice esclavagiste seront déconsidérés par leur hiérarchie et par l'Etat.

Dans son combat pour l'abolition de l'esclavage, le franc-maçon français Victor Schœlcher s'en prend à des ecclésiastiques qui recourent à saint Paul pour justifier la servitude des Noirs. Il cite notamment Mgr Bossuet qui se réfère à l'apôtre, dont la doctrine impose aux esclaves d'obéir à leur maître comme à Jésus-Christ. C'est en se fondant sur cette doctrine qui donne la justification religieuse majeure de l'esclavage que Bossuet nie la thèse du pasteur protestant Jurieu. Selon ce dernier, l'esclave garde sa liberté faute d'un accord librement consenti entre lui et le maître. Selon Bossuet, ce pacte est incompatible avec la servitude qu'admet Paul. Autrement dit, l'esclavage ne contredit pas la loi divine. Schœlcher accuse Bossuet de s'appuyer sur la doctrine paulinienne qui légitime l'esclavage et, soit dit en passant, divinise la monarchie.

Celui qui se prenait pour l'authentique héritier du Christ était dans l'erreur, tranche Schœlcher, dans un ouvrage – Le vrai Saint Paul, sa vie, sa morale – qu'il publie en 1879. Véritable réquisitoire contre l'apôtre, ce livre tente de mettre un terme à sa doctrine et à l'admiration qu'ont certains pour ses épîtres. C'est une doctrine fausse, et une admiration imméritée, s'exclame l'abolitionniste : en enseignant "Esclaves, obéissez à vos maîtres selon la chair, avec crainte et tremblement, dans la simplicité de votre cœur, comme à Jésus-Christ lui-même", saint Paul, affirme Schœlcher, sanctifie le pouvoir dominical, en égalisant la puissance du maître et celle du Nazaréen. Cet enseignement apostolique signifie que la révolte de l'esclave était aussi impie que la résistance au Christ lui-même ! Pour son salut, l'esclave ne devait pas chercher à se soustraire à son maître ; seul Dieu le délivrerait de ce joug.

De manière générale, Schœlcher se montre impitoyable avec l'Eglise, qu'il accuse d'inculquer aux esclaves une religion qui n'éduque pas mais abêtit au contraire, en bref un simulacre de religion, qui évite d'enseigner les passages bibliques susceptibles de délivrer un message émancipateur[1] :

> "Ce que les esclaves ont appris et pourraient apprendre du christianisme n'a véritablement servi et ne servirait qu'à fausser le jugement ; c'est l'effet que les pratiques religieuses ont produit dans les basses classes des peuples européens ; c'est l'effet qu'elles produiront sur toute race ignorante.
>
> Le dimanche, les églises regorgent des Nègres et surtout de Négresses ; ils ont toujours le nom de Dieu à la bouche, ils décrivent régulièrement un signe de croix sur le pain qu'ils entament ou l'ouvrage qu'ils commencent ; mais ils ne savent ce qu'ils disent, ni ce qu'ils font. Ils ne comprennent pas Dieu, et se servent de lui à peu près comme on se sert d'un charme. [...].
>
> Nous avons le regret de le dire, mais nous jugeons qu'il n'y a pas de bons prêtres aux colonies. [...] Ils vivent tous chez les maîtres au lieu de vivre avec les esclaves, et quand on connaît les colonies, c'est une plainte qui paraît étrange de leur entendre dire qu'ils ne peuvent rien faire, parce qu'ils compromettraient la sécurité des maîtres.
>
> Vaut-il donc mieux laisser se perpétuer la misère et l'oppression des esclaves ? Sont-ce là les nouvelles doctrines des apôtres du Christ ?"

Assurément pas. Le Christ enseignait l'amour. Si sa doctrine était réellement suivie, l'esclavage ne pouvait être admis, ne pouvait donc exister.

---

[1] V. Schœlcher, *Esclavage et colonisation*, PUF, Paris, 1948.

Conclusion

L'ESCLAVAGE DES NOIRS,
AU NOM DE JESUS-CHRIST

La prétendue justification chrétienne de l'esclavage

Du XVe au XIXe siècles, les nations chrétiennes d'Europe réduisent les Noirs en esclavage. C'est la transposition d'une pratique commencée chez elles et abolie depuis lors.

Ce sont les princes de l'Eglise naissante et les théologiens qui vont trouver des arguments, plus ou moins farfelus, pour justifier la servitude des Noirs. Ils partent de l'esclavage qui prévalait dans le vieil Empire romain. Sans chercher à le justifier, ils le considèrent au contraire comme découlant de l'ordre normal et naturel des choses. Aussi acceptent-ils cette situation de fait : ils ne condamnent pas *ex cathedra* la pratique universelle de l'esclavage, qu'ils considèrent comme nécessaire à l'ordre socio-économique que personne ne doit songer à détruire.

Donc, les évêques et les Pères de l'Église, qui reconnaissent l'autorité civile établie, quel que son degré de moralité, ne prônent – et ne prôneront – presque jamais la révolte sociale : *dans la société, chaque homme doit rester à la place que Dieu a voulue pour lui ; en particulier, l'esclave doit demeurer soumis à son maître* et ne doit pas réclamer – brutalement – son affranchissement. On voit qu'ils évoquent là l'apôtre Paul, qui exigeait de chaque membre de la société à demeurer à sa place et aux esclaves d'obéir à leurs maîtres. Certes, saint Paul demandait également aux maîtres de traiter humainement les esclaves, mais l'on peut vraiment se demander si Jésus lui-même tolérait l'institution esclavage. C'est évidemment non.

Au lieu d'inciter l'esclave à se défaire de ses chaînes, l'Eglise cherche plutôt à « sauver » son âme. Pour y parvenir, les responsables chrétiens, en suivant toujours les recommandations discutables de Paul – et de Pierre –, pensent que la seule solution est d'imposer à l'esclavage la foi au Christ, qui apporte la liberté spirituelle, qui serait la seule vraie liberté ! Ce sera le leitmotiv des conquêtes coloniales : s'associer à l'autorité militaire et civile pour convertir les « païens », qui sont les « esclaves du péché » ! En acceptant, de gré ou de force, le baptême du Christ, l'esclave devient, devant Dieu, un homme libre, comme l'est le maître devant les hommes. C'est en ces termes que Paul s'adresse aux Galates (3, 28) :

> "[Désormais, pour ceux qui sont baptisés dans le Christ], il n'y a pas de Juif ni de Grec, il n'y a pas d'esclave ni d'homme libre, il n'y a pas d'homme ni de femme, car tous vous êtes un en Christ Jésus."

Quand certains princes éclairés de l'Etat comprendront que l'esclavage est contraire à la loi divine, ils l'aboliront, mais seulement parmi les Blancs. Chez les autres, notamment chez les Noirs, l'esclavage subsistera pendant très longtemps, et sera même justifié par certains passages soi-disant bibliques.

"Quelles relations peut-il y avoir entre le Christ et Aristote ?"

Toutes la philosophie et la théologie bâties par Augustin et Thomas, ainsi que par d'autres Pères de l'Eglise, portent un joli nom qui deviendra bientôt péjoratif : la *scolastique*. Imposée et enseignée par l'Université au Moyen-Age à partir du XIIIe siècle, elle ne cherche pas à connaître la vérité par la démonstration scientifique, mais par la foi, qui se base sur la révélation. Bien plus, elle use de principes et d'instruments dont dispose la raison pour affirmer la foi, pour mettre en lumière toute son intelligibilité, de façon à la rendre valable et défendable. Il s'établit ainsi des rapports entre la foi et la raison, des rapports étroits de soutien mutuel. La foi doit avoir cependant priorité sur la raison ; elle doit être en quête de l'intelligence. Ce qui veut dire que la philosophie (science de la raison) devient la servante de la théologie (« science » de Dieu, de la révélation, de la foi). L'on connaît à ce sujet le célèbre adage d'Augustin : "Comprends pour croire, crois pour comprendre". En d'autres termes, explique Augustin, se référant au prophète Isaïe (Is. 7, 9) de l'Ancien Testament : "Si vous ne croyez pas, vous ne comprendrez pas". Dans sa *Somme théologique*, Thomas précisera la dialectique augustinienne et lui donnera un aspect définitif qui, sous le nom du *thomisme*, deviendra la bible de l'Eglise catholique.

Résumons-nous. La scolastique, sous sa forme augustinienne et surtout thomiste, fait passer au premier plan une lecture systématique du donné de la foi, au détriment de la lecture historique qu'impose le texte biblique. D'où la tension qui peut naître – qui naît – entre la nature et l'histoire, du fait du large usage de la philosophie introduit en théologie. Appliquée à l'esclavage, Augustin et Thomas diraient qu'il ne suffit pas de chercher à démontrer que l'esclave doit être soumis à son maître ; il faut seulement accepter que cela relève de l'« ordre naturel ». Cette pensée d'Augustin et de Thomas remonte, avons-nous dit, à l'Antiquité grecque, à Aristote en particulier.

Et c'est sur ce point – philosophie grecque, philosophie païenne –, que beaucoup de penseurs, chrétiens ou non, s'attaqueront à l'esprit scolastique. L'Humanisme et la Réforme sont les premiers mouvements, au début du XVe siècle, à le fustiger : Erasme, en 1515, critique son « langage barbare » et surtout sa référence à une philosophie païenne et sa contamination par elle. La question que se pose alors Erasme se formule tout simplement comme l'eau de la roche : "Quelles relations peut-il y avoir entre le Christ et Aristote ?". De même, Luther, en 1517, ne comprend rien à la dépravation de l'Evangile par des théories qui lui sont extérieures ; aussi, dans une série de thèses, s'élève-t-il *contra scholasticam theologiam* : "C'est une erreur de dire que sans Aristote on ne devient pas théologien. En bref, tout Aristote est à la théologie ce que les ténèbres sont à la lumière"[1].

Ainsi donc, en extrapolant, on peut dire que la scolastique, du moins en ce qui concerne la « justification »

---

[1] J. Jolivet, "Scolastique", in *Encyclopædia Universalis*, 1985, pp. 582-584.

de l'esclavage, relève de l'absurdité. Antichrétienne par son origine, Voltaire la définit tout simplement : "La théologie scolastique, fille bâtarde de la philosophie d'Aristote, mal traduite et méconnue". Pour le célèbre écrivain et philosophe français qui parle avec ironie, les scolastiques "tous ont été bien sûrs de connaître l'âme très clairement". Leur erreur – leur prétention – est de toujours considérer un point de départ fixe et indubitable, qu'ils empruntent à la révélation ou à la tradition, qui constituent des sources irrationnelles et donc discutables. Le physiologiste français Claude Bernard en arrive à évoquer l'esprit scolastique de manière négative : "Le scolastique ou le systémique, ce qui est la même chose, a l'esprit orgueilleux et intolérant et n'accepte pas la contradiction".

Honnie, la scolastique va pourtant survivre, confirmant les accusations d'intolérance portées contre l'Eglise et ses théologiens. Nous avons vu que l'un de ceux-ci, du nom de Vitoria, soutient au XVe siècle, une nébuleuse théorie néo-scolastique sur le droit des nations chrétiennes à coloniser et à évangéliser les peuples « barbares » qu'il faut au préalable réduire en esclavage.

Théologiens, ecclésiastiques et esclavagistes se réfèrent à l'Ancien Testament et à saint Paul, jamais au Christ

On vient de le voir, les esclavagistes et surtout les philosophes de la scolastique qui tentent de justifier « chrétiennement » l'esclavage se basent sur la philosophie « païenne » grecque, ainsi que sur l'Ancien Testament et les épîtres de saint Paul, jamais sur les enseignements proprement dits du Christ.

L'Ancien Testament, un ensemble de livres écrits pour le salut du peuple d'Israël, admet ou tolère donc l'esclavage des habitants d'autres nations. Pour cette première partie de la Bible, l'esclavage est donc considéré comme une institution allant de soi. Des Israélites ont mis en esclavage d'autres Israélites pour les punir de vol (Ex 22, 3), pour payer les dettes (Ex 31, 2-6 ; Lev 25, 39), pour les racheter à un étranger (Lev 25, 47-55), et pour punir un père qui a vendu sa fille (Ex 21, 7-11). C'est à partir de ce genre de textes que les canonistes et les théologiens ont construit les quatre « justes droits à l'esclavage », rappelés par le texte du Saint-Office du 20 juin 1866 (selon lequel l'esclavage "n'est pas du tout contraire à la loi naturelle et divine") : capture durant une guerre, juste condamnation, achat et vente, naissance (l'enfant d'une esclave est un esclave !).

Ces canonistes, ces théologiens et le Saint-Office (et donc le Gouvernement central de l'Eglise et la papauté) qui s'appuient sur l'Ancien Testament pour affirmer le caractère divin de l'esclavage, semblent oublier que Jésus-Christ est venu accomplir cette Loi, mais en l'aménageant, c'est-à-dire en abolissant certains passages qui semblaient inadéquats ou injustes. Il nous laisse un grand commandement, qui supplante les autres : "Aimez-vous les uns les autres, comme je vous ai aimés" ! L'amour du prochain écarte la violence, la déconsidération et l'esclavage de l'autre.

Dans le Nouveau Testament, les esclavagistes éviteront ainsi d'étaler ce commandement de l'amour du prochain, ainsi que d'autres enseignements du Messie contenus dans les Evangiles. Le plus souvent, ils aligneront au contraire les épîtres de saint Paul, un homme qui avait, inconsciemment sans doute, gardé quelques relents de son passé de persécuteur ou d'esclavagiste des chrétiens ; sa conversion, sans doute également sincère, n'a pas suffi pour éclaircir sa pensée, en la rendant vraiment chrétienne.

Certains auteurs prétendent que saint Paul était abusivement utilisé par les théoriciens de l'esclavagisme pour justifier la servitude dans le Nouveau Testament. C'est le cas du P. Grail[1], qui nie que l'apôtre ait soutenu la nécessité d'un esclavage dans la société :

"Nous pouvons donc dire nettement : Paul n'entre pas dans la question sociale de l'esclavage. Il ne nous dit pas un mot de sa légitimité ou de son illégitimité. [Ce, non par opportunisme, mais

---

[1] Grail, "Saint Paul devant le pouvoir politique et l'esclavage", dans *Jeunesse de l'Eglise*, cahier 1, pp. 105-114 ; cité par A. Gisler, *L'esclavage aux Antilles françaises (XVIIe - XIXe siècle)*, Karthala, Paris, 1981, p. 154.

par le sentiment exact de son rôle :] Il a été choisi et envoyé comme apôtre, c'est-à-dire pour enseigner aux hommes le salut par la foi, l'incorporation au Christ, la filiation adoptive par grâce. C'est à ce message qu'il doit se consacrer. Or ce message est avant tout religieux, gros de transformation intime des âmes, non point directement de transformation politico-sociale. La vie du Christ en nous, notre identification à Lui en effet, ne dépend pas, absolument parlant (cf. S. Thomas, in 1 Cor, c. 7 v. 21-24), des] circonstances extérieures. Celles-ci n'ont, de droit, aucune importance. Un esclave peut, dans la servitude, vivre avec le Christ et du Christ, aussi bien qu'affranchi [à condition d'y mettre le prix !]"

Antoine Gisler va dans le même sens, lorsqu'il affirme[1] :

"Paul jetait dans la masse un ferment spirituel qui devait transformer tout l'homme, et par là même tout ce qui touche à l'homme : le politique comme le social. Le temps, instrument de la Providence, devait présider à cette transformation lente. L'Apôtre, pleinement conscient de son rôle, se bornait à l'essentiel : « Le Christ en vous, l'espérance de la gloire."

En tout cas, dans cette « affaire », ce n'est pas Paul qui est à plaindre (lequel, après sa conversion au christianisme, n'est plus un « persécuteur »), mais ceux qui chercheront à interpréter ses discours à leurs convenances. Habilement, ces « savants » (canonistes, théologiens) et les esclavagistes usent et abusent les enseignements – dispensés avec « bonne foi » – de l'apôtre, qu'ils savent pertinemment bien être pleins de contradictions. Ils les utilisent pour démontrer que les Apôtres, en premier lieu Paul, approuvaient l'esclavage. Jusqu'à la fin du XIXᵉ siècle, ils ne cesseront de répéter ce genre d'arguments, lesquels leur ont permis d'arriver à une conclusion inattaquable : "C'est avec certitude une question de foi que l'esclavage par lequel un homme sert un maître comme esclave est tout à fait

---

[1] A. Gisler, *L'esclavage aux Antilles françaises (XVIIᵉ - XIXᵉ siècle)*, p. 154. Gisler cite des auteurs qui partagent son opinion : Allard, Les esclaves chrétiens, pp. 148-184 ; Augrain, art. Esclave, dans Vocabulaire de théologie biblique, col. 304.

légitime. *Ceci peut être prouvé à partir des Saintes Écritures*"[1] !

Ces « érudits » et ces esclavagistes ne peuvent penser une seule fois que saint Paul, en soutenant – selon eux – l'esclavagisme, traite de la situation présente des gens auxquels il adresse ses lettres, des gens qui vivent dans une société où l'esclavage était un fait. Ceci est d'ailleurs vrai également pour l'Ancien Testament, qui raconte l'histoire du peuple juif qui, bien que sorti de l'humiliant esclavage dont il était victime en Egypte, considérait comme « normal » le fait esclavagiste Déduire des principes généraux concernant l'esclavage à partir des épîtres apostoliques – et des anciennes relations bibliques – dépasse la portée qu'elles avaient.

Ils sont malins, ces théologiens et ces esclavagistes ; ils savent que saint Paul se fourvoie souvent en transmettant la Parole de Jésus. De l'apôtre, ils ne retiennent alors que les aspects « négatifs » de sa prêche, mais refusent de comprendre que le même serviteur du Christ a aussi développé le rejet de l'esclavage. En effet, Paul a clairement établi que la loi de l'Ancien Testament avait été abrogée par Jésus dont il prolonge l'enseignement. Notamment, il avait proclamé le principe de l'égalité, dans le Christ Jésus, du Juif et du Grec, du païen et du chrétien, de l'esclave et de l'homme libre, de l'homme et de la femme... C'est écrit noir et blanc dans l'épître aux Galates (Ga, 3, 28), un passage que, évidemment, les esclavagistes omettent – sciemment ? – de lire, tout comme ils évitent de prêter attention à la suite de la lettre aux mêmes destinataires, qui invite les esclaves à se défaire complètement de leurs liens de servitude (Ga 5, 1) : "C'est pour nous rendre la liberté que Christ nous a libérés. Alors, tenez bon et n'allez pas vous remettre sous le joug de l'esclavage".

A partir de cette adresse paulinienne exprimée de façon limpide, canonistes, théologiens et esclavagistes de

---

[1] Titre éloquent d'un ouvrage classique paru à Lyon en 1692 : Leander, *Questiones Morales Theologicae* (Tome 8. De Quarto Decalogi Precepto, Tract. IV, Disp. I, Q. 3).

tous bords auraient dû comprendre que les arguments tirés de l'Ancien Testament concernant l'esclavage auraient dû être considérés comme caducs ! Ces canonistes, ces théologiens et ces esclavagistes auraient dû savoir que Jésus, envoyé de Dieu et Sauveur de l'humanité, le Messie au nom de qui parle Paul, n'a jamais été un esclavagiste, ni n'a jamais eu d'intention esclavagiste ; nulle part, on ne dénicherait dans ses propos repris par les évangélistes Marc, Luc, Mathieu et Jean, quelques allusions, même cachées, à l'esclavagisme. En effet, Jésus-Christ, dont se réclament tous les chrétiens, condamnait sans failles toutes sortes d'injustices faites à l'homme, dont l'esclavage. Il réfutait la stratification de la société en puissants et en faibles, en maîtres et en esclaves (Matthieu 23, 8-12) :

> "Pour vous, ne vous faites pas appeler Maître :
> car vous n'avez qu'un seul Maître, et tous vous êtes des frères.
> N'appelez personne votre Père sur la terre :
> car vous n'en avez qu'un, le Père céleste.
> Ne vous faites pas non plus appeler « Directeur » :
> car vous n'avez qu'un seul Directeur, le Christ.
> Le plus grand parmi vous sera votre serviteur.
> Quiconque s'élèvera sera abaissé,
> et quiconque s'abaissera sera élevé."

Autrement dit : ceux qui réduisent les gens en esclavage seront à leur tour réduits en esclavage, et les esclaves deviendront des maîtres ! Le Messie est lui-même venu servir et non se faire servir. Il est venu pour dire aux hommes : "Aimez-vous les uns les autres". De ce commandement qui résume toute la doctrine du Christ, saint Mathieu (chap. 13, 14) dit : "Et cet Evangile du Royaume sera proclamé dans tout le monde habité, en témoignage pour toutes les nations".

C'est cet Evangile-là qui proclame l'amour du prochain qui sera tu : les théoriciens de l'esclavagisme ne le citeront pas dans leur « justification » soi-disant chrétienne, refusant ainsi de noter l'incompatibilité entre la – vraie – religion et la servitude de l'homme !

Annexes
Traite et esclavage des Noirs, des « crimes contre l'humanité »

Annexe 1
L'ESCLAVAGE DES NOIRS, UN CRIME

Nicolas de CONDORCET, *Réflexions sur l'esclavage des Nègres*, II, 1871.

I. De l'injustice de l'esclavage des Nègres, considérée par rapport à leurs maîtres

Réduire un homme à l'esclavage, l'acheter, le vendre, le retenir dans la servitude, ce sont des véritables crimes, et des crimes pires que le vol. En effet, on dépouille l'esclave, non seulement de toute propriété mobilière ou foncière, mais de la faculté d'en acquérir, mais de la propriété de son temps, de ses forces, de tout ce que la nature lui a donné pour conserver sa vie ou satisfaire à ses besoins. A ce tort on joint celui d'enlever à l'esclave le droit de disposer de sa personne.

Ou il n'y a point de morale, ou il faut convenir de ce principe. Que l'opinion ne flétrisse point ce genre de crime ; que la loi du pays le tolère ; ni l'opinion, ni la loi ne peuvent changer la nature des actions : et cette opinion serait celle de tous les hommes ; et le genre humain assemblé aurait, d'une voix unanime, porté cette loi, que le crime resterait toujours un crime.

Dans la suite, nous comparerons souvent avec le vol l'action de réduire à l'esclavage. Ces deux crimes, quoique le premier soit beaucoup moins grave, ont de grands rapports entre eux ; et comme l'un a toujours été le crime le plus fort, et le vol celui du plus faible, nous trouvons toutes les questions sur le vol résolues d'avance et suivant de bons principes, par tous les moralistes, tandis que l'autre crime n'a pas même de nom dans leurs livres. Il faut excepter cependant le vol à main armée, qu'on appelle *conquête*, et quelques autres espèces de vols où c'est également le plus fort qui dépouille le plus faible. Les moralistes sont aussi muets sur ces crimes que sur celui de réduire des hommes à l'esclavage.

II. Raisons dont on se sert pour excuser l'esclavage des Nègres

On dit, pour excuser l'esclavage des Nègres achetés en Afrique, que ces malheureux sont ou des criminels condamnés au dernier supplice, ou des prisonniers de guerre, qui seraient mis à mort s'ils n'étaient pas achetés par les Européens.

D'après ce raisonnement, quelques écrivains nous présentent la traite des Nègres comme étant presque un acte d'humanité. Mais nous observerons :

1. Que ce fait n'est pas prouvé, et n'est pas même vraisemblable. Quoi ! avant que les Européens achetassent des Nègres, les Africains égorgeaient tous leurs prisonniers ! Ils tuaient non seulement les femmes mariées, comme c'était, dit-on, autrefois l'usage chez une horde de voleurs orientaux, mais même les filles non-mariées; ce qui n'a jamais été rapporté d'aucun peuple. Quoi ! Si nous n'allions pas chercher des Nègres en Afrique, les Africains tueraient les esclaves qu'ils destinent maintenant à être vendus ! chacun des deux partis aimerait mieux assommer ses prisonniers que de les échanger ! Pour croire des faits invraisemblables, il faut des témoignages imposants, et nous n'avons ici que ceux des gens employés au commerce des Nègres - Je n'ai jamais eu l'occasion de les fréquenter; mais il y avait chez les Romains des hommes livrés au même commerce, et leur nom est encore une injure(1).

2. En supposant qu'on sauve la vie des Nègres qu'on achète, on ne commet pas moins un crime en l'achetant, si c'est pour le revendre ou le réduire en esclavage. C'est précisément l'action d'un homme qui, après avoir sauvé un malheureux poursuivi par des assassins, le volerait. Ou bien, si on suppose que les Européens ont déterminé les Africains à ne plus tuer leurs prisonniers, ce serait l'action d'un homme qui serait parvenu à dégoûter des brigands d'assassiner des passants, et les aurait engagés à se contenter de les voler avec lui. Dirait-on dans l'une ou dans l'autre de ces suppositions, que cet homme n'est pas un voleur ? Un homme qui, pour en sauver un autre de la mort, donnerait de son nécessaire, serait sans doute en droit d'exiger un dédommagement; il pourrait acquérir un droit sur le bien et même sur le travail de celui qu'il a sauvé, en prélevant cependant ce qui est nécessaire à la subsistance de l'obligé : mais il ne pourrait sans injustice le réduire à l'esclavage. On peut acquérir des droits sur la

propriété future d'un autre homme, mais jamais sur sa personne. Un homme peut avoir le droit d'en forcer un autre à travailler pour lui, mais non pas de le forcer à lui obéir.

3. L'excuse alléguée est d'autant moins légitime, que c'est au contraire l'infâme commerce des brigands d'Europe, qui fait naître entre les Africains des guerres presque continuelles, dont l'unique motif est le désir de faire des prisonniers pour les vendre. Souvent les Européens eux-mêmes fomentent des guerres par leur agent ou par leurs intrigues ; en sorte qu'ils sont coupables, non seulement du crime de réduire des hommes en esclavage, mais encore de tous les meurtres commis en Afrique pour préparer ce crime. Ils ont l'art perfide d'exciter la cupidité et les passions des Africains, d'engager le père à livrer ses enfants, le frère à trahir son frère, le prince à vendre ses sujets. Ils ont donné à ce malheureux peuple le goût destructeur des liqueurs fortes. Ils lui ont communiqué ce poison qui, caché dans les forêts de l'Amérique, est devenu, grâce à l'active avidité des Européens, un des fléaux du globe ; et ils osent encore parler d'humanité !

Quand bien même l'excuse que nous venons d'alléguer disculperait le premier acheteur, elle ne pourrait excuser ni le second acheteur, ni le colon qui garde le Nègre ; car ils n'ont pas le motif présent d'enlever à la mort l'esclave qu'ils achètent : ils sont, par rapport au crime de réduire en esclavage, ce qu'est, par rapport à un vol, celui qui partage avec le voleur, ou plutôt celui qui charge un autre d'un vol, et qui en partage avec lui le produit. La loi peut avoir des motifs pour traiter différemment le voleur et son complice ; mais en morale, le délit est le même.

Enfin, cette excuse est absolument nulle pour les Nègres nés dans l'habitation. Le maître qui les élève pour les laisser dans l'esclavage est criminel, parce que le soin qu'il a pu prendre d'eux dans l'enfance, ne peut lui donner sur eux aucune apparence de droit. En effet, pourquoi ont-ils eu besoin de lui ? C'est parce qu'il a ravi à leurs parents, avec la liberté, la faculté de soigner leur enfant. Ce serait donc prétendre qu'un premier crime peut donner le droit d'en commettre un second. D'ailleurs supposons même l'enfant nègre abandonné librement de ses parents: le droit d'un homme sur un enfant abandonné, qu'il a élevé, peut-il être de le tenir dans la servitude ? Une action d'humanité donnerait-elle le droit de commettre un crime ?

L'esclavage des criminels légalement condamnés n'est pas même légitime. En effet, une des conditions nécessaires pour que la peine soit juste, c'est qu'elle soit déterminée par la loi, et quant à sa durée, et quant à sa forme. Ainsi, la loi peut condamner à des travaux publics, parce que la durée du travail, la nourriture, les punitions en cas de paresse ou de révolte, peuvent être déterminées par la loi; mais la loi ne peut jamais prononcer contre un homme la peine d'être esclave d'un autre homme en particulier, parce que la peine dépendant alors absolument du caprice du maître, elle est nécessairement indéterminée. D'ailleurs, il est aussi absurde qu'atroce d'oser avancer que la plupart des malheureux achetés en Afrique sont des criminels. A-t-on peur qu'on n'ait pas assez de mépris pour eux, qu'on ne les traite pas avec assez de dureté ? Et comment suppose-t-on qu'il existe un pays où il se commette tant de crimes, et où cependant il se fasse si exacte justice ?

III. De la prétendue nécessité de l'esclavage des Nègres, considérée par rapport au droit qui peut en résulter pour leurs maîtres

On prétend qu'il est impossible de cultiver les colonies sans Nègres esclaves. Nous admettons ici cette allégation ; nous supposerons cette impossibilité absolue : il est clair qu'elle ne peut rendre l'esclavage légitime. En effet, si la nécessité absolue de conserver notre existence, peut nous autoriser à blesser le droit d'un autre homme, la violence cesse d'être légitime à l'instant où cette nécessité absolue vient à cesser : or, il n'est pas question ici de ce genre de nécessité, mais seulement de la perte de la fortune des colons. Ainsi, demander si cet intérêt rend l'esclavage légitime, c'est demander s'il m'est permis de conserver ma fortune par un crime. [...].

Annexe 2

LA « LOI TAUBIRA » : LA TRAITE ET L'ESCLAVAGE DES NOIRS, CRIMES CONTRE L'HUMANITE

Dans cet ouvrage, nous avons vu que le pape Pie II a été parmi les premiers, sinon le premier, à reconnaître la traite négrière comme un cime : un « énorme crime », disait-il en 1462.

En 1992, soit 530 ans plus tard, Jean-Paul II rappelle, à Gorée, cette qualification de Pie II, et la fait sienne.

C'est sans doute à la suite de cette reconnaissance par le pape, chef d'une Eglise au nom de laquelle les nations européennes trafiquaient du Noir, que l'intelligentsia noire va s'activer pour que la traite soit reconnue comme un crime contre l'humanité.

PROPOSITION DE LOI

Le 22 décembre 1998, Christiane Taubira-Delannon, députée antillaise, soutenue par Jean-Marc Ayrault, une pléiade de députés de gauche et la direction d Parti socialiste, dépose une proposition de loi à l'Assemblée nationale française, *tendant à la reconnaissance de la **traite** et de l'**esclavage** en tant que* **crimes contre l'humanité**. En voici l'exposé des motifs :

"Mesdames, Messieurs,

Il n'existe pas de comptabilité qui mesure l'horreur de la traite négrière et l'abomination de l'esclavage. Les cahiers des navigateurs, trafiqués, ne témoignent pas de l'ampleur des razzias, de la souffrance des enfants épuisés et effarés, du désarroi désespéré des femmes, du bouleversement accablé des hommes. Ils font silence sur la commotion qui les étourdit dans la maison des esclaves à Gorée. Ils ignorent l'effroi de l'entassement à fond de cale. Ils gomment les râles d'esclaves jetés, lestés, par-dessus bord. Ils renient les viols d'adolescentes affolées. Ils biffent les marchandages sur les marchés aux bestiaux. Ils dissimulent les assassinats protégés par le Code noir. Invisibles, anonymes, sans filiation ni descendance, les esclaves ne comptent pas. Seules valent les recettes. Pas de statistiques, pas de preuves, pas de préjudice, pas de réparations. Les non-dits de l'épouvante qui accompagna la déportation la plus massive et la plus longue de l'histoire des hommes sommeillèrent, un siècle et demi durant, sous la plus pesante chape de silence.

La bataille des chiffres fait rage. Des historiens vacillent sur le décompte des millions d'enfants, de femmes et d'hommes, jeunes et bien portants, de la génération féconde, qui furent arrachés à la terre d'Afrique. De guerre lasse et sans certitudes, ils retiennent une fourchette de quinze à trente millions de déportés par la traite transatlantique. Des archéologues décryptent avec une application d'écoliers les vestiges des civilisations pré-coloniales et exhument, avec une satisfaction pathétique, les preuves de la grandeur de l'Afrique d'avant les conquérants et compradors. Des anthropologues décrivent l'échange inégal du commerce triangulaire entre les esclaves, matière première du capitalisme européen expansionniste, et les bibelots, tissus, barres de fer, alcools, fusils qui servaient à acquitter les « coutumes », droits payés sur la traite aux Etats ou cheffaillons du littoral. Des ethnologues reconstruisent le schéma d'explosion des structures traditionnelles sous le choc de ce trafic qui pourvut les ports européens en accises juteuses, les armateurs en rentes coupables, les Etats en recettes fiscales incolores et inodores. Des sociologues débusquent les traces d'intrigues politiques fomentées par les négriers pour attiser les conflits entre Etats africains, entre chefferies côtières, entre fournisseurs de « bois d'ébène ». Des économistes comparent la voracité de l'économie minière à la rapacité de l'économie de plantations et y puisent le mobile des déportations massives. Des théologiens font l'exégèse de la malédiction de Cham et tentent de conclure la controverse de Valladolid. Des psychanalystes explorent les ressorts de survie et les mécanismes d'exorcisme qui permirent d'échapper à la folie. Des juristes dissèquent le Code noir, qualifient le crime contre l'humanité et le rappellent imprescriptible.

Les fils et filles de descendants d'esclaves, dispersés en diasporas solidaires, blessés et humiliés, rassasiés de chicaneries sur l'esclavage pré-colonial, les dates de conquête, le volume et la valeur de la pacotille, les complicités locales, les libérateurs européens, répliquent par la geste de Chaka, empereur zoulou, qui s'opposa à la pénétration du pays zoulou par les marchands d'esclaves. Ils chantent l'épopée de Soundjata, fondateur de l'empire du Mali, qui combattit sans répit le système esclavagiste. Ils brandissent la bulle d'Ahmed Baba, grand savant de Tombouctou, qui réfuta la malédiction de Cham dans tout l'empire songhay et condamna la traite transsaharienne initiée par des marchands maghrébins. Ils dévoilent la témérité de la reine Dinga, qui osa même affronter son fière dans un refus sans nuance. Ils collectionnent les lettres d'Alfonso Ier, roi du Congo, qui en appela au roi du Portugal et au pape. Ils marmonnent la ronde des marrons, guerriers prestigieux et rebelles ordinaires. Ils fredonnent la romance des nègres de case, solidaires d'évasions, allumeurs d'incendies, artisans de sortilèges, artistes du poison. Ils entonnent la funeste et grandiose complainte des mères avorteuses. Ils tentent d'atténuer la cupidité de ceux des leurs qui livrèrent des captifs aux négriers. Ils mesurent leur vénalité, leur inconscience ou leur lâcheté, d'une lamentable banalité, à l'aune de la trahison. d'élites, pas moins nombreuses, qui également vendirent les leurs en d'autres temps et d'autres lieux. Ecœurés par la mauvaise foi de ceux qui déclarent que la faute fut emportée par la mort des coupables et ergotent sur les destinataires d'éventuelles réparations, ils chuchotent, gênés, que bien que l'Etat d'Israël n'existât pas lorsque les nazis commirent, douze ans durant, l'holocauste contre les juifs, il est pourtant bénéficiaire des dommages payés par l'ancienne République fédérale d'Allemagne. Embarrassés, ils murmurent que les Américains reconnaissent devoir réparation aux Américains d'origine japonaise internés sept ans sur ordre de Roosevelt durant la Deuxième Guerre mondiale. Contrariés, ils évoquent le génocide arménien et rendent hommage à la reconnaissance de tous ces crimes. Contrits de ces comparaisons, ils conjurent la cabale, oppressés, vibrant de convaincre que rien ne serait pire que de nourrir et laisser pourrir une sordide « concurrence des victimes ».

Les humanistes enseignent alors, avec une rage sereine, qu'on ne saurait décrire l'indicible, expliquer l'innommable, mesurer l'irréparable. Ces humanistes de tous métiers et de toutes conditions, spécialistes éminents ou citoyens sans pavillon, ressortissants de la race humaine, sujets de cultures singulières, officielles ou opprimées, porteurs d'identités épanouies ou tourmentées, pensent et proclament que l'heure est au recueillement et au respect. Que les circonlocutions sur les mobiles des négriers sont putrides. Que les finasseries sur les circonstances et les mentalités d'époque sont primitives. Que les digressions sur les complicités africaines sont obscènes. Que les révisions statistiques sont immondes. Que les calculs sur les coûts de la réparation sont scabreux. Que les querelles juridiques et les tergiversations philosophiques sont indécentes. Que les subtilités sémantiques entre crime et attentat sont cyniques. Que les hésitations à convenir du crime sont offensantes. Que la négation de l'humanité des esclaves est criminelle. Ils disent, avec Elie Wiesel, que le « bourreau tue toujours deux fois, la deuxième fois par le silence ».

Les millions de morts établissent le crime. Les traités, bulles et codes en consignent l'intention. Les licences, contrats, monopoles d'Etat en attestent l'organisation. Et ceux qui affrontèrent la barbarie absolue en emportant par-delà les mers et au-delà de l'horreur, traditions et valeurs, principes et mythes, règles et croyances, en inventant des chants, des contes, des langues, des rites, des dieux, des savoirs et des techniques sur un continent inconnu, ceux qui survécurent à la traversée apocalyptique à fond de cale, tous repères dissous, ceux dont les pulsions de vie furent si puissantes qu'elles vainquirent l'anéantissement, ceux-là sont dispensés d'avoir à démontrer leur humanité.

LA FRANCE, QUI FUT ESCLAVAGISTE AVANT D'ÊTRE ABOLITIONNISTE, PATRIE DES DROITS DE L'HOMME TERNIE PAR LES OMBRES ET LES « MISÈRES DES LUMIÈRES », REDONNERA ÉCLAT ET GRANDEUR À SON PRESTIGE AUX YEUX DU MONDE EN S'INCLINANT LA PREMIÈRE DEVANT LA MÉMOIRE DES VICTIMES DE CE CRIME ORPHELIN.

PROPOSITION DE LOI

Article 1er

La République française reconnaît que la traite négrière transatlantique et l'esclavage, perpétrés à partir du XVe siècle par les puissances européennes contre les populations africaines déportées en Europe, aux Amériques et dans l'océan Indien, constituent un crime contre l'humanité.

Article 2

Les manuels scolaires et les programmes de recherche en histoire et en sciences humaines accorderont à la plus longue et la plus massive déportation de l'histoire de l'humanité la place conséquente qu'elle mérite. La coopération qui permettra de mettre en articulation les archives écrites disponibles en Europe avec les sources orales et les connaissances archéologiques accumulées en Afrique, dans les Amériques, aux Caraïbes et dans tous les autres territoires ayant connu l'esclavage sera encouragée et favorisée.

Article 3

Une requête en reconnaissance de la traite négrière transatlantique et de l'esclavage comme crime contre l'humanité sera introduite auprès de l'Union européenne, des organisations internationales et de l'Organisation des Nations unies.

Article 4

Le 8 février de chaque année rappellera le Congrès de Vienne de 1815, au cours duquel les nations européennes condamnèrent solennellement la traite négrière transatlantique comme « répugnant au principe d'humanité et de morale universelle ». Toutes démarches seront entreprises pour inciter les nations libres à adopter cette date pour commémoration internationale.

Article 5

Il est instauré un comité de personnalités qualifiées chargées de déterminer le préjudice subi et d'examiner les conditions de réparation due au titre de ce crime. Les compétences et les missions de ce comité seront fixées par décret en Conseil d'Etat.

Article 6

Il est inséré, après l'article 24*bis* de la loi du 29 juillet 1881 sur la liberté de la presse, un article 24*ter* ainsi rédigé :

« *Art. 24 ter.* - Seront punis des peines prévues à l'article 24*bis* ceux qui auront contesté par un moyen énoncé à l'article 23 l'existence du crime contre l'humanité défini à l'article premier de la présente proposition de loi. »

Article 7

Il est inséré, après l'article 48-2 de la loi du 29 juillet 1881 sur la liberté de la presse, un article 48-2-1 ainsi rédigé :

« *Art. 48-2-1.* - Toute association régulièrement déclarée depuis au moins deux ans à la date des faits dont les statuts stipulent la défense des intérêts moraux, la mémoire des esclaves et l'honneur de leurs descendants peut exercer les droits reconnus à la partie civile en ce qui concerne l'apologie des crimes contre l'humanité tels qu'ils sont établis par l'article 24*ter*. »

Le 10 mai 2001, l'Assemblée française adopte la « proposition de loi de Christiane Taubira », qui devient de ce fait la « loi Taubira ». Cette loi, qui reconnaît comme crimes contre l'humanité, la traite négrière transatlantique et l'esclavage qui en a résulté, s'élabore comme suit :

Article 1er

La République française reconnaît que la traite négrière transatlantique ainsi que la traite dans l'océan Indien d'une part, et l'esclavage d'autre part, perpétrés à partir du XVe siècle, aux Amériques et aux Caraïbes, dans l'océan Indien et en Europe contre les populations africaines, amérindiennes, malgaches et indiennes constituent un crime contre l'humanité.

Article 2

Les programmes scolaires et les programmes de recherche en histoire et en sciences humaines accorderont à la traite négrière et à l'esclavage la place conséquente qu'ils méritent. La coopération qui permettra de mettre en articulation les archives écrites disponibles en Europe avec les sources orales et les connaissances archéologiques accumulées en Afrique, dans les Amériques, aux Caraïbes et dans tous les autres territoires ayant connu l'esclavage sera encouragée et favorisée.

Article 3

Une requête en reconnaissance de la traite négrière transatlantique ainsi que de la traite dans l'océan Indien et de l'esclavage comme crime contre l'humanité sera introduite auprès du Conseil de l'Europe, des organisations internationales et de l'Organisation des Nations unies. Cette requête visera également la recherche d'une date commune au plan international pour commémorer l'abolition de la traite négrière et de l'esclavage, sans préjudice des dates commémoratives propres à chacun des départements d'outre-mer.

Article 4

Le dernier alinéa de l'article unique de la loi n° 83-550 du 30 juin 1983 relative à la commémoration de l'abolition de l'esclavage est remplacé par trois alinéas ainsi rédigés :

« Un décret fixe la date de la commémoration pour chacune des collectivités territoriales visées ci-dessus.

« En France métropolitaine, la date de la commémoration annuelle de l'abolition de l'esclavage est fixée par le Gouvernement après la consultation la plus large. »

« Il est instauré un comité de personnalités qualifiées, parmi lesquelles des représentants d'associations défendant la mémoire des esclaves, chargé de proposer, sur l'ensemble du territoire national, des lieux et des actions qui garantissent la pérennité de la mémoire de ce crime à travers les générations. La composition, les compétences et les missions de ce comité sont définies par un décret en Conseil d'Etat pris dans un délai de six mois après la publication de la loi n° du tendant à la reconnaissance de la traite et de l'esclavage en tant que crime contre l'humanité. »

Article 5

A l'article 48-1 de la loi du 29 juillet 1881 sur la liberté de la presse, après les mots : « par ses statuts, de », sont insérés les mots : « défendre la mémoire des esclaves et l'honneur de leurs descendants ».

Une loi qui ne retient pas les termes « déportation » et « réparations »

Dans sa proposition de loi, Mme Taubira parlait, comme de nombreux Africains et Antillais, d'une « déportation » d'êtres humains de l'Afrique vers l'Amérique et réclamait des « réparations ».

Dans la loi adoptée, on ne retrouve plus ces deux vocables. Les députés – certains d'entre eux, dont ceux de la Droite – ont estimé que le transfert des Noirs ne constituait nullement une « déportation », ce mot étant entendu comme un "internement dans un camp de concentration situé dans une région éloignée ou dans un pays étranger". Les parlementaires français admettent bien que les Africains aient bel et bien été arrachés de leur terre et conduits de force dans un monde étranger inconnu, mais récusent le fait qu'ils aient été internés dans des camps de concentration ! Si, rétorquent les défenseurs de la loi : avant d'être embarqués, les captifs étaient internés dans des forts européens (comme à Gorée) ; pendant la navigation, ils étaient de même internés dans des cales ; en Amérique même, ils étaient internés avant d'être exposés au public et vendus au plus offrant ; de même, on les rassemblait pour leur inculquer les lois du plus fort et le catéchisme de l'Eglise catholique. Pour cette raison, les descendants d'esclaves – certains d'entre eux – réclament des « réparations ». Un concept qui a été également expulsé du texte par les parlementaires.

Du coup, la loi Taubira se trouvait amoindrie dans son contenu : elle ne désignait pas explicitement les « bourreaux », ni ne qualifiait les violences faites aux « victimes ». De cette manière, sa dimension thérapeutique d'acte de reconnaissance d'un coupable était amoindrie. C'est d'ailleurs pourquoi cette loi n'a cessé d'être raillée par le microcosme mondain français. Ainsi, le 4 décembre 2004, l'historien cathodique Max Gallo se demandait si c'était un crime contre l'humanité que d'avoir rétabli l'esclavage dans les colonies !

Une éminente et respectable institution qu'est l'Eglise catholique, accusée d'avoir soutenue l'esclavage des Noirs, ne s'embarrasse pas d'employer le terme de *déportation*, en parlant d'Africains conduits en Amérique (Jean-Paul II, le 22 février à Gorée et le 21 octobre 1992 à Rome, évoque en effet la mémoire de "ceux qui, depuis *l'Afrique*, y furent déportés comme *esclaves* pour y accomplir les travaux les plus durs").

Pourquoi le Parlement français déprécié-t-il ce concept qui justifie bien le déplacement forcé d'Africains de leur terre pour les « concentrer » dans un monde inconnu qui sera bien leur Golgotha ? Essayons d'excuser le Parlement français, en estimant qu'il n'a pas compris, ou n'a pas voulu comprendre, tout le sens du vocable « déportation » ; retenons de lui tout de même qu'il a eu le courage de voter la loi reconnaissant traite et esclavage comme « crimes contre l'humanité ».

Annexe 3

LA CONFERENCE MONDIALE CONTRE LE RACISME DE DURBAN, septembre 2001

Déclaration du Forum des ONG des Africains et Descendants Africains

Pendant la rencontre de Durban (31 août – 7 septembre 2001), l'on a surtout remarqué l'intervention des Organisations non gouvernementales (ONG) africaines et antillaises. Voici leur Déclaration commune :

63. Les Africains et les descendants Africains ont une histoire commune de traite d'esclaves, d'esclavage, de conquêtes, de colonisation et d'apartheid, autant de crimes contre l'humanité, ainsi qu'une expérience commune de racisme anti-noirs. Nous reconnaissons que les Peuples d'origine Africaine vivent sur tous les continents du monde et ce, malgré le fait qu'ils ont été rebaptisés, supprimés ou marginalisés. Sur tous les continents, les Africains continuent d'être victimes de racisme, de discrimination, de doctrines et de pratiques de suprématie raciale, de haine de violence et d'intolérances connexes. C'est la complexité et l'entrecroisement de ces racines communes, tant historiques qu'actuelles, les expériences et les combats menés, qui unissent les Africains en tant que communauté mondiale.

64. Nous affirmons que la traite transatlantique des esclaves et l'asservissement des Africains et des Descendants Africains était un crime contre l'humanité, une tragédie unique dans l'histoire de l'humanité, et que ses origines étaient d'ordre économique, institutionnel, systémique et qu'elle comportait une dimension transnationale.

65. Nous reconnaissons par ailleurs l'impact négatif de la traite des esclaves transsaharienne et indianocéanique et de l'esclavage.

66. Nous reconnaissons que la traite des esclaves et l'esclavage, en tant que crimes contre l'humanité, ont provoqué le déplacement forcé le plus important dans l'histoire (plus de cent millions de personnes), ont causé la mort de millions d'Africains, détruit des civilisations Africaines, appauvri les économies Africaines et qu'ils sont à l'origine du sous-développement et de la marginalisation dont souffre l'Afrique encore aujourd'hui. Nous reconnaissons que l'Afrique a été balkanisée et divisée par les pouvoirs Européens, ce qui a donné naissance à des monopoles occidentaux en vue d'une exploitation des ressources naturelles Africaines au bénéfice du capital et des industries de l'Occident.

67. Nous reconnaissons également que la traite des esclaves transsaharienne continue aujourd'hui encore sans relâche et ce, en dépit des accords internationaux condamnant l'esclavage, et que le trafic des hommes, des femmes et des enfants Africains pour le travail forcé continue au Cameroun, en Mauritanie, au Niger et au Soudan, alors que ces formes et d'autres formes de servitude involontaire des Africains et des Descendants Africains ont engendré d'importants effets néfastes dans les domaines économique, politique et culturel du continent. Cette forme d'exploitation a particulièrement eu des effets néfastes sur les femmes Africaines ou de descendance africaines, aujourd'hui encore victimes d'exploitation et de trafic sexuels.

68. Nous condamnons la traite des esclaves transatlantique, l'esclavage et la colonisation comme crimes contre l'humanité. Alors que les institutions économiques de l'Occident ont exploité de façon criminelle les Africains et leurs descendants, utilisé les peuples d'Afrique comme biens meubles et qu'ils continuent à les propager de cette manière. Les Descendants Africains issus de l'esclavage ont enduré des politiques gouvernementales de ségrégation officielle ou de facto official, portant atteinte à leurs droits politiques, économiques, éducationnels, culturels et sociaux, ayant pour effet de légitimer des vols de terres et des violences raciales.

Les Descendants Africains ont souffert des pertes de leurs cultures, leurs identités, et leurs langues et ils ont été victimisés par la perpétuation de stéréotypes négatifs, de dégâts psychologiques, de la discrimination raciale, de préjudices économiques et de leur criminalisation en tant que peuples. Ces conditions ont eu un impact unique sur les femmes Africaines ou de Descendance africaine dont le corps, les rôles familiaux et la capacité reproductive ont été utilisés comme outil d'oppression et d'exploitation et de production de richesses économiques dont le travail forcé sous de conditions inhumaines ainsi que des stéréotypes particulièrement négatifs ont été et continuent à être utilisés pour le maintien de la subordination des femmes Africaines ou de Descendance africaine, lesquelles se retrouvent au bas de l'échelle des édifices politique, économique, culturel et social.

69. Nous reconnaissons que le développement de l'Afrique a été largement entravé par les déséquilibres du pouvoir mondial dû à la traite des esclaves, l'esclavage, le colonialisme en tant que crimes contre l'humanité et maintes autres formes d'exploitation et que celles-ci se maintiennent et se propagent au travers de politiques et pratiques économiques néo-coloniales, y compris le pillage des ressources humaines et matérielles de l'Afrique et l'épuisement de ses ressources financières par les services de dettes étrangères. Le legs de ces crimes crapuleux se manifeste au travers de guerres, des déplacements et de la situation socio-économique précaire dans laquelle se trouvent les Africains.

DE LA TRAITE DES ESCLAVES ET DE L'ESCLAVAGE

70. Reconnaissant que la traite des esclaves et l'esclavage transatlantique, transsaharien et indianocéanique constituent des crimes contre l'humanité et qu'ils s'inspiraient de l'exploitation économique, de doctrines de suprématie et de haine raciales, et qu'il ont assujetti les Africains et les descendants Africains, les Peuples Autochtones et tant d'autres à l'atroce dénigrement de leur être, y compris le traitement en sous-humanité ou de *biens meubles*, l'assujettissement, le viol, le travail forcé, les marquages au fer, les coups de fouet, les assassinats, les mutilations, la destruction de leurs langues et cultures ainsi que de leur bien-être psychologique et spirituel suite à leur subordination structurelle qui continue à ce jour.

RÉPARATIONS

71. Les nations esclavagistes, les colonisateurs et les pays occupants se sont injustement enrichis aux dépens des peuples asservis et colonisé et dont les terres ont été occupées. Puisque ces nations doivent leur domination politique, économique, et sociale à l'exploitation de l'Afrique, des Africains et des Africains dans la Diaspora, elles se doivent de reconnaître leur obligation à accorder à ces victimes des *Réparations* qui soient justes et équitables.

72. La traite des esclaves transatlantique, l'esclavage, et le colonialisme sont des crimes contre l'humanité du fait de leur barbarisme odieux, leur envergure, leur durée, du grand nombre des personnes brutalisées et tuées et en raison de leur négation de l'essence même de l'humanité de leurs victimes ; aussi, les programmes de *Réparations* suffisamment détaillés pour aborder l'ensemble des aspects pertinents, y compris les questions concernant l'économie, l'éducation, la santé, la possession et l'appropriation des terres ainsi que les systèmes d'administration juridique défavorables du point de vue des races et qui brutalisent les Africains et les Peuples de Descendance africaine.

73. La traite des esclaves et l'esclavage transsaharien et indianocéanique doivent également être reconnus comme des crimes contre l'humanité, qui ont brutalisé des communautés et qui ont porté atteinte à la dignité humaine des peuples, et que ces communautés doivent, de ce fait, bénéficier de mesures de justice et de *Réparations*.

74. Il existe une chaîne non brisée de la traite des esclaves, de l'esclavage, du colonialisme, de l'occupation étrangère, de l'apartheid, de la discrimination raciale et des formes contemporaines de racisme structurel, laquelle maintient les entraves à la pleine et égale participation des victimes du racisme et de la discrimination dans l'ensemble des sphères de la vie publique.

75. L'asservissement des Peuples Autochtones, l'appropriation de leurs terres et l'exploitation de leurs ressources doivent être *reconnus et réparés*, et les antécédents de *Réparations* en faveur des victimes de graves violations des droits humains devraient s'y appliquer.

76. Les victimes de guerres déclarées ou non à travers le monde ont vu violer leurs droits du fait de leur race, de leur ethnie et de l'entrecroisement entre race, ethnie, sexe et handicap, et elles ont besoin de *Réparations*.

« Unis contre le racisme ». Déclaration finale de la conférence de Durban, sur *esclavagisme et colonialisme*

La Déclaration finale et du programme d'action adoptés à Durban reprend deux sujets les plus controversés : la situation au Proche-Orient et l'esclavage. Nous ne publions que les principaux passages touchant à ce que la Déclaration appelle « esclavage et colonialisme » (Source : Nations-Unies, New York, 8 septembre 2001).

Sur l'*esclavage* et la *réparation* conséquente, aux yeux des *Africains* du continent et de la diaspora, les délégations ont souligné que la démarche à suivre comporterait deux volets : une reconnaissance officielle selon laquelle l'esclavage constitue un crime contre l'humanité et en tant que telle, les victimes de cette période sombre de l'histoire de l'humanité devraient être redressées dans leurs droits en créant en leur faveur soit un fonds de compensation soit un plan de redressement économique des pays dont elles sont ressortissantes, soit les deux mesures à la fois. Le *Royaume-Uni* et les *Pays-Bas* ont toutefois abordé la question en reconnaissant que l'esclavage a été une abomination et que leurs gouvernements « regrettent » cette période de leur histoire pour laquelle ils seraient disposés à présenter des « excuses ». La *France* était la seule à reconnaître officiellement, par une loi adoptée par son parlement en mai 2001, que l'esclavage, la traite négrière transatlantique ainsi que la traite dans l'océan indien, perpétrés à partir du XVe siècle contre les populations africaines, amérindiennes, malgaches et indiennes constituaient un crime contre l'humanité.

Il est ressorti des interventions que plusieurs pays étaient favorables à une participation soutenue au développement des pays victimes de l'esclavage et d'autres formes de discrimination dans le cadre de la *Nouvelle Initiative Africaine.* La France a reconnu que le colonialisme a eu des effets durables sur les structures politiques et économiques des pays concernés et que, vis-à-vis de ces pays qui, pour beaucoup d'entre eux, avaient été victimes de la traite, la solidarité devait s'exprimer avec une plus grande ampleur.

Déclaration : « La Conférence reconnaît que l'esclavage et le commerce des esclaves, en particulier la traite transatlantique [...], constituent un crime contre l'humanité et auraient toujours dû être considérés comme tel. [...] Elle condamne le fait que l'esclavage et des pratiques analogues existent encore dans certaines régions du monde [...] et constituent des violations flagrantes des droits de l'homme. »

Programme d'action : « La Conférence note que certains Etats ont pris l'initiative d'exprimer des regrets ou des remords, ou de présenter des excuses, et appelle tous ceux qui n'ont pas contribué à rétablir la dignité des victimes à trouver des manières adaptées pour le faire... »

Annexe 4

"LES INSOUTENABLES PROPOS REVISIONNISTES DE PETRE-GRENOUILLEAU"

Sous ce titre, le président du Collectif des Antillais, Guyanais et Réunionnais, Patrick Karam, s'en prend, dans un communiqué de presse paru le 12 juin 2005, à Olivier Pétré-Grenouilleau, pour des propos prétendument « révisionnistes », développés dans son ouvrage *Les Traites négrières*. Pourtant un jour avant, ce livre était récompensé par le « Prix du livre d'Histoire du Sénat », ce qui provoqua une vive émotion dans la communauté antillaise !

"Dans un entretien paru dans « Le Journal du Dimanche » (JDD) le 12 juin 2005, Olivier Pétré-Grenouilleau, professeur d'histoire à l'Université de l'Orient et auteur de l'ouvrage « Les Traites Négrières », tient des propos révisionnistes d'une rare violence sur les traites négrières et l'esclavage.

Olivier Petré-Grenouilleau non seulement regrette ouvertement l'adoption de la loi Taubira, mais rend cette même loi responsable de l'antisémitisme en France. Et pour que son message soit plus clair, il assène que les traites négrières ne sont pas des génocides en mélangeant volontairement les deux notions : le crime contre l'humanité et le génocide.

Le Collectif saisira les autorités compétentes afin que Olivier Pétré-Grenouilleau soit suspendu de ses fonctions universitaires pour révisionnisme comme l'a été récemment Bruno Gollnisch, responsable du Front National, qui contestait le nombre de morts du génocide juif.

Maître Gilbert Collard déposera de manière imminente une plainte pénale contre Olivier Pétré-Grenouilleau au nom du Collectif des Antillais, Guyanais, Réunionnais.

Explications : A une question sur « l'antisémitisme véhiculé par Dieudonné », Olivier Pétré-Grenouilleau répond que « cela dépasse le cas Dieudonné. C'est aussi le problème de la loi Taubira qui considère la traite des Noirs par les Européens comme un crime contre l'humanité, incluant de ce fait une comparaison avec la Shoah. Les traites négrières ne sont pas des génocides. La traite n'avait pas pour but d'exterminer un peuple. L'esclave était un bien qui avait une valeur marchande qu'on voulait faire travailler le plus possible. Le génocide juif et la traite négrière sont des processus différents. Il n'y a pas d'échelle de Richter des souffrances. »

1°) En déclarant que la loi Taubira, pose « problème », Olivier Pétré-Grenouilleau se pose en censeur de la représentation nationale qui a adopté à une écrasante majorité la loi Taubira en 2001. Il méprise purement et simplement notre système démocratique.

2°) En affirmant que l'esclavage n'est qu'un simple système d'exploitation de l'homme ; un banal expédient économique, Pétré-Grenouilleau réécrit l'histoire. Il bafoue la mémoire de tous les descendants d'esclave qui ont dû attendre un siècle et demi une réparation morale minimale.

De tels propos d'un prétendu historien, qui n'a pas l'excuse du profane, sont falsificateurs au regard de l'histoire : Il s'agit d'une tentative de minimiser l'esclavage des noirs, système odieux dans son organisation et implacable dans sa réalité avec son cortège de déportation, de morts, de viols, de violences, de reniement de l'être et des droits.

Car il s'agit bien d'une tragédie majeure responsable, pendant plus de trois siècles, de plusieurs millions de morts et de la déportation de dizaines de millions de victimes privées de tout droit et de toute liberté. L'organisation méthodique de la négation de l'individu en tant qu'être humain à cause de sa couleur de peau par l'ensemble des puissances dominantes de l'époque, suffit pourtant largement à qualifier sans hésitation, aucune, ce crime.

3°) Olivier Pétré-Grenouilleau suggère qu'il aurait fallu faire silence sur l'esclavage, ne pas le décréter crime contre l'humanité pour ne pas faire de « comparaison avec la Shoah » et insinue que cette loi est responsable de l'antisémitisme.

Quel est donc ce mauvais procès ? En quoi est antisémite le fait de reconnaître la traite négrière et l'esclavage comme crime contre l'humanité ? Doit-on désormais renoncer à qualifier tous les autres crimes contre l'humanité comme ceux des arméniens, de Yougoslavie ou du Rwanda ?

Dans sa perversité intellectuelle, Pétré-Grenouilleau considère la souffrance des Noirs moins importante que celle reconnue, à raison, pour les Juifs. Est-ce parce que les esclaves étaient supposés de pas avoir d'âme mais être de simples objets ?

Tout en affirmant qu'il « n'y a pas d'échelle de Richter des souffrances », Olivier Petré-Grenouilleau, opère un étrange rapprochement qui suscite la concurrence victimaire et ne peut que déclencher les haines entre les communautés.

4°) Olivier Pétré-Grenouilleau va jusqu'à nier la réalité de l'existence de descendants d'esclaves, qu'il qualifie de « choix identitaire », qui ne correspond « pas à la réalité ». Pour lui, il s'agit d'une « expression à manier avec prudence ».

Le Collectif des Antillais, Guyanais, Réunionnais demande une sanction exemplaire contre un homme dont toute l'œuvre tient bien à la volonté de nier toute l'horreur d'un crime imprescriptible contre l'humanité.

Son récent prix délivré par le Jury du prix du livre d'histoire du Sénat résonne comme une gifle infligée à ceux, les descendants d'esclaves, qui ont contribué à l'édification de la nation française et à l'histoire de France.

Par des propos intolérables qui le placent en marge des lois de la République, Olivier Pétré-Grenouilleau s'expose aux sanctions pénales prévues pour les révisionnistes.

Max Gallo avait déjà été contraint de s'excuser sous la pression du Collectif des Antillais, Guyanais, Réunionnais, en décembre 2004 pour avoir déclaré qu'il ne savait pas si le rétablissement de l'esclavage était un crime contre l'humanité. Le Collectif avait en conséquence décidé de ne pas actionner en justice, croyant que cela aurait valeur exemplaire. (voir notre site Internet www.collectifdom.com)

Cette fois-ci, la justice devra passer avec une sévérité exemplaire !

L'indignation du Collectif semble être comprise et même partagée par Marcel Dorigny et Louis Sala-Molins.

Un ouvrage « révisionniste » encensé par deux spécialistes de l'esclavage (L. Sala-Molins et M. Dorigny)

La lecture de l'histoire, telle qu'elle est faite par les évêques, serait du pur « révisionnisme » et rejoindrait la pensée de certains historiens qui tentent d'équivaloir la responsabilité des Européens à celle des Africains, voire de la relativiser, ou pire, de la minimiser. Ce genre de discours qui nie le premier rôle d'Européens ou majore celui d'Africains, est dénoncé énergiquement par les historiens professionnels africains. Mais aussi par certains historiens occidentaux lucides, comme Louis Sala-Molins et Marcel Dorigny. Ces deux spécialistes se sont prononcés notamment sur *Traites négrières et l'esclavage*, l'ouvrage « révisionniste » d'Olivier Pétré-Grenouilleau qui, paru en 2004, a obtenu un certain succès en France, jusqu'à être primé, le 11 juin 2005, par le Sénat.

Louis Sala-Molins, auteur du fameux *Le Code noir, le calvaire de Canaan*, s'émeut de cette reconnaissance par la Chambre basse de l'Etat français ; il s'adresse aux sénateurs (afrikara.com) :

"Ainsi donc l'approximation historique devient science et le Sénat, que présidait une fois Gaston Monnerville, se pâme d'admiration et ceint de ses lauriers le front de l'écrivain.

Ainsi donc la loi Taubira a un effet néfaste : elle permet à chacun de savoir ce que « crime contre l'humanité » veut dire et autorise chacun à se livrer à l'ignominie, à l'indécence, à l'immoralité de la comparaison...

Ainsi donc, comme autrefois ailleurs et ici dans une période bien précise de l'histoire d'ici et d'ailleurs, il faudra désormais à ceux qui osent, à ceux qui ont le front de se prétendre « descendants d'esclaves » exhiber les quatre quartiers de leur ascendance, voire même tout leur arbre généalogique pour avoir droit... non à la justice, non à la réparation, non aux regrets, pas même à l'insultante compassion, mais tout simplement à la parole.

Ainsi donc on peut écrire une « histoire » linéaire et foisonnante à la fois de l'esclavage, du jour où Yahvé condamnait Canaan, du jour où les fils de Jacob (que Yahvé nomma Israël) vendaient en esclave leur frère Joseph jusqu'à ce matin, en noyant par cette curieuse méthode la traite négrière de signe chrétien dans l'infinitude océanique des épisodes de l'aliénation de soi au bénéfice d'autrui.

Ainsi donc on peut garnir de chiffres et de pourcentages l'histoire des captivités intra-africaines en octroyant égale valeur aux rarissimes témoignages écrits habilement mêlés aux données, ô combien crédibles, des traditions orales.

Ainsi donc Pétré-Grenouilleau peut faire œuvre d'« historien » en racontant les traites sans se préoccuper sérieusement de l'idéologie convenant à chacune d'elles. Comme si les notions d'« homme », de « liberté », d'« esclavage », de

« citoyenneté », de « peuple » étaient les mêmes dans tous les continents depuis Hésiode et Esdras jusqu'à Montesquieu et les Lumières et, tant qu'à faire, jusqu'à la « Déclaration des droits de l'homme et du citoyen » avant hier et à la « Déclaration universelle des droits de l'homme » juste hier soir. Et c'est ainsi que l'historien à qui on s'empresse de tendre papier, micros et caméras peut réussir cette merveille de raconter la traite négrière de signe chrétien sans aucunement évoquer ni le tragiquement exemplaire Code Noir ni les avatars juridiques européens de ce chef d'œuvre juridique, voulu par l'immense Colbert et le Roi Soleil, célébré et remis en honneur dans un torrent de sang par Napoléon. La même idéologie, celle des Lumières, qui célèbre la libération de l'homme, qui combine inextricablement humanité et citoyenneté, qui dit la grandeur des peuples et qui condamne l'esclavage gréco-romain, propose « des règlements à faire » pour « mieux tenir les esclaves » (Montesquieu), insinue de faire travailler « en musique » les esclaves pour que, oubliant leur douleur, ils oublient leur condition (Diderot).

Et le Sénat se pâme. Et par sa stupide pamoison, le Sénat foule aux pieds la dignité, l'humanité de tous et chacun des descendants de ces esclaves-là.

Quand le pouvoir législatif prévarique, la voie est ouverte à tous les excès, à tous les désordres.

Sénateurs, nos élus, honte à vous !

Sénateurs, nos élus, prenez garde ! Les descendants d'esclaves sont légion. Et ils ne sont pas seuls."

Après la récompense faite à Pétré-Grenouilleau, les « descendants d'esclaves » ont manifesté devant le Sénat, pour protester contre la reconnaissance d'un livre qui "relève purement et simplement des tribunaux sous le chef de racisme et d'apologie de crime contre l'humanité". Et de porter plainte contre Pétré-Grenouilleau.

Marcel Dorigny[1], quant à lui, note que *Le Nouvel Observateur* du 3 mars 2005 a fait de l'ouvrage de Pétré-

---

[1] Marcel Dorigny est maître de conférences au département d'histoire de l'université de Paris VIII-Saint-Denis. Dernier ouvrage paru : *La plantation coloniale esclavagiste : du travail servile au travail libre*, actes du Congrès des Sociétés savantes, Nancy, 2002, Editions du CTHS, Paris, 2004.

Grenouilleau la principale référence de son dossier intitulé pompeusement « *La vérité sur l'esclavage* », signé Laurent Lemire, qui foisonne, par ailleurs, dit Dorigny, "d'approximations et de contre-vérités historiques". Dorigny constate également, avec étonnement, que Pétré-Grenouilleau, depuis la sortie de son œuvre, se répand dans les médias, défendant une thèse douteuse sur la traite atlantique. Dans *L'Express* du 14 mars 2005, qui lui donne largement la parole, il déclare :

"Dans cette histoire, il n'y a pas de coupable idéal ni de victime éternelle. Il faut cesser d'envisager la question sous le seul angle de la morale. [...] Il n'y eut pas une, mais trois filières de traite. De 1450 à 1867, les grandes nations européennes ont déporté et vendu 11 millions d'Africains aux Amériques. Mais, depuis le VIIe siècle, avec l'expansion de l'empire musulman, jusqu'aux années 1920, les traites orientales ont conduit à la déportation d'environ 17 millions de personnes. Quant à la traite « interne », entre royaumes africains, elle a réduit en esclavage près de 14 millions de personnes. Il faut admettre qu'il s'agit du premier exemple de grand commerce international entre Blancs, Noirs et Arabo-Turcs, rentable pour toutes les parties."

L'Expansion du 29 juin 2005, qui publie un interview de Pétré-Grenouilleau, le présente comme "le meilleur spécialiste français de l'histoire de l'esclavage", qui "n'a pas peur de bousculer la « bien-pensance »" et "vient de publier un ouvrage de référence, *Les Traites négrières*, qui s'efforce d'établir les faits avant de faire la morale." Ce « spécialiste », dans un entretien paru dans *Le Journal du Dimanche* du 12 juin 2005 n'hésite pas à fustiger la loi Taubira, qui, le 10 mai 2001, a qualifié l'esclavage de crime contre l'humanité ; bien plus, il minimise plus explicitement encore l'importance de la traite négrière et de l'esclavage pratiqué du XVI au XIXe siècle par les grands États européens.

Plébiscité par les médias et le Sénat français, le livre d'Olivier Pétré-Grenouilleau est fortement contesté dans le milieu universitaire. Ainsi, Marcel Dorigny[2] formule des critiques pertinentes à son endroit. D'abord, il trouve que l'auteur de l'ouvrage minimise la traite européenne :

"En mettant sur le même plan toutes les traites négrières (atlantiques, trans-sahariennes et orientales, intra africaines), l'auteur laisse entendre que si crime il y eut, il fut largement partagé et il ne saurait sérieusement être question d'accuser l'Europe seule de pratiques universellement admises pendant des siècles. Pourtant, on peut légitimement contester la méthode consistant à considérer que les chiffres des différentes traites sont comparables, voire donnent implicitement, malgré les précautions prises par l'auteur pour rejeter par avance cette accusation, « l'avantage » à la traite dite « orientale » avec ses 17 millions de déportés, « contre 11 » pour la traite occidentale, alors que les durées ont été très différentes : quatre siècles au plus pour la traite atlantique et vers l'océan indien, plus de treize siècles pour la traite trans-saharienne.

Sans oublier le fait majeur que les conséquences sur le peuplement actuel des continents sont sans comparaison possible : le continent américain est aujourd'hui en partie peuplé de descendants d'Africains déportés par la traite et les Antilles le sont presque totalement, ce qui n'est pas le cas des régions du pourtour méditerranéen et du Moyen Orient qui ont « bénéficié » de la traite trans-saharienne sur une beaucoup plus longue période et recevant des effectifs que les recherches utilisées par Olivier Pétré-Grenouilleau estiment sensiblement supérieurs à ceux de la traite atlantique... mais il est vrai qu'autant les archives des ports européens (ou brésiliens) permettent un calcul presque exact du rythme et des effectifs de la traite atlantique, les sources statistiques de la « traite orientale » et plus encore intra africaine sont quasi inexistantes, ou peu fiables, ce qui conduit les chercheurs à travailler sur des hypothèses, des recoupements, des témoignages indirects. La marge d'erreur dans l'estimation de l'ampleur de ces traites est ainsi très importante, du moins en l'état actuel de la recherche.

---

[2] M. Dorigny, "Traites négrières et esclavage : les enjeux d'un livre récent, par Marcel Dorigny À propos d'un livre plébiscité par les médias : Les traites négrières d' Olivier Pétré-Grenouilleau", dans *Hommes et Libertés*, septembre 2005.

La même conclusion « minimaliste » ressort des chapitres où l'auteur veut démontrer que la traite européenne ne fut pas aussi rentable que la tradition « tiers-mondiste » d'origine marxiste l'a longtemps affirmé (à la suite, notamment, de Eric Williams). Surtout, la ligne directrice des précédents ouvrages de l'auteur, systématisée ici (p. 315-374) consiste à réfuter les liens entre activités négrières et essor économique de l'Europe. La révolution industrielle, origine de la suprématie de l'Europe sur le reste du monde, ne devrait ainsi rien au système négrier. L'arrière plan idéologique de telles démonstrations est tout aussi explicite, mais à finalité diamétralement opposée, que la thèse combattue qui voulait voir dans la traite le moteur principal, sinon exclusif, de l'enrichissement de l'Occident aux dépens de l'Afrique.

Dorigny souligne par ailleurs que la traite atlantique était bien "une traite d'initiative européenne et qui a profité à l'Europe". Avant de dénoncer "une volonté constante de « dédouaner » l'Europe de ses crimes" :

"Cette volonté implicite, mais constante, de « dédouaner » l'Europe de l'époque moderne (XVIe - début XIXe siècles) de son rôle moteur dans le commerce négrier, en tant que maîtresse des circuits maritimes et surtout des débouchés coloniaux demandeurs de main-d'œuvre servile, laisse une impression de malaise au moment où pour la première fois depuis les abolitions du XIXe siècle les anciennes puissances négrières européennes sont en train de remettre en cause la « politique d'oubli » qui avait servi de doctrine officieuse au sujet de la traite pratiquée à grande échelle durant la première phase de l'expansion coloniale. La loi votée par le parlement français le 10 mai 2001 a marqué de façon spectaculaire ce changement d'attitude face à une histoire jusqu'alors mal assumée et les résolutions adoptées par la conférence de l'ONU à Durban sur les droits de l'homme au mois de septembre suivant vont également dans le sens d'une reconnaissance internationale de ce crime contre l'humanité.

On ne peut que regretter qu'un ouvrage de cette importance s'attache à développer avec autant de références savantes une thèse qui, sous prétexte de « *détruire les poncifs* » et de « *dépasser les rancœurs et les tabous idéologiques accumulés, sans cesse reproduits par une sous littérature n'ayant d'historique que les apparences* » (p. 10), contribue activement à fonder et à répandre une autre idéologie, qui veut à toutes fins minimiser la place de la traite négrière européenne, à la fois face aux autres traites et dans son rôle actif au sein du vaste complexe colonial dans l'essor de l'Europe entre le XVIe et le XIXe siècles. Un débat apaisé sur ce sujet brûlant et encore douloureux aujourd'hui pour les populations issues de cette histoire tragique ne peut se construire sereinement à partir d'une démarche fondée sur la volonté de mettre la traite atlantique en concurrence avec d'autres traites beaucoup moins connues, pour, en fin de compte, renvoyer dos-à-dos Européens, Africains et Arabes, tous acteurs à part égale du vaste drame subi par les Africains déportés pendant des siècles.''

Le 6 octobre 2003 à l'île de Gorée, près de Dakar, les évêques africains vont exiger le « pardon de l'Afrique à l'Afrique », prétendant que les Africains auraient vendu aux Européens leurs propres frères ! C'est sûr, ils n'avaient pas lu les auteurs comme Marcel Dorigny, ou Louis Sala-Molins, pour comprendre que la traite négrière atlantique était bien une entreprise européenne où les Africains étaient bien des victimes. Penser autrement dénote d'une méconnaissance de la vraie histoire.

La démarche de Gorée, effectuée par ces évêques pour expier les fautes des Africains qui auraient participé activement à la traite négrière, est une caution aux thèses révisionnistes développées en Europe et ailleurs. Elle est surtout, décrète Elikia M'Bokolo, ''un mauvais coup contre l'Afrique'', un poignard planté dans le dos de ceux qui se battent pour que le monde entier reconnaisse la traite négrière atlantique comme un crime contre l'humanité, devant mériter réparation !

BIBLIOGRAPHIE SOMMAIRE

AGUET Isabelle, *La Traite des Nègres*, Minerve, Genève, 1971.

AYACHE S.'et DAUTRESNE M., *La Traite négrière, du XVᵉ au début du XIX 5ᵉ siècles, paroxysme et recul*, Hatier, Paris, 1975.

BABA KAKE Ibrahim, *La traite négrière*, Présence Africaine, 1988.

BRETEAU Jean, *Des chaînes à la liberté. Choix de textes français sur les traites négrières et l'esclavage, de 1615 à 1848*, PUF, 1998.

DAGET Serge, *De la traite à l'esclavage. Actes du colloque international sur la traite des Noirs, Nantes 1985*, L'Harmattan, 1988.

DELISLE Philippe, *Histoire religieuse des Antilles et de la Guyane françaises. Des chrétientés sous les tropiques ? 1815-1911*, Karthala, 2000.

DESCHAMPS Hubert, *Histoire de la traite des noirs de l'antiquité à nos jours*, Fayard, Paris, 1971.

DORES Maurice, *La beauté de Cham : mondes juifs, mondes noirs*, Balland, 1992.

DORIGNY Marcel (dir.), *Les abolitions de l'esclavage, de L.F. Sonthonax à V. Schoelcher (1793, 1794, 1848), Actes du colloque international à l'Université de Paris VIII les 3, 4 et 5 février 1994*, UNESCO, 1995.

DORIGNY Marcel et GAINOT Bernard, *Atlas des esclavages. Traites, sociétés coloniales, abolitions de l'Antiquité à nos jours*, Autrement, Paris, 2006.

DOUDOU Diène (dir.), *La chaîne et le lien. Une vision de la traite négrière*, UNESCO, 1998.

FEDERINI Fabienne, *L'abolition de l'esclavage 1848 : une lecture de Victor Schoelcher*, L'Harmattan, Paris, 1998.

GIROLLET Anne, *Victor Schoelcher, abolitionniste et républicain : approche juridique et politique de l'œuvre d'un fondateur de la République*, Éditions Karthala, 2000.

GISLER Antoine, *L'esclavage aux Antilles françaises (XVIIe - XIXe siècle)*, Karthala, Paris, 1981.

GRAVATT Patricia, *L'Eglise et l'esclavage*, L'Harmattan, 2003.

HAUDRERE Philippe et VERGES Françoise, *De l'esclave au citoyen*, Découvertes Texto / Gallimard, Paris, 1998.

HENRIQUES Isabel Castro et SALA-MOLINS Louis (dir.), *Déraison, esclavage et droit. Les fondements idéologiques et juridiques de la traite négrière et de l'esclavage*, UNESCO.

Histoire générale de l'Afrique, UNESCO, Paris, 1985.

HUGGINS Nathan Irvin, *L'odyséee noire*, présentée par Roger Garaudy, Jeune Afrique, Paris, 1979.

KAY George, *La Traite des Noirs*, Laffont, Paris, 1968.

KOM Ambroise et NGOUE Lucienne (dir.), *Le Code noir et l'Afrique*, Nouvelles du Sud, 1991.

LACROIX Louis, *Les derniers négriers*, 1977.

LEVILLAN, Philippe (dir. Publ.), *Dictionnaire historique de la papauté*, Fayard, Paris, 1994.

MAXWELL J.F., "The Development of Catholic Doctrine concerning Slavery", in *World Jurists 11 (1969 –1970)*, pp. 147-192 et 291-324.

M'BOKOLO Elikia, *Afrique noire, Histoire et Civilisations*, Tome 1 : *Jusqu'au XVIIIe siècle*, Hatier-AUPELF, Paris, 1995.

METELLUS Jean et DORIGNY Marcel, *De l'esclavage aux abolitions XVIIIe - XXe siècles*, Cercle d'Art, Paris, 1998.

METOUDI Michèle et THOMAS Jean-Paul, *Abolir l'esclavage*, Le Forum / Gallimard Education, Paris, 1998.

MEYER Jean, *Esclaves et négriers*, Gallimard, Paris, 1986.

MPISI Jean, *Jean-Paul II en Afrique (1980-2000)*, L'Harmattan, Paris, 2004.

OMOTUNDE Jean-Philippe, *La traite négrière. Vérité et Mensonges*, vol. 3, Menaibuc, Paris, 2004.

QUENUM Alphonse, *Les Eglises chrétiennes et la traite atlantique du XVᵉ au XIXᵉ siècles*, Karthala, Paris, 1993.

ROSAY, Jean Mathieu, *La véritable histoire des papes. Du royaume des cieux aux royaumes terrestres*, Grancher, Paris, 1991.

SALA-MOLINS Louis, *Le Code noir, ou le Calvaire de Canaan*, PUF, Paris,1987.

SALA-MOLINS Louis, *Le Code noir espagnol*, PUF, Paris, 1992.

SAMB Djibril, *Gorée et l'esclavage. Actes du séminaire sur « Gorée dans la traite atlantique : mythes et réalités »*, IFAN, Dakar, 1997.

SCHMIDT Nelly, *Victor Schoelcher et l'abolition de l'esclavage*, Fayard, Paris, 1994.

SCHOELCHER Victor, *Esclavage et colonisation*, PUF, 1948.

SURET-CANALE Jean, *Essai d'histoire africaine. De la traite des Noirs au néocolonialisme*, Edit. Sociales, Paris, 1980.

TARDIEU Jean-Pierre, *Le destin des Noirs aux Indes de Castille XVIᵉ-XVIIIᵉ siècles*, L'Harmattan, 1984.

TARDIEU Jean-Pierre, *L'Eglise et les Noirs au Pérou XVᵉ et XVIIᵉ siècles*, L'Harmattan, 1993.

TARDO-DINO Frantz, *Le Collier de servitude. La condition sanitaire des esclaves aux Antilles françaises du XVIIᵉ au XIXᵉ siècle*, Editions Caribéennes, 1985.

TAUBIRA-DELANNON Christine, *L'esclavage raconté à ma fille*, Bibliophane – Daniel Radford, Paris, 2002.

THELIER Gérard, *Le grand livre de l'esclavage. Des résistances et de l'abolition*, Orphie, 1998.

UTZ Arthur F. et BOEGLIN Médard, *La doctrine sociale de l'Eglise à travers les siècles*, Beauchesne et fils, Paris, 1970.

—

TABLE DES MATIERES

L'HARMATTAN, ITALIA
Via Degli Artisti 15 ; 10124 Torino

L'HARMATTAN HONGRIE
Könyvesbolt ; Kossuth L. u. 14-16
1053 Budapest

L'HARMATTAN BURKINA FASO
Rue 15.167 Route du Pô Patte d'oie
12 BP 226
Ouagadougou 12
(00226) 50 37 54 36

ESPACE L'HARMATTAN KINSHASA
Faculté des Sciences Sociales,
Politiques et Administratives
BP243, KIN XI ; Université de Kinshasa

L'HARMATTAN GUINÉE
Almamya Rue KA 028
En face du restaurant le cèdre
OKB agency BP 3470 Conakry
(00224) 60 20 85 08
harmattanguinee@yahoo.fr

L'HARMATTAN CÔTE D'IVOIRE
M. Etien N'dah Ahmon
Résidence Karl / cité des arts
Abidjan-Cocody 03 BP 1588 Abidjan 03
(00225) 05 77 87 31

L'HARMATTAN MAURITANIE
Espace El Kettab du livre francophone
N° 472 avenue Palais des Congrès
BP 316 Nouakchott
(00222) 63 25 980

L'HARMATTAN CAMEROUN
BP 11486
Yaoundé
(00237) 458 67 00
(00237) 976 61 66
harmattancam@yahoo.fr

Achevé d'imprimer par Corlet Numérique - 14110 Condé-sur-Noireau
N° d'Imprimeur : 50907 - Dépôt légal : juin 2008 - *Imprimé en France*